O QUE SEU MÉDICO NÃO SABE SOBRE MEDICINA NUTRICIONAL PODE ESTAR MATANDO VOCÊ

O QUE SEU MÉDICO NÃO SABE SOBRE MEDICINA NUTRICIONAL PODE ESTAR MATANDO VOCÊ

Ray D. Strand, M.D.

com Donna K. Wallace

M.Books do Brasil Editora Ltda.

Rua Jorge Americano, 61 - Alto da Lapa
05083-130 - São Paulo - SP - Telefone: (11) 3645-0409
www.mbooks.com.br

Dados de Catalogação na Publicação

Strand, Ray D.
O Que Seu Médico Não Sabe Sobre Medicina Nutricional Pode Estar Matando Você / Ray D. Strand
2004 – São Paulo – M. Books do Brasil Editora Ltda.
1. Medicina 2. Nutrição

ISBN: 85-89384-45-4

Do original: What Your Doctor Doesn't Know About
Nutritional Medicine May Be Killing You
© 2002 by Ray D. Strand
© 2004 by M. Books do Brasil Ltda.
Todos os direitos reservados.
Original em inglês publicado por Thomas Nelson, Inc.

Editor
MILTON MIRA DE ASSUMPÇÃO FILHO

Tradução
Roger Maioli dos Santos

Revisão Técnica
Dr. Jairo Roberto Neubauer Ferreira
Médico graduado pela Universidade Federal de Minas Gerais. Cardiologista com título reconhecido pela Sociedade Brasileira de Cardiologia. Pós-graduando da Universidade Federal de São Paulo UNIFESP. Médico pesquisador da Unidade Clínica de Dislipidemias do Instituto do Coração HC-FMUSP.

Pesquisa
Natalia Coutinho Mira de Assumpção

Produção Editorial
Salete Del Guerra

Revisão de Texto
Eugênia Pessotti
Lucrécia Barros de Freitas

Capa
Design: ERJ (projeto original de Andrew Newman Design)
Foto: cortesia de Smith/Jones photography, Rapid City, SD

Editoração e Fotolitos
ERJ Composição Editorial

2004
1ª edição
Proibida a reprodução total ou parcial.
Os infratores serão punidos na forma da lei.
Direitos exclusivos cedidos à
M. Books do Brasil Editora Ltda.

Este livro foi escrito com uma profunda humildade e respeito pelo Grande Médico.

● ● ●

É com grande veneração e apreço que dedico este livro à mais bela manifestação da obra de Deus: minha esposa, Elizabeth.

Todos os esforços foram feitos para tornar este livro tão preciso quanto possível. O propósito deste livro é educar. Ele é um estudo de evidências científicas apresentado com propósitos informativos. Ninguém deve usar as informações nele contidas para autodiagnósticos e tratamentos, nem como justificativa para aceitar ou rejeitar qualquer terapia médica para quaisquer doenças ou problemas de saúde. Qualquer aplicação dos conselhos nele contidos será por conta e risco do leitor. Portanto, todo indivíduo que tem problemas de saúde específicos ou tome medicamentos deve procurar o aconselhamento de seu médico e, se necessário, de um(a) nutricionista antes de começar um programa. O autor e a editora não terão responsabilidade alguma perante qualquer pessoa ou entidade por razão de perdas, lesões ou ferimentos causados ou supostamente causados, de forma direta ou indireta, pelas informações contidas neste livro. Não assumimos nenhuma responsabilidade por erros, imprecisões, omissões ou inconsistências que ele contenha. Qualquer ofensa a pessoas, lugares ou organizações será involuntária.

Meu caro, oro para que em todos os sentidos possais prosperar e gozar de boa saúde, assim como prospera vossa alma.

— 3 João 1:2

Agradecimentos

EM PRIMEIRO LUGAR, NÃO HÁ PALAVRAS ADEQUADAS PARA AGRADECER DEVIDAMENTE pela maravilhosa graça que meu redentor me concedeu. Ele é o Grande Médico, e o único que verdadeiramente cura. A cada dia me surpreendo com o conhecimento de Sua obra, conforme vou sabendo mais e mais sobre a grande habilidade do corpo de curar e proteger a si mesmo.

Muitas pessoas, a quem muito aprecio, se reuniram para tornar este livro uma realidade. Expresso aqui meus mais profundos agradecimentos a minha agente, Kathryn Helmers, que me guiou fielmente durante todo este projeto; a meus editores na Thomas Nelson, Victor Oliver e Michel Hyatt, que reconheceram os conceitos de saúde capazes de transformar a vida apresentados neste livro; a Kristen Lucas, minha gerente editorial, cuja atenção aos detalhes deste projeto fizeram as coisas acontecerem; e a Alice Crider, por sua cuidadosa elaboração do índice.

Quero mandar um agradecimento especial a minha colaboradora, Donna Wallace, cujos maravilhosos talento e influência são visíveis por todo o livro. Sem sua energia e exemplo, este projeto jamais se concluiria.

O pessoal de minha clínica foi maravilhoso. Preciso agradecer especialmente a minhas duas enfermeiras, Paulette Nankivel e Melissa Aberle, por me concederem cordialmente o tempo extra necessário para escrever este livro. Eu também preciso agradecer a Karmen Thompson e Leone Young, que me ajudaram a reunir os volumes de pesquisa médica que forneceram os fatos e a fundamentação desta obra.

Quero agradecer especialmente a Bruce Nygren, cujo apoio me deu, a bem dizer, a oportunidade de escrever este livro. Minhas preces dirigem-se para Bruce, que perdeu sua adorável esposa, Racinda, durante a composição desta obra.

Palavras não podem expressar o amor e apoio que recebi de minha esposa, Elizabeth, cujo incentivo me animou durante as longas horas de pesquisa e redação. E a meus filhos, Donny, Nick e Sarah, que já estão crescidos, mas me oferecem continuamente suporte e estímulo: obrigado.

Sumário

Introdução .... *xvii*

Parte I: Antes de Começar **1**

   1. Minha Conversão 3
         Pressupostos Submetidos à Prova 5
         Minha Pesquisa sobre Suplementação 6
         As Vitaminas e Você 8
   2. Vivendo Pouco e Morrendo Muito 9
         Um Toque de Despertar 10
         A Medicina Preventiva 11
         Os Ingredientes de um Estilo de Vida Saudável 12
         Dando aos Pacientes uma Escolha 14
         A História de David 15
   3. A Guerra Interior 18
         O Lado Negro do Oxigênio 19
         Nossos Aliados: Os Antioxidantes 20
         Por Trás das Linhas 21
         O Que Gera Radicais Livres 22

Parte II: Vencendo a Guerra Interior **29**

   4. Nosso Sistema de Reparo: A Unidade MASH 31
         A Devastação da Guerra 33
         Nossa Melhor Defesa 34

O Equilíbrio É a Meta 34
A História de Evelyn 35
5. Doenças do Coração: Uma Moléstia Inflamatória 39
E Quanto ao Colesterol? 39
A Natureza da Resposta Inflamatória 41
A Verdadeira Prevenção: O Que Dizem as Pesquisas 45
Medicina Nutricional: A Verdadeira Prevenção 46
6. Homocisteína: O Novato do Bando 48
O Que É Homocisteína? 48
A Coisa Certa — O Momento Errado 49
Interesse Renovado na Homocisteína 50
Mostre-me o Dinheiro! Os Poderes Econômicos da Medicina 51
Existe um Nível Saudável de Homocisteína? 52
Como Reduzir Meu Nível de Homocisteína? 52
Deficiência de Metilação 53
Dr. Kilmer McCully: A Conclusão 53
Os Novos Testes para Doenças do Coração 54
7. Miocardiopatia: Nova Esperança de Cura 56
Doenças do Músculo Cardíaco 59
O Que É a Coenzima Q10? 59
A Deficiência de CoQ10 e a Insuficiência Cardíaca 60
Tratando Pacientes com Miocardiopatia 61
Por Que os Médicos Não Recomendam a CoQ10? 62
A História de Emma 63
8. Quimioprevenção e Câncer 65
O Câncer e Suas Causas 65
O Estresse Oxidativo Como Causa do Câncer 66
Um Processo de Múltiplos Estádios 67
Maior a Idade, Maiores os Gastos 67
Prevenção do Câncer = Quimioprevenção 68
E Se Eu Já Tiver Câncer? 72
A História de Kymberly 72
Por Que Eles Funcionam 73
A História de Michelle 75

Sumário

9. O Estresse Oxidativo e Seus Olhos 78
   - Os Problemas Que os Olhos Têm 79
   - Mecanismo de Lesão da Retina 81
   - A Geração de Radicais Livres na Retina 82
   - Estudos Mostram Como a Luteína Ajuda a Proteger os Olhos 83
   - A História de Faye 85
   - Protegendo Seus Olhos da Catarata e da Degeneração Macular Relacionada à Idade 85
10. Doenças Auto-Imunes 88
    - O Sistema Imunológico: Nosso Grande Protetor 90
    - Os Diversos Agentes de Nosso Sistema Imunológico 90
    - Os Nutrientes e Nosso Sistema Imunológico 91
    - A Resposta Inflamatória 93
    - Doenças Auto-imunes 95
    - A História de Matt 96
11. Artrite e Osteoporose 98
    - Como as Articulações São Danificadas? 99
    - Causas de Inflamação em Nossas Articulações 99
    - Outra Artrite: A Reumatóide 100
    - O Tratamento Tradicional de Artrite 100
    - A História de Peggie 101
    - Suplementos Antioxidantes 102
    - O Sulfato de Condroitina 103
    - Osteoporose 103
    - Mais do Que Cálcio — os Ossos São Tecidos Vivos 105
    - A Prevenção da Osteoporose 108
12. Doenças do Pulmão 110
    - Os Pulmões e a Poluição do Ar 111
    - A Proteção Natural do Pulmão 112
    - A Asma 113
    - A História de Adam 114
    - A Asma e a Nutrição 115
    - A Poluição do Ar e as Doenças Pulmonares Obstrutivas Crônicas 116
    - Estudos Mostram Que o Estresse Oxidativo É a Causa das DPOCs 117

    A Fibrose Cística 117
    A História de Sharlie 118
13. Doenças Neurodegenerativas 121
    O Estresse Oxidativo e o Cérebro 123
    O Envelhecimento do Cérebro 124
    A Barreira Hemato-Encefálica 126
    Os Antioxidantes Adequados para o Cérebro 127
    Protegendo Nosso Bem Mais Precioso 129
    A História de Ross 130
14. Diabetes 132
    Conheça Joe 133
    Estará a Síndrome X Matando Você? 133
    Como Saber Se Você Tem a Síndrome X? 135
    Como Joe Superou a Síndrome X 136
    Diagnose e Monitoramento do Diabetes Melito 137
    Obesidade 137
    Tratando o Diabetes 138
    Os Médicos Estão Tratando a Coisa Errada 139
    Especificando as Mudanças no Estilo de Vida 139
    Instruções Básicas de Dieta 140
    A História de Matt 143
15. Fadiga Crônica e Fibromialgia 145
    A Medicina Alternativa 146
    Depressão Imunológica 147
    Uma História de Fadiga Crônica e Fibromialgia 148
    A Causa Primitiva 150
    Tratamentos: Capturando a Doença 151
    A História de Mariano 152

Parte III: Medicina Nutricional 155
16. A Posição dos Médicos contra os Suplementos Nutricionais 157
    A Típica Dieta Norte-Americana 157
    A Qualidade dos Alimentos nos Estados Unidos 158
    Níveis Otimizados *versus* Níveis dos VD Ref. 160
    O Risco e a Segurança dos Suplementos Nutricionais 163

	A Defesa de um Médico	167
	Argumentos contra os Suplementos Nutricionais	168
	Minha Resposta	169
	Um Estudo Mais Recente	169
17.	Nutrição Celular: Reunindo Tudo	171
	Níveis Otimizados de Nutrição	172
	Protegendo Sua Saúde	172
	Otimizadores	173
	Otimizadores Específicos a Serem Acrescidos aos Nutrientes da Tabela 17.1 no Caso das Doenças Abaixo	176
	Precisa de Mais Ajuda?	178
	Escolhendo Seus Suplementos Nutricionais	179

NOTAS **183**

ÍNDICE REMISSIVO **201**

Introdução

Os médicos se concentram em doenças. Estudamos doenças. Procuramos doenças. Somos treinados farmaceuticamente para tratar doenças. E, para isso, conhecemos os medicamentos. Na faculdade de medicina, estudamos farmacologia e aprendemos sobre a maneira como o corpo absorve cada droga, bem como quando e como ele a excreta. Sabemos quais drogas rompem quais trilhas químicas para gerar efeitos terapêuticos. Conhecemos os perfis de efeitos colaterais das drogas e trabalhamos cuidadosamente para ajustar os benefícios, evitando qualquer perigo potencial.

Os médicos conhecem suas drogas e não hesitam em prescrevê-las. Pense por um momento no número de medicamentos que nossos pacientes estão tomando para pressão alta, colesterol elevado, diabetes melito, artrite, doenças do coração e depressão, para citar apenas alguns exemplos. Como resultado da descoberta e do uso dos antibióticos na guerra contra doenças infecciosas, nossa filosofia na medicina tornou-se essa: *ataque às doenças*.

A comunidade médica trouxe ao século XXI essa atitude e esse método agressivos, na tentativa de tratar de todas as doenças degenerativas crônicas. Um estudo estima que em 1997 as farmácias preencheram mais de 2,5 bilhões de receitas, somente nos Estados Unidos. A venda de medicamentos sob prescrição mais do que dobrou nos últimos 8 anos![1]

Em 1990, os americanos gastaram US$37,7 bilhões, em prescrições. Em 1997, esses gastos subiram para US$78,9 bilhões. Os medicamentos sob prescrição foram o componente de mais rápido crescimento nos gastos com saúde durante a última década, subindo em torno de 17% ao ano (muito acima do índice médio de inflação).[2] Médicos e empresas de planos de saúde depositaram todas as esperanças nas drogas como o meio de tratar e, quem sabe, reduzir essa epidemia de doenças degenerativas crônicas — para a grande alegria do setor farmacêutico. Sim, adoramos nossas drogas.

O Que Seu Médico Não Sabe Sobre Medicina Nutricional Pode Estar Matando Você

Ainda não conheci ninguém que não quisesse ter uma saúde excelente. A maioria de nós supõe que sempre a terá. Mas a verdade é que muitos de nós (inclusive os médicos!) estão perdendo a saúde a cada dia. Sei disso, já que cuidar da saúde é meu ofício. Todos os dias, em minha carreira, tenho de dizer a pacientes que sua saúde piorou de uma maneira ou de outra. Um paciente pode ter desenvolvido diabetes ou, talvez, artrite degenerativa. Outro paciente pode ter acabado de sofrer um ataque cardíaco ou uma apoplexia. Outro ainda pode precisar saber que possui câncer metastático e tem apenas alguns meses de vida. Todo mundo quer preservar ou recuperar sua saúde, mas nem sempre sabe do que precisa para atingir essa meta.

Como os médicos se concentram em doenças e drogas, empenhamos a maior parte de nosso tempo e esforço tentando identificar o processo da enfermidade de modo que possamos receitar um remédio ou um plano de tratamento ideal para o paciente. Mesmo Jesus fez a declaração: "Não são os sadios que precisam de médicos, mas sim os enfermos"[3].

Todavia, é evidente que é muito mais fácil manter nossa saúde do que tentar recuperá-la após ter sido perdida. A prevenção de doenças deveria ser a primeira preocupação de todo médico. Mas a quem você recorre quando quer saber mais sobre a melhor maneira de *proteger* sua saúde? Seu médico está lhe dando essas informações? A comunidade médica fala muito, da boca para fora, de "medicina preventiva", e chega mesmo a chamar seus planos de seguro médico de HMOs (*Health Maintenance Organizations* — Organizações de Manutenção da Saúde). A julgar pelas aparências, a medicina preventiva vem se mostrando uma alta prioridade.

Todavia, menos de 1% do dinheiro que gastamos com saúde destina-se à chamada medicina preventiva. Na verdade, a maior parte de nossos programas de medicina preventiva tenta simplesmente detectar doenças antecipadamente. Por exemplo, mamografias, perfis bioquímicos e testes de PSA (para câncer de próstata) destinam-se todos a detectar problemas de câncer o mais cedo possível. Os médicos querem saber se você tem colesterol elevado, se tornou-se diabético ou se desenvolveu hipertensão. Mas passam pouco tempo tentando ajudar o paciente a compreender as mudanças de estilo de vida necessárias para realmente proteger sua saúde. Os médicos estão ocupados demais tratando das doenças com as quais se deparam todos os dias.

Você sabia que menos de 6% de todos os médicos que se formam recebem algum tratamento formal em nutrição?[4] E ouso afirmar que poucos médicos recebem na faculdade algum treinamento sobre suplementação nutricional. Isso se aplica certamente a meu caso.

Nada incomoda mais um médico do que o momento em que seu paciente lhe pergunta se deve tomar suplementos nutricionais. Já usei no passado todas aquelas respostas prontas: "Não passam de óleo de cobra", "Vitaminas só fazem urina de luxo" e "Podemos obter todos os nutrientes necessários ingerindo os alimentos corretos". Se meus pacientes insistiam, eu dizia que os suplementos nutricionais provavelmente não lhes fariam mal, mas que eles deviam comprar os mais baratos que encontrassem, já que as vitaminas, pela lógica, tampouco ajudariam muito.

Introdução

Talvez você já tenha ouvido comentários similares de seu médico. Nos primeiros 22 anos de minha prática clínica, eu simplesmente não acreditava em suplementos nutricionais. Durante os últimos 7 anos, contudo, reconsiderei minha posição com base em recentes estudos publicados na literatura médica. O que descobri é tão notável que mudei o rumo de minha prática médica. Eu me converti.

Por que não há mais médicos reagindo como eu à nutrição? Em primeiro lugar, médicos devem ser céticos para proteger seus pacientes de qualquer esquema ou produto que possa ser nocivo a sua saúde. Acreditem-me: vi muita bugiganga e charlatanice oferecidas a meus pacientes. Os médicos devem basear-se em estudos da pesquisa científica feitos por meio de ensaios clínicos do tipo duplo-cego, controlados com placebo (o padrão na medicina clínica).

Como sei ser esta a mais eficaz evidência existente, apresento neste livro somente os resultados de experimentos clínicos. A maioria dos estudos médicos que menciono aqui não provém de resenhas ou jornais alternativos. Em vez disso, esforcei-me por pesquisar publicações médicas de credibilidade e renome, altamente respeitadas pela comunidade médica, como o *New England Journal of Medicine*, o *Journal of the American Medical Association*, o *British Lancet* e muitos outros.

Outra razão por que os médicos não aceitaram a idéia dos suplementos nutricionais como uma boa medicina preventiva é o fato de que a maior parte dos médicos praticantes não compreende devidamente a causa das doenças degenerativas. Os que compreendem sentem que ela é um assunto interessante para o bioquímico e para os pesquisadores científicos, mas que tem pouca utilidade prática na medicina clínica. Há aparentemente um abismo entre o cientista pesquisador e o médico prático. Muito embora os pesquisadores estejam fazendo descobertas tremendas sobre as causas primárias destas doenças, muito poucos médicos vêm aplicando tal ciência junto a seus pacientes. Eles simplesmente esperam até que os pacientes desenvolvam uma destas doenças para, então, começar a tratá-las.

Os médicos parecem contentes em permitir que as companhias farmacêuticas determinem novas terapias conforme desenvolvem novas substâncias. Mas, como você verá ao longo deste livro, nossos corpos é que constituem a melhor defesa contra o desenvolvimento de doenças degenerativas crônicas — e não as drogas que os médicos podem receitar.

Embora a maior parte dos médicos ainda não compreenda bem os conceitos aqui apresentados, os fatos permanecem. Quando apliquei estes princípios no tratamento de meus pacientes, os resultados foram nada menos que espantosos. Eu acompanhei diversos pacientes com esclerose múltipla que saíram da cadeira de rodas e passaram a caminhar novamente. Ajudei pacientes com miocardiopatia a sair da lista de transplante do coração. Alguns pacientes de câncer entraram em recuperação; pacientes com degeneração macular tiveram melhorias significativas na visão; e pacientes de fibromialgia recuperaram suas vidas. A medicina nutricional é um método de bom senso, preventivo e de ponta.

Nesta época de pesquisas bioquímicas, já somos capazes de determinar o que está acontecendo em qualquer parte de qualquer célula, e a própria essência das doenças degenerativas está vindo à luz. Assim sendo, recomendo este livro aos médicos que estejam dispostos a encarar objetivamente evidências médicas.

Se você é um paciente, não espere que seu médico embarque de imediato nesta idéia. As vitaminas são um assunto polêmico no campo médico. Como eu disse, as informações contidas neste livro são o resultado de mais de *7 anos* de pesquisas pessoais no campo da literatura médica voltado à medicina nutricional. Eu também não me convenci imediatamente.

A medicina nutricional é estranha à maioria dos médicos, assim como ao público; isso é verdade. Mas o veredicto é: *o que seu médico não sabe sobre medicina nutricional pode estar matando você*. A boa notícia é que você não precisa ser médico para começar a praticar a medicina nutricional; você, o paciente, pode ser proativo no que se refere a preservar a saúde que possui.

Um Médico Convertido

Sei que você provavelmente nunca ouviu falar de mim. Por que deveria dar ouvidos a um médico qualquer que clinica em uma cidadezinha do centro-oeste norte-americano? Boa pergunta! É por isso que quero que você leia cada uma das páginas deste livro. Quero que passe por uma jornada similar à minha. Deixe-me mostrar-lhe a mesma evidência médica que me fez acreditar que os suplementos vitamínicos podem proteger e melhorar a saúde.

Por favor, leia ou, pelo menos, esquadrinhe *o livro todo*. Sei que a tentação é ir direto ao capítulo que discute seu problema específico de saúde. Mas é importante que você se cientifique das informações fundamentais sobre como seu corpo funciona e sobre o que é necessário para que ele se proteja e torne-se ou permaneça saudável.

Um último pedido: como é sua vida e sua saúde que se encontram em jogo, incentivo-o a ouvir-me evitando julgamentos. Tudo o que peço é que você seja um cético de mente aberta — o tipo de pesquisador que eu era quando descobri essa forma magnífica de medicina preventiva. Eu precisei ter um pouco de humildade para aceitar que, embora fosse um bom médico, ainda tinha muito a aprender sobre saúde. E então, você está disposto a fazer o mesmo?

PARTE I

ANTES DE COMEÇAR

UM | Minha Conversão

Eu já não sabia quanto de frustração ainda seria capaz de tolerar com a saúde declinante de minha esposa. E eu não era apenas mais um marido preocupado: era um médico. E, sendo médico por mais de 30 anos, eu estava habituado a ter respostas para questões médicas. Após graduar-me na Faculdade de Medicina da Universidade de Colorado e ter feito um trabalho de pós-graduação no Mercy Hospital em San Diego, estabeleci um bem-sucedido consultório familiar em uma cidadezinha no oeste da Dakota do Sul. Nesse período, conheci Liz e nos casamos. Ela tinha alguns problemas de saúde, mas supunha honestamente que sua saúde melhoraria caso se casasse com um médico. Nunca esteve mais enganada!

Em pouco tempo, nossa família passou a incluir três filhos abaixo dos 4 anos, e a atarefada Liz foi ficando cada vez mais esgotada. Toda mãe de filhos pequenos se cansa, mas Liz parecia incomumente fatigada. Embora tivesse apenas 30 anos, disse-me que sentia ter 60.

Conforme os anos se passaram, ela desenvolveu mais sintomas e problemas de saúde, que requeriam medicações diversas. Por volta de nosso décimo aniversário de casamento, Liz estava tão cansada que passava a maior parte do tempo lutando para colocar um pé adiante do outro. Ela sofria dores corporais contínuas, uma fadiga avassaladora, alergias horríveis e infecções recorrentes dos pulmões e dos seios da face.

Finalmente, após testes e avaliações, os médicos diagnosticaram o problema de Liz como sendo fibromialgia. Esta condição médica envolve diversos sintomas — os piores sendo a dor crônica e a fadiga.

Em anos passados a fibromialgia foi chamada de *reumatismo psicossomático*, e os médicos acreditavam que a doença existia apenas na cabeça do paciente. Desde então, aprendemos que a fibromialgia é uma doença real e lastimável — algo que posso confirmar após ter visto o sofrimento de minha esposa.

Liz estava disposta a tentar de tudo para continuar dando curso a sua paixão: treinar e montar cavalos de corrida. Mas chegou um momento em que sua dor e fadiga impediam qualquer trabalho com seus amados animais. Ela ficou tão gravemente cansada que não conseguia ficar desperta muito além das 8 da noite, e esfalfava-se por manter-se em dia com a rotina doméstica.

Como a fibromialgia não tem cura, tudo o que pude fazer para minimizar os sintomas de Liz foi carregá-la de medicamentos. Eu a fiz tomar amitriptilina à noite para dormir, antiinflamatórios para dor, relaxantes musculares, inaladores para asma e febre do feno, seldane para alergias e até mesmo injeções antialérgicas semanais. Apesar de meus esforços e de toda essa medicação, sua saúde piorava ano após ano.

Em janeiro de 1995, Liz e eu concluímos que uma quantidade maior de exercícios seria melhor para nós dois. Estávamos com uns quilos a mais e tomamos a resolução de Ano Novo de voltar à forma. Liz tentou, mas perdia mais exercícios do que fazia. Uma infecção após outra a acometia e a deixava sob antibióticos quase o tempo todo.

Em março, ela contraiu uma grave pneumonia. Ela tinha dificuldades para respirar, pois um lobo de seus pulmões fora totalmente tomado pela infecção e cerrara-se. O médico que cuidava de seus pulmões tinha grandes receios de que estes não se recuperassem, podendo exigir, até mesmo, cirurgia e remoção. Consultamos um especialista em doenças infecciosas, que submeteu Liz a antibióticos intravenosos, esteróides e tratamentos com nebulizador. Felizmente, dois meses mais tarde a pneumonia desapareceu. Sua tosse, contudo, persistiu, e ela continuou submetida a medicamentos intensos durante meses.

Mais preocupante era sua fadiga, que se mostrava pior do que nunca. Liz só saía da cama, em média, duas horas por dia. Sua asma e suas alergias agravavam-se, e só com boa sorte ela conseguia caminhar até o galpão para ver seus cavalos. Liz estava tão doente que as crianças faltavam em turnos à escola para tomar conta dela. Constantemente de cama, ela se sentia muito fraca, mesmo para ver TV ou ler algo. Isso prosseguiu mês após mês. Embora mantivesse exteriormente um aspecto profissional, em meu íntimo eu estava ficando desesperado.

Visitei diversas vezes o pulmonologista e o especialista em doenças infecciosas. Eles me asseguraram que vinham fazendo todo o possível, dado o diagnóstico de Liz. Quando perguntei quanto tempo levaria para que ela se recuperasse, a resposta foi que de seis a nove meses — ou talvez nunca.

Mais ou menos por essa época, uma amiga da família comentou com Liz que seu marido também tivera pneumonia e sofrera com uma grande fadiga durante a convalescença. Ele tomou certos suplementos nutricionais, e estes o ajudaram a recuperar as forças. Liz e sua amiga sabiam de minha atitude negativa com relação a suplementos nutricionais, então Liz tinha ciência de que precisaria de minha aprovação antes de experimentá-los. Quando me abordou, até eu fiquei surpreso com minha resposta: "Querida, pode tentar o que quiser. Nós, médicos, não estamos lhe fazendo nenhum bem."

Pressupostos Submetidos à Prova

Para ser sincero, eu não sabia quase nada sobre nutrição ou suplementação nutricional. Na faculdade de medicina não tinha recebido quase nenhuma instrução sobre o assunto. E não estava sozinho. Apenas 6% dos médicos formando-se atualmente nos Estados Unidos têm algum treinamento em nutrição. Os estudantes de medicina podem fazer cursos opcionais sobre o tema, mas poucos efetivamente os fazem. Como observei na Introdução, a educação da maioria dos médicos é concentrada em doenças, com uma grande ênfase em produtos farmacêuticos — aprendemos sobre remédios e sobre por que e quando usá-los.

Em função do respeito que têm pelos médicos, as pessoas presumem que somos especialistas em todos os problemas relacionados à saúde, incluindo nutrição e vitaminas. Antes de minha experiência de conversão com a medicina nutricional, meus pacientes perguntavam-me com freqüência se eu achava que tomar vitaminas trazia algum benefício à saúde. Eles levavam seus frascos de suplementos ao consultório e me faziam examiná-los. Eu franzia o cenho e, com minha expressão profissional mais astuta, examinava cuidadosamente os rótulos. Devolvendo os frascos, respondia que aquela droga não servia para nada.

Meus motivos eram bons: eu não queria que as pessoas desperdiçassem seu dinheiro. Eu acreditava realmente que aqueles pacientes não precisavam de suplementos e podiam obter todas as vitaminas de que precisavam com uma boa dieta. Afinal de contas, é isso o que aprendi na faculdade de medicina. Eu podia até citar algumas pesquisas que apontavam o perigo potencial de certos suplementos. O que não dizia a meus pacientes é que eu não tinha passado um minuto sequer avaliando as centenas de estudos científicos que provavam o valor da suplementação para a saúde.

Mas o que fazer com minha esposa doente? Eu podia bancar o mágico profissional no consultório, mas, em casa, era apenas outro marido desamparado, vendo a esposa fenecer. Eu realmente não tinha escolha, e por isso disse a Liz: "Vá em frente, experimente as vitaminas. O que você tem a perder?"

No dia seguinte, sua amiga nos trouxe uma série de suplementos vitamínicos — carregados em antioxidantes: nutrientes como vitamina E, vitamina C e betacaroteno, que protegiam o corpo contra os efeitos nocivos da oxidação. Liz os engoliu com avidez, e emborcou ainda dois copos de líquidos para a saúde. Para meu espanto, em três dias ela se sentia visivelmente melhor. Fiquei feliz por ela, mas confuso. Conforme os dias seguintes transcorriam, Liz ganhava mais força e energia, e até mesmo ficava em pé à noitinha. Depois de três semanas ingerindo pílulas e tomando aquelas bebidas de aparência exótica, ela se sentia tão bem que parou com os esteróides e os tratamentos com nebulizador.

Três meses se passaram, todos trazendo melhoras graduais, e Liz não sofreu nenhuma recaída. Ela estava mais forte do que jamais se sentira em anos, e exalava uma renovada perspectiva para a vida. Eu via o brilho em seus olhos quando ela retornava dos treinos e dos cuidados com seus cavalos. Ela não somente conseguia desempenhar as tarefas no estábulo como já não temia sofrer de reações alérgicas ao feno, ao mofo e à poeira. Em vez de cambalear até a cama pouco depois do jantar, ela ficava acordada até as 11 horas ou até a meia-noite. Era eu que ia para a cama primeiro.

O que havia ocorrido? Eu estava aturdido. Se não tivesse sido testemunha ocular desta transformação, nunca acreditaria nela. Seria possível que algumas "vitaminas esquisitas" tivessem restaurado a saúde de minha esposa quando todos os medicamentos e toda a perícia médica eram incapazes de ajudar? Não somente os pulmões de Liz se recuperaram da pneumonia como os sintomas de sua fibromialgia tinham melhorado sensivelmente. Como não existe tratamento médico para a fibromialgia, o que estava acontecendo? Era um dos milagres misteriosos de Deus ou seria possível que a saúde renovada de Liz se devesse àqueles — que horror! — suplementos nutricionais?

Para uma pessoa treinada na ciência médica, fiz o que sucederia naturalmente: decidi realizar meu próprio experimento clínico. Revirei meus registros em busca de cinco de minhas pacientes mais sérias de fibromialgia e lhes pedi que comparecessem a meu consultório. (Que tal essa agora — um médico pedindo a seus pacientes que façam uma consulta?) Relatei a todas a história de Liz e sugeri que pensassem em tomar suplementos nutricionais. Disse a cada uma delas que não sabia se este "tratamento alternativo" funcionaria, mas que valeria a pena tentar.

As vítimas típicas de fibromialgia são desalentadas e, por isso, minhas cinco pacientes se mostraram muito ansiosas. Depois de um período que se estendeu de três a seis meses, todas, sem exceção, declararam ter obtido melhoras de saúde depois de tomar os suplementos vitamínicos. Nem todas experimentaram uma recuperação de saúde como a de minha esposa, mas todas estavam animadas e tinham novas esperanças.

O caso de uma destas mulheres era particularmente grave. Ela buscara soluções na Clínica Mayo e em duas outras clínicas para dores, mas, como não existe tratamento efetivo contra fibromialgia, não encontrou nenhum alívio consistente. A dor do ano precedente a debilitara a tal ponto que ela tentara suicidar-se. Após tomar essas vitaminas, ela me ligou e deixou uma mensagem em minha secretária eletrônica. Visivelmente em lágrimas e lutando para falar, ela disse: "Dr. Strand, obrigada por me devolver minha vida".

Todo médico adora ouvir palavras como essas. Mas o que exatamente estava ocorrendo com estas pacientes? Como eu sabia que meus estudos preliminares com cinco pacientes não bastavam para chegar a uma certeza científica quanto aos suplementos nutricionais, precisei cavar mais fundo.

Minha Pesquisa sobre Suplementação

Vasculhando uma livraria uma semana depois, vi um livro do dr. Kenneth Cooper chamado *The Antioxidant Revolution* (A Revolução Antioxidante; Thomas Nelson, 1994).[1] Como sempre admirei o dr. Cooper por seus conhecimentos em exercícios aeróbios e medicina preventiva, fiquei curioso por conhecer sua opinião sobre os antioxidantes. O dr. Cooper explica um processo chamado de "estresse oxidativo", que, segundo ele, é a causa subjacente das doenças degenerativas crônicas — essencialmente um "quem é quem" dos problemas de saúde que flagelam hoje a humanidade. Devorei o livro.

Todos sabemos que o oxigênio é vital para a própria vida. Todavia, ele é também inerentemente perigoso para nossa existência. Isso é conhecido como *paradoxo do oxigênio*. Pesquisas científicas demonstraram, para além de quaisquer dúvidas, que o estresse oxidativo, ou dano celular por radicais livres, é a causa primária de mais de setenta doenças degenerativas crônicas.[2] O mesmo processo que faz o ferro enferrujar ou uma maçã cortada ficar marrom é o iniciador subjacente de doenças como a arterial coronariana, o câncer, a apoplexia, a artrite, a esclerose múltipla, o mal de Alzheimer e a degeneração macular.

É isso mesmo: estamos, de fato, enferrujando por dentro. Todas as doenças degenerativas crônicas que mencionei resultam diretamente dos efeitos tóxicos do oxigênio. Realmente, o estresse oxidativo é a teoria líder por detrás do próprio processo de envelhecimento. Além disso, nossos corpos encontram-se sob o ataque constante de um exército de poluentes do ar, da comida e da água. Nosso estilo estressado de vida também tem seu peso. Se não reagirmos a esses processos, o resultado será a deterioração celular e, finalmente, a doença. É por isso que as verdades reveladas neste livro são tão fundamentais para nossa saúde.

Saber quão livremente o estresse oxidativo prejudica o organismo foi algo que mudou minha perspectiva com relação às doenças degenerativas crônicas. Por exemplo, como o estresse oxidativo pode causar danos até mesmo ao núcleo de DNA das células, ele pode ser o verdadeiro vilão do câncer. Isso abre a tremenda possibilidade de usarmos antioxidantes na prevenção do câncer. Como o estresse oxidativo também causa artrite, esclerose múltipla, lúpus, degeneração macular, diabetes, mal de Parkinson e mal de Crohn, os suplementos nutricionais também podem combater e controlar essas moléstias.

Em seu livro o dr. Cooper trata de certos estudos efetuados com pacientes de seu centro de aeróbica, em Dallas, sobre a causa da "síndrome do supertreinamento". Surpreendentemente, o dr. Cooper descobriu que alguns atletas que treinavam intensamente acabaram enfrentando sérias moléstias crônicas. Todos mostravam sinais de estresse oxidativo, e a lista de sintomas associados com a síndrome era fabulosamente similar à dos pacientes de fibromialgia.[3]

Comecei a pensar: *Será que o estresse oxidativo também causa fibromialgia? Será por isso que minha esposa e vários de meus pacientes estão melhorando com a ingestão de antioxidantes de alta qualidade?*

Isso assinalou o início de minha investigação sobre o "lado negro" do oxigênio. Fiquei tão intrigado com os argumentos do dr. Cooper que resolvi verificar os estudos que ele citou. Iniciei uma busca por tudo o que pudesse encontrar na grande literatura médica sobre estresse oxidativo.

Somente no ano passado examinei mais de 1.300 estudos médicos editados por especialistas versando sobre suplementos nutricionais e o modo como estes afetam as doenças degenerativas crônicas. Esses estudos eram ensaios clínicos do tipo duplo-cego, controlados com placebo, o tipo que os médicos adoram. A suprema maioria destes estudos aponta uma melhora significativa de saúde entre pacientes que tomavam nutrientes em níveis otimizados, os quais são significativamente mais altos que o nível dos valores diários de referência.

As Vitaminas e Você

Quando você conhece o tremendo dano que o estresse oxidativo inflige ao corpo humano durante a vida cotidiana normal, percebe o quão importante é otimizar seu próprio sistema de defesa natural. Sua saúde e sua vida dependem disso. Durante minhas pesquisas descobri que a defesa mais forte contra estas doenças são o sistema imunológico e o sistema antioxidante natural de nossos corpos. Eles são muito superiores a quaisquer remédios que eu pudesse receitar.

Concluí, após muito estudo, que usar a suplementação nutricional em pacientes não é uma medicina alternativa, mas uma medicina complementar. Na verdade, isso pode representar o que há de melhor na corrente central da medicina, pois é um verdadeiro método preventivo. Tomar suplementos nutricionais não é erradicar doenças: é promover uma saúde vibrante.

Depois de avaliar os estudos médicos, já não tenho absolutamente dúvida de que aqueles dentre meus pacientes que tomam suplementos nutricionais de alta qualidade têm ganhos de saúde superiores aos dos que não tomam. Embora o paciente possa ter um problema de saúde específico, quando recomendo os suplementos não estou tratando necessariamente daquele problema em particular. Estou simplesmente cuidando para que o paciente forneça a seu corpo nutrientes nos níveis otimizados — os quais, conforme demonstram estudos baseados em pesquisas médicas, proporcionam benefícios à saúde. Chamei essa abordagem à saúde de *nutrição celular*, algo que permite ao corpo realizar aquilo que Deus planejou.

As histórias pessoais que apresento neste livro foram documentadas por mim em meu consultório. Mudei alguns nomes para a proteção da privacidade, mas muitas são histórias de pacientes e amigos que quiseram compartilhar os detalhes exatos de seus casos com você. Nessas histórias, você descobrirá exemplos reais de como se aplicaram os importantes conceitos que aqui apresento.

Se você já estiver doente, por favor, anime-se. Quase todas essas histórias são de pacientes que também haviam perdido a saúde. Com muita coragem e determinação, eles continuaram a buscar respostas, e, depois de experimentar os princípios aqui apresentados, recuperaram sua saúde.

Liz é meu melhor estudo de caso. Aliás, a saúde dela continua ótima — embora tenha se casado com um médico! Em vez de passar horas e horas por dia sofrendo dores e fraqueza na cama, ela leva hoje a vida de seus sonhos. Possui a energia necessária para desfrutar plenamente sua condição de esposa e mãe. E sua paixão por treinar e exibir cavalos já não são anseios da imaginação, e sim uma realidade diária.

Para saber mais sobre essa forma notável de medicina preventiva, continue lendo.

DOIS | Vivendo Pouco e Morrendo Muito

No momento em que virávamos a esquina do século XXI, médicos e pesquisadores dedicavam especial atenção ao estado dos serviços médicos e de saúde nos Estados Unidos e no mundo industrializado. Se remontarmos um século no passado, as comparações entre as doenças serão notáveis. No início do século XX, as pessoas morriam sobretudo de doenças *infecciosas*. As quatro principais causas de morte nos Estados Unidos eram a pneumonia, a tuberculose, a difteria e a *influenza*[1], e as pessoas tinham uma expectativa de vida de pouco mais de 43 anos. Todavia, graças à descoberta dos antibióticos e de avanços em seu desenvolvimento durante a segunda metade desse século, as mortes devidas a doenças infecciosas declinaram dramaticamente, mesmo após a epidemia de AIDS dos anos 80.[2]

Conforme avançamos século XXI adentro, descobrimos que as pessoas sofrem e morrem daquilo que se conhece como *doenças degenerativas crônicas*. Essas incluem a doença arterial coronariana, o câncer, os AVCs[3], o diabetes, a artrite, a degeneração macular, a catarata, o mal de Alzheimer, o mal de Parkinson, a esclerose múltipla e a artrite reumatóide.[4] A lista não acaba mais.

Embora a expectativa média de vida nos Estados Unidos tenha aumentado significativamente durante o século passado, nossa qualidade de vida, em função dessas doenças degenerativas crônicas, sofreu um duro golpe. Estamos essencialmente "vivendo pouco e morrendo muito", expressão que ouvi em um discurso do dr. Myron Wentz, um destacado imunologista e microbiologista. O dr. Wentz também me ajudou a entender o sério perigo do estresse oxidativo para nossa saúde e a importância da nutrição celular.

Um Toque de Despertar

Expectativa de Vida

Quantos anos você espera viver? Deixemos de lado por um momento a qualidade de vida (como fazem muitos estudos sobre longevidade) e consideremos como estão os Estados Unidos em comparação com todas as outras nações industrializadas do mundo no que se refere à expectativa de vida e aos serviços de saúde. Uma das principais maneiras de avaliar o sistema de saúde de um país é avaliar sua taxa de mortalidade.

Em 1950 os Estados Unidos estavam em *sétimo* entre as vinte e uma primeiras nações industrializadas do mundo em expectativa de vida. Como você talvez imagine, gastamos muito mais em serviços de saúde desde então do que qualquer outro país do mundo. Em 1998 investimos mais de US$ 1 trilhão em serviços de saúde — em média 13,6% do produto interno bruto americano. Isso é mais do que o dobro do que gastou a nação que ocupa o segundo lugar.[5] Temos nossos scanners de ressonância magnética e tomografia computadorizada, angioplastia, cirurgias de ponte de safena, próteses de quadril e joelho, quimioterapia, radioterapia, antibióticos, técnicas cirúrgicas de ponta, medicamentos avançados e unidades de terapia intensiva. Esses avanços médicos aumentaram a expectativa de vida nos Estados Unidos?

Em 1990 os Estados Unidos ficaram em *décimo oitavo* lugar em expectativa de vida, quando comparado às mesmas vinte e uma nações industrializadas de 40 anos antes.[6] Apesar dos bilhões de dólares que os norte-americanos gastam em serviços de saúde, somos considerados uma das piores nações industrializadas do mundo quando se trata de expectativa de vida. O sistema de cuidados com a saúde que alardeamos como o melhor do mundo está, na verdade, perto de ser o pior, se considerarmos quanto os norte-americanos vivem — ou não vivem.

Perguntei quanto você esperava viver, mas agora pense em como serão seus últimos 20 anos. Você está recebendo o que seu dinheiro vale? Eu duvido.

Qualidade de Vida

Posso assegurar-lhe que meus pacientes hoje não estão tão preocupados com o número de anos que viverão quanto com a qualidade de vida desses anos. E você? O número de anos que vivemos não costuma ser o fator mais importante quando se trata de avaliar nosso método de cuidados com a saúde. Quem quer viver até uma elevada idade sem poder reconhecer seus familiares, devido ao mal de Alzheimer? Quem anseia sofrer dores intensas nas articulações ou nas costas em função da artrite degenerativa? Os Estados Unidos estão sofrendo de mal de Parkinson, de degeneração macular, de câncer, de AVCs e de doenças cardíacas com uma freqüência sem precedentes. Ninguém mais parece morrer de *velho*.

Mais de 60 milhões de norte-americanos sofrem de algum tipo de doença cardiovascular (doenças do coração e dos vasos sangüíneos); mais de 13,6 milhões têm doença arterial coronariana. Embora tenha ocorrido um decréscimo no número de mortes por doenças cardiovasculares nos últimos 25 anos, esta ainda permanece a causa número um de mortes nos Estados Unidos. Há mais de 1,5 milhões de ataques cardíacos por ano e aproximadamente metade deles, ou pouco acima de 700 mil, são fatais. Tristemente, cerca de metade dessas mortes ocorre menos de uma hora após o ataque, muito antes de o indivíduo poder chegar ao hospital. O primeiro sinal de uma doença do coração, em mais de 30% dos casos, é a morte súbita.[7] Isso não nos dá muito tempo para fazer mudanças no estilo de vida.

Apesar da imensa quantidade de dinheiro expendida em pesquisas e tratamentos para o câncer, este continua sendo a segunda maior causa de mortes nos Estados Unidos. Houve 537 mil mortes por câncer em 1995; tem havido um aumento contínuo no número de mortes por câncer ao longo dos últimos 30 anos.[8]

Os Estados Unidos gastaram mais de US$25 bilhões em pesquisas sobre o câncer durante os últimos 25 anos, e não observaram com isso nenhuma diminuição no número relativo de pessoas que morrem da doença. Os maiores avanços no tratamento do câncer surgiram graças ao diagnóstico precoce de certas formas de câncer — não que nossos tratamentos para a doença tenham sido agradáveis ou de grande eficácia.[9]

Meus pacientes com degeneração macular, uma doença crônica que afeta a visão, visitam seus oftalmologistas a cada seis meses, somente para ter uma outra consulta agendada para dali a seis meses. Eles ficam frustrados por saber que a única coisa que seu médico pode fazer é documentar o progresso de sua doença. Em alguns casos, o tratamento a laser só alcançou efeitos mínimos.

Se você tiver um ente querido sofrendo do mal de Alzheimer, sabe muito bem da ineficácia dos tratamentos. Ver um pai perder lentamente o funcionamento razoável da mente e ficar aprisionado em seu próprio corpo é extremamente doloroso.

É hora de voltar à prancheta. Se nós, médicos, formos realmente honestos conosco mesmos, teremos de admitir que as opções de tratamento que oferecemos a muitos desses pacientes são, no mínimo, precárias. Não conseguimos atacar essas moléstias do modo como atacamos as doenças infecciosas. Médicos e pacientes devem avaliar muito atentamente a maneira como consideram os cuidados com a saúde hoje em dia.

A Medicina Preventina

Acho preocupante a atitude prevalecente entre os pacientes de hoje, que aceitam como inevitável o fato de que desenvolverão uma ou várias dessas doenças degenerativas crônicas. Eles vêem a medicina moderna como sua salvadora, e os medicamentos como sua cura. Tristemente, é só depois de adoecerem que os pacientes percebem como nossos tratamentos são, na verdade, ineficazes.

Conforme a geração *baby boomer* adentra a casa dos 50, acredito que mais e mais indivíduos se tornarão proativos com sua saúde.

Um de meus amigos mais chegados me disse no último mês que deseja simplesmente viver até morrer. É esse o seu desejo? É certamente o meu. Depois de praticar a medicina por mais de três décadas, acho altamente perturbadora a perspectiva da dor e do sofrimento que as doenças degenerativas crônicas podem trazer tanto para mim quanto para meus pacientes.

É por isso que escrevi este livro; é por isso que recomendo a medicina preventiva em vez da medicina pós-problema. Mas preciso definir o que entendo por *preventiva*.

Medicina Preventiva Tradicional (Detecção Antecipada)

A comunidade de serviços à saúde orgulha-se da promoção de tratamentos preventivos. Mas você já pensou um pouco sobre esse método? Os médicos, é certo, estimulam os pacientes a fazer exames de rotina para manterem a saúde. Mas uma olhada mais atenta nas recomendações dos médicos nos leva logo à conclusão de que eles estão apenas tentando detectar doenças *antecipadamente*. Pense nisso. Como observei, os médicos efetuam rotineiramente exames de papanicolau, mamografias, exames de sangue e exames físicos com o objetivo primário de verificar se já há, em seus pacientes, alguma doença silenciosa. *O que foi que se preveniu?*

Obviamente, quanto antes essas doenças forem detectadas, melhor será para o paciente. O ponto que quero salientar aqui, contudo, é o pouco tempo e esforço que os médicos ou a comunidade de serviços à saúde empenham em realmente instruir os pacientes sobre como esses podem *proteger* sua saúde. Em outras palavras, os médicos estão ocupados demais tratando de doenças para se preocuparem em instruir seus pacientes sobre estilos de vida saudáveis, que ajudem, antes de tudo, a evitar o desenvolvimento de doenças degenerativas.

A Verdadeira Medicina Preventiva

Se desejamos chamar algo de *preventivo*, então creio que esse algo deva, de fato, prevenir alguma coisa. Afirmo enfaticamente que a verdadeira medicina preventiva envolve estimular e apoiar os pacientes na adoção de uma abordagem tríplice: comer saudavelmente, praticar um programa consistente de exercícios e ingerir suplementos nutricionais de alta qualidade. Dar aos pacientes condições para evitar a contração de alguma dessas grandes doenças é a verdadeira prevenção. Isso exige a motivação do paciente? Claro. Mas a maioria das pessoas está disposta a fazer essas mudanças de estilo de vida quando entende realmente o que está em jogo.

É aí que creio que o campo médico deixou a desejar: em praticar a verdadeira medicina preventiva.

Os Ingredientes de um Estilo de Vida Saudável

Exercícios

Esquecemos que o "hospedeiro", nosso corpo, é uma de nossas maiores defesas contra o adoecimento. Creio que o dr. Kenneth Cooper seja um dos principais médicos na área da medicina preventiva. Ele cunhou o termo *aeróbica* e deu início à febre dos exercícios no início dos anos 70.

Hoje, todos assumimos como verdade sagrada o que teve de ser medicamente provado há apenas três décadas. Lembro-me de médicos discutindo em reuniões na época sobre se era correto incentivar os pacientes a fazer exercícios. O dr. Cooper perseverou e continuou a divulgar os benefícios que os exercícios podiam trazer à saúde dos pacientes. No final dos anos 70, a maioria dos médicos passou a concordar com ele e a recomendar um programa modesto de exercícios.

Um cirurgião-geral dos Estados Unidos publicou uma declaração no início da década de 1980 listando os principais benefícios à saúde resultantes de um programa modesto de exercícios.[10] Os benefícios mais destacados eram:

- perda de peso;
- baixa pressão sangüínea;
- ossos mais fortes e menor risco de osteoporose;
- níveis elevados do colesterol "benigno" HDL;
- níveis reduzidos do colesterol "maligno" LDL;
- níveis reduzidos de triglicérides (gorduras);
- aumento da força e da coordenação, e conseqüente redução no risco de quedas;
- maior sensibilidade à insulina;
- melhora do sistema imunológico; e
- aumento geral na sensação de bem-estar.

Uma mera olhada nessa lista de benefícios à saúde é persuasiva: qualquer pessoa que decidir desenvolver um programa de exercícios modestos estará tomando uma decisão importante para evitar o desenvolvimento de diversas doenças.

Uma Dieta Saudável

E quanto aos hábitos alimentares? Os médicos sabem também que os pacientes que seguem uma dieta de poucas gorduras, que inclua ao menos sete doses diárias de frutas e vegetais, gozam de maiores benefícios à saúde. Estes incluem:

- perda de peso;
- redução do risco de diabetes;
- redução do risco de doenças do coração;
- redução do risco de quase todas as formas de câncer;
- redução do risco de pressão alta;
- redução do risco de colesterol elevado;
- melhoras no sistema imunológico;

- maior sensibilidade à insulina; e
- maior energia e capacidade de concentração.

Encaremos a verdade: uma dieta saudável é uma situação de ganhar/ganhar!

Suplementos Nutricionais

Tendo pesquisado a literatura médica nos últimos 7 anos, acredito firmemente que há benefícios significativos para a saúde na ingestão de suplementos nutricionais de alta qualidade, mesmo que você goze de excelente saúde. Para dizer de forma simples, os benefícios à saúde dos suplementos nutricionais são:

- um sistema imunológico fortalecido;
- um sistema de defesa antioxidante fortalecido;
- redução do risco de doença arterial coronariana;
- redução do risco de AVCs;
- redução do risco de câncer;
- redução do risco de artrite, degeneração macular e catarata;
- possibilidades de redução do risco do mal de Alzheimer, do mal de Parkinson, da asma, da doença pulmonar obstrutiva e de muitas outras doenças degenerativas crônicas; e
- possibilidades de melhorar e muito o curso clínico de diversas doenças degenerativas crônicas.

Pacientes que iniciarem um programa consistente de exercícios, com uma dieta saudável, e tomarem suplementos podem mesmo melhorar da pressão alta, do diabetes e do colesterol elevado a ponto de dispensarem a ingestão de certos medicamentos? A literatura médica certamente sustenta essa possibilidade.

Quase todos os médicos concordam em que os pacientes merecem uma tentativa justa de fazer mudanças saudáveis no estilo de vida antes de começarem a tomar medicamentos para tais condições crônicas. Na verdade, porém, a maioria dos médicos, em seus consultórios, só fala de mudanças no estilo de vida da boca para fora, no momento mesmo em que estão preenchendo receitas. Perceba que os médicos costumam pressupor que a maioria dos pacientes jamais mudará seu estilo de vida e que a única salvação realista são as drogas que podem receitar. Quando um médico diagnostica a pressão alta, o diabetes ou o colesterol elevado de um paciente, ele começa simplesmente a redigir uma receita.

Dando aos Pacientes uma Escolha

Ao longo dos últimos 7 ou 8 anos, tomei uma atitude diferente: usei a medicação como último recurso — e não como primeira opção. Fiquei surpreso com a quantidade de pacientes dispostos a se tornarem mais proativos com sua saúde se houvesse uma chance, ainda que mínima, de evitarem a ingestão de outros medicamentos. É claro que também tenho aqueles pacientes que não pensam em mudar. Para eles, ainda recorro aos remédios.

Há também aqueles pacientes cuja condição é tão séria que os ponho, de imediato, sob medicação. Mas também a eles ofereço a chance de melhorarem sua condição ao longo do tempo, com mudanças saudáveis no estilo de vida, na esperança de que, algum dia, possam diminuir ou interromper a medicação.

Todos conhecem os benefícios à saúde de um bom programa de exercícios e de uma dieta saudável. Poucos, contudo (e especialmente os médicos), têm algum conhecimento dos benefícios à saúde trazidos pela ingestão de suplementos nutricionais de alta qualidade. Já disse que fui um desses médicos desinformados. Mas incontáveis estudos provam que a tríade de uma dieta saudável, de um bom programa de exercícios e de suplementos nutricionais de alta qualidade é a melhor maneira de proteger sua saúde. É também a melhor maneira de tentar recuperar sua saúde após tê-la perdido.

A História de David

Vejamos a teoria em funcionamento. "David" passou a maior parte de sua vida como examinador de testes para motoristas no Estado de Utah, onde vivia com sua esposa e seus filhos. David sempre gozara de excelente saúde e não tomava medicamento algum. No início de 1990, contudo, começou a sentir fraqueza nas pernas e uma fadiga incomum. Na primavera de 1990, ele estava arrastando as pernas e, até mesmo, caía de vez em quando. David visitou diversos médicos, e um neurologista finalmente diagnosticou uma doença rara chamada *leucoencefalopatia*.

Estou certo de que David reagiu ao nome de sua doença da mesma forma que você: *O que é isso?* O neurologista o informou de que era uma doença progressiva, degenerativa e desmielinizante do cérebro, muito similar à esclerose, e para a qual não havia tratamento efetivo. O médico disse a David que havia pouca esperança para ele — essa doença avançava em um declínio ininterrupto até a morte.

A notícia arrasou David. Ele voltou para casa desalentado e chocado. Nunca tinha ouvido falar dessa doença, e ela agora vinha tirar sua vida. Confirmando o que dissera o médico, David ficou mais fraco. Começou a sofrer de vertigem e a perder o controle de seus intestinos e de sua bexiga. Na primavera de 1993, David estava preso a uma cadeira de rodas. Em junho de 1995 a dor em suas pernas era tão extrema que seus médicos lhe impuseram um tratamendo com morfina por via oral. Ele dependia totalmente de sua esposa e seus filhos para tudo. A vida, como a conhecera, tinha terminado.

Em novembro de 1995 David sofreu um grave surto de *influenza*. Ficou ainda mais fraco e suas pernas, bem como seus braços, gelaram, como se não tivessem nenhuma circulação. Os médicos informaram David e sua família de que ele provavelmente jamais se recuperaria. Devido à leucoencefalopatia subjacente, eles previam que ele viveria por apenas mais uma ou duas semanas.

David estivera sob os cuidados do Hospice Program[11], que lhe permitia ficar em casa, onde preferia estar. Ele e sua família começaram a fazer planos para o funeral. David lamentava a perda de tudo o que amava, e dizia adeus à família e aos amigos. Embora houvesse aceitado sua morte alguns anos antes, a hora finalmente chegara, exatamente como previam os médicos.

Mas de alguma forma David sobreviveu ao Natal. Embora não conseguisse sair da cama, tampouco morreu.

Alguns meses mais tarde David decidiu experimentar certos suplementos nutricionais. Ele começou com um tablete antioxidante, um tablete mineral e um pouco de extrato de sementes de uva. Em cinco dias notou que estava dormindo menos e que tinha um pouco mais de energia. Depois de várias semanas tomando os suplementos, ele conseguia sair da cama por pequenos intervalos. De fato, no Dia das Mães, seus filhos o levaram até a loja de flores, de modo que ele pôde fazer suas compras tradicionais para sua esposa e sua mãe. Semana após semana David recuperava as esperanças, conforme ficava mais e mais forte.

David se lembrava de ter assistido ao filme *O Óleo de Lorenzo* no verão de 1996. O garoto do filme, Lorenzo, tinha uma doença cerebral similar à sua. Assistindo ao filme, David impressionou-se por descobrir que a parte mais importante do tratamento de Lorenzo, a que parecia de fato impedir seu declínio, era o óleo de sementes de uva. Ele se deu conta de que o extrato de sementes de uva podia ser um fator de primeira importância em sua admirável recuperação. Naquele momento, decidiu ingerir doses maiores. Ele logo descobriu que o extrato é um antioxidante muito potente, facilmente absorvível pelo fluido que envolve o cérebro. A recuperação de David após aumentar a dosagem do extrato, mantendo os demais antioxidantes e minerais, foi impressionante. A dor em suas pernas começou a diminuir e ele começou mesmo a caminhar novamente. A força de suas pernas aumentava consistentemente, semana após semana. Cerca de dois meses mais tarde, David conseguiu ir até a igreja sozinho, pela primeira vez em 3 anos. Ele ainda cambaleava bastante ao caminhar, mas estava andando!

O médico de David interrompeu a prescrição de morfina e documentou a melhora de seu paciente. Embora não pudesse acreditar nela, o médico tampouco podia negá-la. A maior emoção de David sobreveio quando ele pôde fazer seu exame de motorista e ser aprovado. Depois de tantos anos examinando outros, ele pôde dirigir por si próprio, uma vez mais.

David ainda tem sua doença. Ele não está curado. Mas é ele, e não a doença, que controla sua vida. Ele ainda caminha de modo estranho, mas não se importa. Todas as vezes que vejo David tenho de sorrir. Foi um prazer observar seu progresso.

Ele é uma das razões por que estou seguro de que o uso da medicina nutricional abriga tamanha promessa para pacientes de todos os campos da saúde.

• • •

Neste capítulo discutimos a abordagem dos Estados Unidos no que se refere aos cuidados com a saúde. Quais são os seus? Você teme envelhecer? Você aceitou as doenças crônicas ou a dor como fatais em seu futuro? Você está disposto a fazer mudanças necessárias em sua vida para assegurar sua saúde? Acredito que uma vida física plena e abundante não tenha de começar a declinar após os 40 anos. Acredito que cada ano de sua vida pode ser o melhor de todos. É hora de parar de viver pouco e morrer muito! Mas, antes disso, porém, você precisa entender a guerra que se trava dentro de nossos corpos.

Trataremos disso a seguir.

TRÊS | A Guerra Interior

Recoste-se, feche os olhos por um momento e concentre-se em sua respiração. Relaxe os ombros e aspire tão profundamente quanto possível, liberando em seguida, lentamente, o ar de seus pulmões. Faça isso por várias vezes. Respire como se estivesse inflando seu corpo da cabeça aos pés. Faça uma pausa e então expire lentamente. Isso é ótimo, não é mesmo? O ar que entra em nossos pulmões nos traz vida. E quando aceleramos nossa respiração pela corrida ou por exercícios aeróbios, sentimo-nos revigorados e podemos mesmo ter uma sensação de euforia.

Sendo médico, gosto de imaginar o que está acontecendo em meu corpo no nível celular, conforme o oxigênio entra por meu nariz e viaja até meus pulmões. A vida é um milagre intrincadamente tecido, evidente em cada respiração. Encho meus pulmões com ar fresco, rico em oxigênio. As moléculas de oxigênio atravessam então as finas paredes dos alvéolos pulmonares até o sangue que corre próximo. Ali, elas se misturam à hemoglobina de meu sangue, e as batidas de meu coração bombeiam esse sangue recém-oxigenado para todas as partes de meu corpo. A hemoglobina, em seguida, libera o oxigênio para que esse possa entrar nas células de meu corpo, onde proverá energia e a vida em si.

Dentro de cada célula de meu corpo existe um forno chamado de *mitocôndria*. Imagine-se diante de um fogo quente e crepitante. Ele arde com segurança e tranquilidade a maior parte do tempo. Mas, de quando e quando, lança cinzas que caem em seu tapete e abrem nele pequenos buracos. Uma única cinza não oferece muito perigo; mas se essas centelhas e estouros continuarem mês após mês, ano após ano, você acabará com um tapete esfarrapado em frente à lareira.

De modo similar, essa estrutura microscópica dentro da célula — a mitocôndria — processa o oxigênio pela transferência de elétrons para gerar energia na forma de ATP[1], liberando água como subproduto. Essas reações químicas ocorrem sem problemas em 98%

das vezes. Porém, a complementação total de quatro elétrons necessária para reduzir o oxigênio para água nem sempre ocorre como o planejado, e um "radical livre" se produz.

Figura 3.1 — Processo Químico para a Redução do Oxigênio para Água

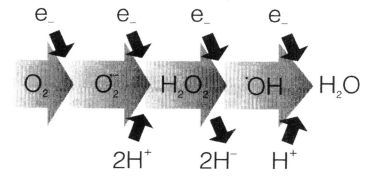

As cinzas da lareira representam os radicais livres, e o tapete representa seu corpo. A parte de seu corpo que receber o maior dano por radicais livres será a primeira a se desgastar e, potencialmente, a desenvolver doenças degenerativas. Se forem os seus olhos, você pode desenvolver degeneração macular ou catarata. Se forem seus vasos sangüíneos, você pode ter um ataque cardíaco ou um AVC. Se for o espaço em suas articulações, você pode desenvolver artrite. Se for seu cérebro, você pode desenvolver o mal de Alzheimer ou de Parkinson. Com o passar do tempo, nossos corpos podem ficar como aquele tapete em frente à lareira: todo danificado.

Acabamos de imaginar juntos o lado "límpido" do oxigênio e da vida que ele traz (como o calor do fogo), mas não podemos negar o resto da história. Essa é a parte sobre a qual muitos de nós nunca ouviram falar: os danos que os radicais livres desordenados causam, conhecidos também como *estresse oxidativo*.

Esse estresse oxidativo é a causa subjacente de quase todas as doenças degenerativas crônicas. Embora isso tudo ocorra internamente, é muito mais fácil observar o estresse oxidativo que se dá na superfície externa do corpo, a pele. Você já viu um retrato de família que reunisse várias gerações? Se olhar de perto a pele dos fotografados, verá a significativa diferença entre a pele do membro mais jovem e a do membro mais velho da família. O efeito que você vê se deve ao estresse oxidativo da pele. A mesma decadência ocorre no interior de nossos corpos.

O Lado Negro do Oxigênio

Como eu disse, estamos descobrindo, por meio de pesquisas bioquímicas, que a causa subjacente das doenças degenerativas e, provavelmente, do próprio processo de envelhecimento, é o estresse oxidativo causado pelos radicais livres.

Quimicamente, demonstrou-se que a ação violenta desses radicais livres provoca explosões de luz. Se não forem neutralizados a tempo, os radicais livres geram uma reação em cadeia que pode ocasionar condições perigosas. Você sabia que existe literalmente uma guerra sendo travada dentro de seu corpo? Durante o consumo cotidiano e silencioso do oxigênio, ocorre uma batalha vital. Podemos, assim, interpretar essa tal guerra definindo os papéis específicos de seus fascinantes e bem destacados personagens no metabolismo de nosso corpo:

O Inimigo: Radicais Livres

Os Aliados: Antioxidantes

Por trás das Linhas: Nutrientes de Apoio — os cofatores B (B1, B2, B6, B12 e o ácido fólico) e os minerais antioxidantes. São como as linhas de suprimento de combustível, munição e alimentos, e os mecânicos que mantêm as máquinas operando em situações de combate.

Reforços do Inimigo: Condições que aumentam o número de radicais livres produzidos pelo corpo, como poluentes do ar, da comida e da água; estresse excessivo, maus hábitos de exercícios e assim por diante.

MASH: Unidade de reparo das alterações causadas pelos Radicais Livres.

Os radicais livres são, em sua maioria, moléculas ou átomos de oxigênio que possuem, no mínimo, um elétron solitário (ou desemparelhado) na órbita externa. No processo de utilização do oxigênio durante o metabolismo intracelular normal para a produção de energia (chamado de oxidação), criam-se os radicais livres, também denominadas espécies reativas de oxigênio. Em essência, eles possuem uma carga elétrica e tentam arrancar um elétron de qualquer molécula ou substância nas proximidades. Sua movimentação é tão violenta que já se demonstrou quimicamente que eles geram fagulhas de luz dentro do corpo. Se esses radicais livres não forem neutralizados rapidamente por um antioxidante, poderão criar outros radicais livres ainda mais voláteis ou causar danos à membrana celular, à parede dos vasos sangüíneos, às proteínas, às gorduras ou mesmo ao núcleo de DNA das células.[2] A literatura científica e médica chama esses danos de estresse oxidativo.

Nossos Aliados: Os Antioxidantes

Deus não nos deixou indefesos frente às arremetidas dos radicais livres. Na verdade, quando observo a intrincada complexidade de nosso sistema defensivo antioxidante, sinto uma imensa gratidão por quão maravilhosa e magnificamente somos feitos. Temos, a bem dizer, nosso próprio exército de antioxidantes, que são capazes de neutralizar os radicais livres e torná-los inofensivos. Os antioxidantes são como as portinholas de vidro ou as telas de arame fino que instalamos em frente à lareira. As fagulhas (os radicais livres) ainda voarão; todavia, seu tapete (seu corpo) estará protegido.

Um antioxidante é qualquer substância que possa liberar um elétron para um radical livre e compensar o elétron desemparelhado, o que neutraliza esse radical livre. Mesmo nosso corpo tem a capacidade de criar antioxidantes próprios. Na verdade, o corpo gera três grandes sistemas defensivos antioxidantes: o superóxido dismutase, a catalase e a glutationa peroxidase. Não é importante que você memorize esses nomes, mas é importante que perceba que possuímos um sistema natural de defesa antioxidante.

Nosso corpo, contudo, não produz todos os antioxidantes de que necessitamos. O restante deve provir da alimentação ou, como você verá, dos suplementos nutricionais. Desde que haja antioxidantes disponíveis em quantidades compatíveis com o número de radicais livres produzidos, nenhum dano é infligido a nosso corpo. Mas quando há mais radicais livres sendo produzidos do que a quantidade disponível de antioxidantes, ocorre o estresse oxidativo. Quando essa situação persiste por um período prolongado, podemos desenvolver uma doença degenerativa crônica e começar a perder a guerra interior.

O equilíbrio é a chave para vencer essa guerra sustentada. Devemos manter a ofensiva e a defensiva equiparadas. Para vencer, nosso corpo precisa estar sempre armado com mais antioxidantes do que radicais livres.

A maioria dos antioxidantes que obtemos advém de vegetais e frutas. Os antioxidantes mais comuns são a vitamina C, a vitamina E, a vitamina A e o betacaroteno. Podemos obter diversos outros antioxidantes de nossa alimentação; esses incluem a coenzima Q10, o ácido alfalipóico e os coloridos antioxidantes flavonóides. É importante compreender que os antioxidantes funcionam em sinergia uns com os outros para desarmar radicais livres em áreas distintas do corpo. A exemplo dos posicionamentos variados das defesas militares, cada um desses antioxidantes tem funções específicas. Alguns chegam a ter a capacidade de regenerar outros antioxidantes, podendo neutralizar um número maior de radicais livres. Por exemplo, a vitamina C é solúvel na água, sendo portanto o antioxidante ideal para lidar com radicais livres no sangue e no plasma. A vitamina E é solúvel na gordura, sendo o melhor antioxidante dentro da membrana celular. A glutationa é o melhor antioxidante dentro da célula em si. O ácido alfalipóico funciona tanto dentro da membrana celular como no plasma. A vitamina C e o ácido alfalipóico têm a capacidade de regenerar a vitamina E e a glutationa, de modo que essas possam ser reutilizadas.

Quanto mais antioxidantes, melhor! Nossa meta é ter antioxidantes em número mais do que suficiente para neutralizar os radicais livres que produzimos. Isso só ocorrerá se tivermos um exército completo e equilibrado de antioxidantes disponível a todo momento.

Por Trás das Linhas

Todo exército precisa de um sistema de apoio por trás das linhas de batalha — isso é fundamental para o resultado final de uma guerra. Ter simplesmente quantidades adequadas de antioxidantes (ou soldados) disponíveis para neutralizar os radicais livres que produzimos não é o suficiente. Os soldados precisam continuamente de suprimentos — munição, comida, água e vestimentas — para que dêem o máximo de si.

Os soldados antioxidantes requerem a disponibilidade de outros nutrientes em quantidades *adequadas* para cumprirem seu dever nas linhas de frente contra a ameaça dos radicais livres. Eles precisam de quantidades suficientes de minerais antioxidantes como o cobre, o zinco, o manganês e o selênio, que ajudam em suas reações químicas e lhes permitem realizar seu trabalho com eficiência. Se não houver minerais suficientes disponíveis, o estresse oxidativo poderá ocorrer.

Para desempenhar adequadamente sua função, os antioxidantes também precisam de certos cofatores em suas reações enzimáticas. Os cofatores são o sistema de suporte militar, como os mecânicos ou oficiais de suprimentos, os caminhões de combustível e os fabricantes de munição. Esses são primariamente os cofatores B: o ácido fólico e as vitaminas B1, B2, B6 e B12. Precisamos de um bom estoque tanto de minerais antioxidantes como de cofatores para termos alguma esperança de vencer a guerra interior.

O campo de batalha é, na verdade, mais complicado do que acabo de descrever. Note que o número de radicais livres que produzimos nunca é constante. A produção de radicais livres varia no processo diário do metabolismo normal e da redução do oxigênio, e nosso sistema defensivo nunca sabe exatamente com quantos radicais livres terá de se defrontar a cada dia. Muitos fatores podem aumentar a quantia de radicais livres que produzimos e que devemos, por conseguinte, neutralizar.

O que ocasiona a produção de mais radicais livres do que nosso corpo pode combater? Essa questão me levou a horas e horas de pesquisa. Aprendi a recorrer às diferentes fontes de radicais livres para descobrir a resposta. Discutamos agora esses réus.

O Que Gera Radicais Livres

Exercícios Excessivos

Em *The Antioxidant Revolution*, o dr. Kenneth Cooper salientou o fato de que exercícios excessivos podem aumentar significativamente a quantidade de radicais livres que nosso corpo produz. O dr. Cooper ficou muito preocupado ao notar que um grande número de atletas esforçados morria prematuramente de ataques cardíacos, AVCs e câncer. Tratava-se de indivíduos que haviam corrido trinta ou quarenta maratonas durante a vida, mantendo ao mesmo tempo um extenso programa de exercícios diários.

Durante sua pesquisa para o livro sobre antioxidantes, o dr. Cooper descobriu o dano potencial que o excesso de exercícios pode ocasionar. Quando nos exercitamos suavemente ou com moderação, o número de radicais livres que você e eu produzimos eleva-se somente um pouco. Em contraste, quando nos exercitamos demais, a quantidade de radicais livres que produzimos vai às alturas, aumentando exponencialmente.

The Antioxidant Revolution encerra-se alertando seus leitores de que exercícios excessivos podem, na verdade, ser nocivos à saúde, especialmente se os praticarmos por anos a fio. O dr. Cooper recomenda a todos um programa moderado de exercícios, mas também sugere que todos tomem antioxidantes na forma de suplementação. Somente os atletas sérios devem fazer exercícios desgastantes, e precisam equilibrá-los com quantidades significativas de suplementos antioxidantes.[3]

Estresse Excessivo

Como no caso dos exercícios, uma quantidade suave ou moderada de estresse emocional não produz senão um pequeno aumento nos radicais livres. O estresse emocional severo, contudo, faz com que o número de radicais livres suba significativamente, provocando o estresse oxidativo. Já notou que você costuma adoecer quando se encontra sob grande pressão? Quantas vezes soube de um amigo ou familiar próximo que, estando submetido a grande estresse por períodos prolongados, descobriu ter desenvolvido câncer ou sofreu um primeiro ataque cardíaco?

Não tenho muitos pacientes que correram várias maratonas durante a vida, mas tenho centenas de pacientes sob estresse emocional prolongado. As pressões financeiras, profissionais e pessoais complicaram tanto nossas vidas que o estresse emocional tornou-se o fator de saúde mais significativo dentre os que encontro em minha prática clínica. Quando você compreender a gravidade do estresse oxidativo, começará a entender os perigosos efeitos que tem o estresse emocional prolongado em sua saúde, e poderá começar a combatê-lo.

Poluição do Ar

O ambiente tem uma influência tremenda na quantidade de radicais livres que nosso corpo produz. A poluição do ar é uma das principais causas de estresse oxidativo em nossos pulmões e em nosso corpo. Hoje, quando você vai para uma grande cidade, não somente pode ver a névoa espessa: pode senti-la.

Lembro-me de meus dias na Faculdade de Medicina da Universidade do Colorado, em 1970. Durante minha estada na unidade de neurologia, eu tinha de fazer a ronda às 6 horas da manhã. Antes de começar, eu ia até as janelas do oeste e admirava o nascer do sol, cuja luz se refletia nas belas Montanhas Rochosas. Em seguida, eu iniciava minha ronda, que levava em torno de duas horas todos os dias. Após terminá-la, voltava correndo àquela bela vista das montanhas antes da primeira aula de medicina. Para meu espanto, eu, freqüentemente, quase não podia ver as montanhas àquela hora. Tudo o que podia ver eram algumas silhuetas brancas através da névoa espessa. Que mudança drástica ocorria durante as duas horas em que as pessoas se dirigiam até o trabalho!

Os efeitos da poluição do ar sobre a saúde têm suscitado considerável preocupação. A poluição do ar contém ozônio, dióxido de nitrogênio, dióxido de enxofre e diversas moléculas hidrocarbonadas, todas as quais geram uma quantidade significativa de radicais livres. Quando você se expõe a tais toxinas dia após dia, elas passam a ter um efeito acentuado sobre sua saúde. A poluição do ar mostrou-se relacionada às causas da asma, da bronquite crônica, dos ataques cardíacos e mesmo do câncer. Compreender o estresse oxidativo como a causa oculta de todas essas doenças nos permite desenvolver uma estratégia para protegernos dos efeitos nocivos da poluição do ar.

Devemos considerar um outro aspecto da poluição dos ar: a exposição profissional a poeiras minerais como as fibras de asbesto. A presença das fibras ferrosas do asbesto pode gerar ainda mais radicais livres. Demonstrou-se que a exposição continuada pode causar câncer do pulmão e fibrose intersticial (uma grave cicatriz pulmonar). Existem muitos outros riscos de ordem profissional: os fazendeiros estão expostos à poeira fina em seus celeiros e descaroçadores; os operários industriais estão expostos a várias substâncias químicas e à poeira fina em seu trabalho.

É desnecessário dizer que a qualidade do ar que respiramos é um fator fundamental para nossa saúde.

Tabagismo

Pode-se presumir que os nevoeiros de poluição e as substâncias químicas sejam a maior ameaça cotidiana a nossa saúde. Mas você acreditaria que a maior causa do estresse oxidativo em nossos corpos é a fumaça de cigarros e charutos? É verdade. O ato de fumar já foi associado ao aumento do risco de asma, enfisema, bronquite crônica, câncer do pulmão e doenças cardiovasculares. Todos sabemos das conseqüências do fumo para a saúde, mas é fascinante saber que o problema básico é a quantidade de estresse oxidativo que o fumo produz em nosso corpo. A fumaça de cigarro contém diversas toxinas diferentes, sendo que todas aumentam a quantidade de radicais livres que surgem não somente em nossos pulmões, mas também por todo o nosso corpo. Nenhum outro hábito ou vício afeta mais dramaticamente nossa saúde geral do que o fumo.

Não conheço nada mais viciador do que a nicotina. Quando o dr. C. Everett Koop, cirurgião-geral dos Estados Unidos, disse que o fumo era um vício, e não um hábito, ele mudou para sempre o modo como consideramos o ato de fumar.[4] Como? Ele informou o público sobre as características viciadoras da nicotina, das quais a indústria de tabaco provavelmente já tinha ciência havia meio século. Na verdade, há grandes evidências de que é possível viciar-se em nicotina em um prazo de duas a três semanas.[5] É surpreendente, então, que seja tão difícil para as pessoas parar de fumar? Descobri que é muito mais difícil para meus pacientes abandonar o fumo do que parar de beber álcool. Acredito que o custo absurdo e de longo alcance imposto a nossa saúde pelo tabagismo seja muito superior ao que podemos estimar.

E quanto ao tabagismo passivo? Pesquisas médicas hoje demonstram que pessoas consideravelmente expostas à fumaça secundária têm maior risco de asma, enfisema, ataques cardíacos e mesmo câncer do pulmão.[6] É essa a razão pela qual há tantas leis aprovadas contra o fumo de cigarros em locais públicos.

Você se expôs recentemente a algum grupo de pessoas fumando em um ambiente fechado? Lembro-me de ter ido buscar minha filha na faculdade o mês passado. Tive de parar em uma cidadezinha para encher o tanque com gasolina. Quando entrei na cabine do posto para pagar pelo combustível, havia seis moradores locais em torno de uma mesinha, todos fumando enquanto bebericavam café. Eu mal podia respirar sem tossir. Na verdade comecei a sentir-me enjoado. Para as pessoas não habituadas à fumaça de cigarro, seus efeitos são muito mais reconhecíveis. Estou certo de que houve momentos e situações em que você teve experiências similares. Não é necessário ter muita imaginação para saber que, caso você se exponha diariamente à fumaça secundária, ela acabará tendo um grande impacto em sua saúde.

Poluição da Comida e da Água

Você tem sede? Em 1988 o Departamento de Saúde Pública dos Estados Unidos alertou que 85% da água potável norte-americana estava contaminada. E não creio que as coisas tenham melhorado ao longo da última década. Mais de 50 mil substâncias químicas diferentes contaminam hoje nosso suprimento de água. Eis um fato assustador: as estações medianas de tratamento de água só conseguem identificar de 30 a 40 dessas substâncias. Além disso, metais pesados como o chumbo, o cádmio e o alumínio contaminam a maior parte de nosso suprimento de água. Mais de 55 mil despejos químicos regularizados nos EUA, além dos 200 mil despejos irregulares que se calcula existirem, estão vazando até a rede de água por toda a nação. Quando ingerimos essa água contaminada, a produção de radicais livres aumenta consideravelmente.[7]

Os americanos recorrem hoje a quantidades, sem precedentes, de água engarrafada, filtrada e destilada. Mas você precisa saber o seguinte: exceto no caso da água destilada, não há meios de conhecer a qualidade da água pela qual você vem pagando tão caro, por tratar-se de um setor totalmente desregulamentado.

Desde a Segunda Guerra Mundial, mais de 60 mil novas substâncias químicas foram introduzidas em nosso meio ambiente. Não menos do que mil substâncias novas chegam ao meio ambiente todos os anos. Herbicidas, pesticidas e fungicidas são usados na produção da maior parte de nossos alimentos. A pesquisa médica demonstrou que todas essas substâncias químicas geram aumento do estresse oxidativo ao serem consumidas. Algumas são mais perigosas do que outras, mas todas apresentam riscos potenciais à saúde. Essas substâncias permitiram que nosso mercado de alimentos produzisse o mais abundante suprimento de comida jamais visto. Mas qual o custo disso para nossa saúde?

Luz Ultravioleta

É um fato conhecido o de que antes dos 20 anos a pele das pessoas já sofreu dois terços da exposição ao sol que sofrerá ao longo da vida. Isso significa que você, o leitor deste livro, provavelmente já expôs sua pele aos nocivos raios ultravioleta do sol.

Diversos estudos demonstraram que a luz ultravioleta produz um aumento dos radicais livres na pele das pessoas.[8] Já está comprovado que esses, por sua vez, têm a capacidade de danificar o DNA das células da pele, o que provoca o câncer de pele. Esses estudos proporcionam a melhor evidência direta de que o estresse oxidativo leva ao desenvolvimento de câncer.

A luz ultravioleta B é a maior responsável pelos nocivos raios solares, mas tanto ela como a luz ultravioleta A aumentam a produção de radicais livres na pele, causando portanto estresse oxidativo na pele. Ao aplicar seu protetor solar favorito, que contém um fator de proteção 30 ou maior, você está se protegendo sobretudo dos raios UVB. Isso nos permite ficar ao sol por mais tempo porque não somos queimados por ele. Mas esses protetores não oferecem muita proteção — se é que oferecem alguma — contra os raios UVA, os quais geram um número significativamente maior de radicais livres em áreas mais profundas da pele. Isso pode explicar em parte por que vimos quintuplicar-se os casos de praticamente todos os tipos de câncer da pele durante os últimos 20 anos.

Finalmente estamos vendo no mercado protetores solares que oferecem abrigo contra raios tanto UVA como UVB. Evidentemente, é esse o tipo de protetor que você deve comprar para se proteger, e a seus filhos, tanto de queimaduras do sol como do câncer de pele. Recomendo que todos fiquem atentos ao surgimento de quaisquer intumescências ou mudanças nas pintas pigmentadas da pele.

Medicamentos e Radiação

Todo medicamento que prescrevo causa um aumento de estresse oxidativo no corpo. Drogas quimioterapêuticas e radioterapias funcionam sobretudo causando danos por estresse oxidativo às células cancerosas, o que as mata. É essa a principal razão por que os pacientes acham esses tratamentos tão difíceis de tolerar. O aumento de estresse oxidativo também causa danos colaterais às células normais.

É importante lembrar que toda droga é essencialmente uma substância estranha ao corpo, e que esse precisa trabalhar mais para metabolizá-la e eliminá-la. Isso impõe maior demanda a muitos dos processos metabólicos do fígado e do organismo como um todo. Como conseqüência, ocorre maior produção de radicais livres e aumenta a possibilidade de surgimento de estresse oxidativo.

O mundo industrializado do século XXI tornou-se muito dependente de medicamentos. O consumo de remédios nos Estados Unidos e no mundo está, visivelmente, na maior alta da história. Embora todas as drogas tenham sido testadas para comprovar-se que oferecem algum benefício, todas contêm um risco inerente. Reações adversas e graves às drogas são a quarta maior causa de morte nos Estados Unidos. É verdade: medicamentos devidamente receitados e administrados são responsáveis por mais de 100 mil mortes e 2 milhões de internações todos os anos nos Estados Unidos.[9] Grande parte do risco inerente aos medicamentos se deve ao estresse oxidativo que eles podem causar.

● ● ●

Mais de 70 doenças degenerativas crônicas resultam diretamente dos efeitos "tóxicos" do oxigênio. Em outras palavras, a causa primária dessas doenças é o estresse oxidativo. As ciências médicas nos demonstraram que a causa subjacente dessas doenças terríveis, que todos tememos com o avanço da idade, é o insuspeitado lado negro do oxigênio.

Se já mandou consertar um carro velho, você já testemunhou os efeitos prejudiciais da ferrugem. Ela pode enfraquecer e desintegrar um dos materiais mais fortes da Terra: o metal. E, como um veículo abandonado em campo aberto, nossos corpos começam literalmente a enferrujar se não forem protegidos. Uma lenta corrosão tem início em nosso corpo e, como um ponto fraco no metal, a parte que ceder primeiro determinará o tipo de doença degenerativa que poderemos desenvolver.

Felizmente, nosso corpo não possui apenas um tremendo sistema defensivo antioxidante; ele também possui um notável sistema de reparo. O próximo capítulo explica como essa unidade MASH consegue reparar as inevitáveis baixas da guerra sendo travada em cada célula de nosso corpo.

PARTE II

VENCENDO A GUERRA INTERIOR

QUATRO | Nosso Sistema de Reparo: A Unidade MASH

Sempre haverá baixas na guerra. E a guerra que se trava em nossos corpos não é diferente. Apesar de nossos excelentes sistemas defensivos antioxidantes, o inimigo consegue miscuir-se e lesar lipídeos (gorduras), proteínas, paredes celulares, paredes vasculares e mesmo o núcleo de DNA da célula. Muitos centros de pesquisa confirmaram a existência de sistemas de reparo e de remoção de danos para qualquer proteína, lipídeos da parede celular ou DNA oxidado (danificado por radicais livres). Para dizer de maneira simples, nossos corpos possuem uma sofisticada unidade MASH de última geração.[1]

Quando era um jovem médico, eu sabia da grande possibilidade que havia de ser convocado a integrar a unidade MASH na Guerra do Vietnã. Durante meu estágio na Faculdade de Medicina da Universidade do Colorado, a maior parte dos residentes havia estado no Vietnã, e a maioria dos internos se encontrava a caminho. Mas ocorreu que, na época em que concluí meu período como interno, a guerra tinha praticamente acabado e o projeto já não estava em vigor.

Embora jamais tenha ido ao Vietnã, lembro-me do filme *M*A*S*H*, com todos aqueles soldados feridos sendo resgatados por helicóptero. As cirurgias tensas e frenéticas que se seguiam na tentativa de curar os soldados ainda estão vivas em minha mente. Você sabia que essa mesma situação tem lugar diariamente em nossos corpos? Temos uma sofisticada equipe de enfermeiros de triagem, anestesiologistas e cirurgiões ocupada em reparar os danos causados pelos radicais livres que nosso corpo produz.

Em nossos corpos há tanto um sistema de reparo direto como um de reparo indireto. A verdade é que não sabemos muito sobre o sistema de reparo direto; que ele existe, porém, é algo bem documentado. A maior parte de nossos conhecimentos concentra-se, antes, no sistema de reparo indireto.

No campo dos serviços de saúde, os enfermeiros de triagem são aqueles que avaliam os pacientes para determinar qual se encontra em estado mais crítico e será atendido primeiro pelo médico. Estudos extensivos revelaram que os "enfermeiros de triagem" reconhecem partes danificadas das células em nossos corpos e então as reparam.[2] O corpo não remenda simplesmente essas células; na verdade ele as esfacela por inteiro e então as reconstrói a partir do zero. Incrível, não é mesmo? Proteínas danificadas tornam-se proteínas novas em folha, feitas com aminoácidos reciclados. O corpo repara gorduras e DNA alterados de maneira similar. É fundamental que você saiba que o corpo possui uma notável capacidade inerente de curar a si mesmo.

Quando reflito sobre a natureza complexa desse sistema de reparo e nas funções da célula, sei, para além de qualquer dúvida, que esse não é um ato casual da natureza. Durante meu primeiro ano na faculdade de medicina, estudei a anatomia e a função dos olhos. Conforme observava a complexidade da estrutura, percebia que esse objeto jamais poderia se formar como resultado de um acaso acidental e da seleção aleatória. A própria retina é composta de doze intrincadas camadas e bilhões de células especializadas. As hastes e cones da retina reúnem as ondas de luz e enviam essas mensagens ao cérebro. Nosso cérebro interpreta esses impulsos e cria nossa visão em cores vívidas, animadas, plenas. Pare um minuto para olhar pela janela mais próxima e extasie-se com o dom da visão. Isso não é acidente — é uma engenhosa criação!

A mesma idéia me ocorre agora, enquanto estudo os notáveis sistemas imunológico e de defesa antioxidante do corpo. Não tenho a menor dúvida de que Deus seja nosso verdadeiro Curador. "Renderei graças a Ti, porquanto sou temente e maravilhosamente feito", exclamou Davi.[3] Deus criou um magnífico "terno de terra" que devemos proteger e nutrir. A *melhor* defesa contra o desenvolvimento de doenças degenerativas crônicas é proporcionada por nosso próprio corpo, e não pelas drogas que prescrevo.

Pesquisadores bioquímicos são hoje capazes de estudar as operações e complexidades internas de cada célula de nosso corpo. A célula não é somente uma concha contendo um gel macio e consistente, como acreditavam muitos dentre os primeiros evolucionistas. Em vez disso, é repleta de estruturas sofisticadas, códigos genéticos e sistemas de transporte que sustentam a vida por meio de elaboradas reações bioquímicas.

Quando vejo uma caneta-tinteiro, tento imaginar que um resquício de plástico, metal e tinta esteve inerte por milhões e milhões de anos, e então, de súbito e por acaso, formou acidentalmente essa caneta. Mas então reflito: *Talvez alguém a tenha feito!* O corpo humano é uma criação profundamente complicada, e os segredos que estamos descobrindo sobre como ele opera e funciona o tornam ainda mais incrível.

Figura 4.1 — Seção Oblíqua do Globo Ocular

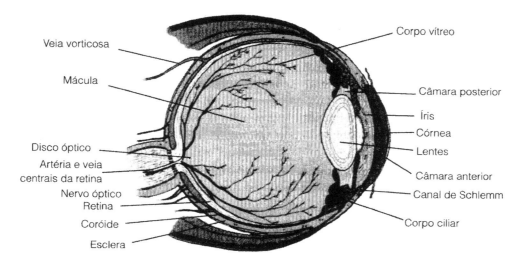

A Devastação da Guerra

A despeito desse notável sistema de defesa e reparo inerente a nossos corpos, ainda podem ocorrer danos. O estresse oxidativo tem o potencial de sobrepujar todos esses sistemas protetores e causar doenças degenerativas crônicas. Durante períodos de produção particularmente alta de radicais livres, o sistema de defesa e reparo pode vir abaixo e não dar conta da quantidade de proteínas, gorduras, membranas celulares e DNAs danificados.

Quando não são devidamente reparadas, as proteínas danificadas podem gerar ainda mais problemas nas funções celulares. Lipídeos danificados geram membranas celulares rijas; o colesterol oxidado com freqüência provoca o espessamento das artérias. E cadeias de DNA mal reparadas causam a mutação celular implicada no câncer e no envelhecimento.

Em poucas palavras, quando sobrecarregamos nossos sistemas internos de defesa antioxidante e de reparo, danos significativos são infligidos ao corpo, podendo levar, no fim das contas, a qualquer uma das várias doenças degenerativas crônicas. Pesquisadores bioquímicos descobriram há anos que, com base em suas estimativas do número de células danificadas pelo estresse oxidativo, morreríamos rapidamente dos danos causados a partes vitais das células se as enzimas e compostos antioxidantes fossem nossos únicos métodos de proteção.[4] Por isso é essencial que otimizemos todos esses sistemas naturais de defesa.

Nossa Melhor Defesa

Fora do Éden, nossa alimentação e nosso meio ambiente mudaram totalmente. Como conseqüência, nossos corpos estão literalmente sob ataque. A poluição do ar e da água, os efeitos em longo prazo do fumo e um estilo de vida afoito e tenso contribuem para o estresse de nossos corpos. Mesmo nossa dieta sofreu. Nosso suprimento de comida é bastante deficiente em nutrientes de qualidade. Em 1970 os norte-americanos gastaram cerca de US$6 bilhões em *fast-food*; em 2000, gastaram mais de US$110 bilhões. Os norte-americanos hoje gastam mais em *fast-food* do que em educação superior, computadores pessoais, programas de software ou carros novos. Eles gastam mais com restaurantes de *fast-food* do que com filmes, livros, revistas, jornais, vídeos e música gravada combinados.[5]

Todos esses fatores significam que os radicais livres estão mais ativos e nocivos do que nunca. A medicina nutricional, suplementando nossa dieta com vitaminas e minerais antioxidantes vitais, é o único meio de que dispomos para turbinar o sistema imunológico e de defesa natural de nosso corpo.

A medicina nutricional protege nossa saúde, aprimorando os sistemas de defesa natural que Deus criou para um mundo poluído. Quando provemos os nutrientes corretos nos níveis otimizados de que o corpo necessita para funcionar, ele consegue realizar aquilo que Deus planejou.

Uma vez que houver compreendido o conceito de estresse oxidativo e seus efeitos deletérios sobre seu corpo, você desejará saber o que fazer para alcançar a vitória sobre ele. E desejará saber como ter a bordo uma quantidade suficiente de antioxidantes e seus nutrientes de apoio para lidar com os radicais livres que seu corpo produz.

Por mais simples que isso pareça, trata-se de um conceito revolucionário no que se refere a nossa saúde. Quanto mais capazes formos de prevenir ou retardar essas doenças degenerativas crônicas, mais aptos estaremos a gozar de boa saúde. Todos morreremos algum dia, a menos que o Senhor retorne primeiro; todavia, como observou meu amigo, eu desejo viver até morrer.

O Equilibrio É a Meta

Quando eu era adolescente, o governo federal americano decidiu extrair a maior parte da prata de nossas moedas. Em um instante, todas as moedas antigas, que eram de prata maciça, passaram a valer mais do que as moedas novas que o governo vinha cunhando. Muitos indivíduos e empresas começaram a comprar essas moedas de prata sólida e, claro, nós adolescentes reuníamos tantas moedas do tipo quantas podíamos.

Em relação a isso eu era especialmente afortunado. Meu pai era dono de uma sorveteria Dairy Queen, e trazia para casa, a cada noite, uma pilha de moedas que eu tinha de envolver em rolos de papel. Eu selecionava cuidadosamente as moedas de prata maciça (com a permissão de meu pai) e então saía para vendê-las.

Nosso Sistema de Reparo: A Unidade Mash

Eu adorava abrir a pesada porta de madeira da loja de ferramentas perto da Main Street. Os aromas bolorentos de madeira velha, lustra-móveis e óleo saudavam-me juntamente com a voz amistosa do sr. Smalley, que dizia: "Olá, garoto!" Quando me via, o sr. Smalley buscava uma balança para pesar as moedas (ele pagava por peso). A sua era uma daquelas balanças antigas, que tinham duas bandejas com uma coluna no meio. O sr. Smalley punha minhas moedas em uma bandeja e, em seguida, depositava pesos, um de cada vez, na outra bandeja.

Lembro-me de conter a respiração com entusiasmo quando ele tinha de continuar pondo mais e mais pesos de latão para contrabalançar minhas moedas. Conforme se aproximava, ele me olhava por sob a aba de seu boné e piscava. "Bingo!", dizia, quando a balança finalmente se equilibrava. Então ele dizia quanto dinheiro me pagaria por todas aquelas moedas de prata.

O equilíbrio é a chave quando se trata do estresse oxidativo. A história que lhe contei proporciona uma analogia útil. Nosso corpo está sempre tentando pôr na bandeja pesos de latão (antioxidantes) em quantidade suficiente para compensar as moedas de prata (os radicais livres). O corpo produz alguns desses antioxidantes, mas eles não bastam. Nossa comida, sobretudo as frutas e vegetais, costumavam proporcionar todos os antioxidantes extras de que nosso corpo necessitava. Uma geração ou duas atrás, as pessoas ingeriam alimentos mais saudáveis e frescos, que continham significativamente mais antioxidantes do que a dieta de hoje. Contudo, como resultado do tremendo aumento nas toxinas de nosso ambiente de hoje, além dos nutrientes reduzidos que recebemos de nossa comida altamente processada, nossa balança está desequilibrada — em favor das moedas de prata (os radicais livres).

Temos de acrescentar suplementos nutricionais à balança para prover a quantidade de antioxidantes de que nossos corpos precisam. Na verdade, precisamos que os pesos de latão virem a balança a seu favor, pois assim não teremos estresse oxidativo.

Lembre-se de que há dois lados da moeda: a quantidade de radicais livres que nossos corpos têm a conter e um sistema antioxidante e de reparo otimizado. Nos capítulos seguintes, apresentarei as evidências médicas que mostram de que modo você, como indivíduo, pode melhorar seu sistema de defesa antioxidante seguindo uma dieta sadia, fazendo exercícios moderados e ingerindo suplementos nutricionais de alta qualidade. Também lhe mostrarei como você pode, pela ingestão do que chamo de "otimizadores" (antioxidantes superpotentes), até recuperar sua saúde ainda que a tenha perdido.

Antes disso, conheça alguém que aprendeu, em primeira mão, quão eficaz a medicina nutricional pode ser.

A História de Evelyn

Evelyn acabara de mudar-se para Spokane, Washington, com sua família, quando um grave acidente de automóvel a deixou hospitalizada com ferimentos múltiplos. Seu lado esquerdo tornou-se fraco e adormecido, e os médicos temiam que ela houvesse sofrido um AVC.

Um teste angustiante após outro deixava Evelyn e sua família no escuro. Eles não faziam idéia do que estava acontecendo com seu corpo.

Aproximadamente seis meses depois, período durante o qual Evelyn viu dezoito médicos diferentes, foi-lhe dado o diagnóstico de esclerose múltipla. Uma das grandes causas do estresse oxidativo são os ferimentos ou as grandes cirurgias, e os médicos de Evelyn sentiam que o trauma do acidente deflagrara sua esclerose.

Evelyn sempre procurou demonstrar uma atitude positiva com relação a seu diagnóstico e prometeu não deixar que a doença a dominasse. Os médicos lhe prescreveram uma substância chamada Betaseron[6], droga usada comumente em casos de esclerose múltipla. O Betaseron é, na verdade, *interferon beta*, uma substância química que tenta recompor o sistema imunológico — muito cara e que provoca muitos efeitos colaterais. O corpo de Evelyn mal era capaz de tolerar essa medicação, e ela ficou muito doente. Passados dois meses, ela disse a sua família e a seu médico que não continuaria a tomar o remédio. Sua família a apoiou, dando-se conta de que os terríveis efeitos colaterais não compensavam nenhum ganho que ela pudesse obter.

"Fiquei arrasada e passei muitos dias deprimida", lembra-se Evelyn. "Eu olhava através de minha janela e fazia aquelas perguntas incômodas: *'Por que eu?'* e *'Por que agora?'*. Passei noites vagando pelas salas de casa ou sentada na janela do saguão, chorando. Era meu único momento de solidão, quando eu podia expressar minhas emoções mais profundas."

Evelyn freqüentou grupos de apoio com seu marido e seus filhos. Ela e a família começaram a fazer ajustes em seu estilo de vida para acomodar e atender a suas necessidades. Evelyn encarava ainda a possibilidade da cegueira súbita, um sintoma da esclerose múltipla que algumas pessoas experimentam. "Eu me sentava ao pé da cama de meus filhos", ela se recorda, "vendo-os dormir, memorizando seus rostos, a cor de seus cabelos, sua expressão de paz, assim eu não me esqueceria de sua aparência. Eu escrevia em meu diário e tentava documentar tudo de que me lembrava sobre eles. Em momento algum eu podia dar meu futuro como certo."

Não demorou muito para que Evelyn começasse a declinar. Durante os 4 anos seguintes, ela continuou a perder força em ambas as pernas e, por fim, em seus braços e mãos. Durante algum tempo ela teve de usar uma bengala de quatro pontas; poucos meses depois, precisou de um andador. Ainda mais frustrante e desanimador foi o fato de que ela começou a sofrer retenção dos intestinos e da bexiga. Isso não somente lhe provocou desconforto, como também causou diversas infecções da bexiga e dos rins. Ela ficou totalmente dependente de sua família, tanto para suas necessidades físicas como emocionais.

A atitude de Evelyn, em meio a tudo isso, era impressionante. Ela mal podia mover-se ou ir a lugar algum sem a ajuda de seu andador ou sua família. Ela podia ver o choque causado por seu declínio pintado no rosto de seus amigos. Mas Evelyn não desistiu. Em reação a sua doença, essa esposa e mãe começou a fazer terapia física e a pesquisar a esclerose múltipla por conta própria.

Evelyn experimentou algumas terapias alternativas, mas continuou a declinar. Então, quase 4 anos depois de seu diagnóstico, ela decidiu tomar suplementos nutricionais poderosos, na tentativa de retardar o avanço de sua doença. Ela começou com alguns tabletes antioxidantes e minerais fortes, além de extrato de sementes de uva e um nutriente natural chamado de *Coenzima Q10*. Em semanas, Evelyn começou a se sentir melhor.

"Pela primeira vez em anos dormi por toda a noite e acordei sentindo-me descansada", ela declara. "Já não precisava de cochiladas durante o dia e não tinha problemas da bexiga ou do intestino. Senti um aumento em meu nível de resistência. A força começou a voltar a minhas pernas e braços. Eu podia até mesmo correr escadas acima e atender ao telefone, o que surpreendia meus filhos. Na verdade, causei a maior surpresa a minha filha, Tasha, quando comecei a pular corda com ela. Pela primeira vez em muito tempo, consegui andar fora de casa descalça e sentir a grama sob meus pés."

Evelyn teve muitas outras surpresas conforme continuou tomando seus suplementos nutricionais. Por exemplo, mesmo antes do acidente, ela vinha sofrendo de palpitações no coração. Junto à melhoria que notou na esclerose múltipla, ela também percebeu que seu coração voltara a bater normalmente. Quando consultou seu médico sobre a possibilidade de suspender a disopiramida, medicamento que controlava sua arritmia cardíaca, ele fez alguns exames e escreveu em sua ficha: "Suspender todos os remédios". A vida de Evelyn mudara milagrosamente.

O que tinha acontecido? Por que Evelyn melhorou a esse ponto? Na época em que a conheci, eu nunca tinha visto ninguém com esclerose múltipla experimentar tais resultados. Eu já havia testemunhado muitos pacientes melhorarem após o ápice da doença. Mas sua força e suas funções corporais, em geral, continuavam declinando lentamente. A história de Evelyn era muito diferente.

Aplicando os princípios que você aprenderá neste livro, Evelyn conseguiu vencer a guerra interior. Ela passou a ingerir antioxidantes e seus nutrientes de apoio em quantidades suficientes para restaurar o equilíbrio de seu corpo e restabelecer controle sobre o estresse oxidativo. Ela recompôs o sistema imunológico natural de seu corpo e reforçou seu sistema de reparo natural.

Fico feliz por declarar que Evelyn continuou a melhorar e leva hoje uma vida ativa. Faz mais de 7 anos que ela começou seu programa nutricional. Ela ainda sofre de esclerose múltipla, é claro, e precisa se cuidar. Mas está vivendo a vida plenamente. Ela continua a visitar seu grupo de apoio — não por si mesma, mas para encorajar os outros.

O neurologista de Evelyn ainda não sabe o que pensar de sua milagrosa recuperação. Ele solicitou recentemente um novo exame de ressonância magnética de seu cérebro. Para sua surpresa, a placa branca espalhada pelo cérebro, tão indicativa da esclerose múltipla, reduzira-se em muito. Isso só pode significar uma coisa: a cura ocorreu naquele ínterim. Normalmente, essas lesões típicas do cérebro só aumentam em número. É desnecessário dizer que o neurologista de Evelyn ficou sem palavras.

Essa é uma forte evidência de que o corpo ainda é capaz de curar a si mesmo quando os nutrientes necessários se encontram disponíveis em quantidades otimizadas. A história de Evelyn é apenas uma ilustração dos benefícios da vitória na guerra interior.

• • •

Você já compreende o conceito básico do estresse oxidativo. Agora você precisa dar uma olhada mais próxima em cada uma dessas doenças degenerativas crônicas para compreender melhor como pode preveni-las. Se você já possui uma grave doença degenerativa, descobrirá como pode recuperar melhor sua saúde. Você descobrirá os estupendos resultados de uma nova abordagem da medicina preventiva: a nutrição celular.

CINCO | Doenças do Coração: Uma Moléstia Inflamatória

Ouvem-se diariamente alertas sobre a gravidade do problema de colesterol entre os norte-americanos. Como mencionei no Capítulo 2, as doenças do coração são a causa de morte número um nos Estados Unidos. Como eu outrora, você provavelmente aceita o que tais estatísticas e grande parte da mídia sugerem: o colesterol é a causa das doenças do coração.

Nesse caso, talvez você se impressione, como eu me impressionei, ao descobrir que não é o colesterol o culpado pelas doenças do coração, e sim a inflamação dos vasos sanguíneos. Minhas pesquisas revelaram que mais da metade dos pacientes de ataques cardíacos nos Estados Unidos tem níveis normais de colesterol![1] E adivinhe o que descobri que reduz significativamente ou elimina por completo as inflamações dos vasos sanguíneos. Exatamente: os suplementos nutricionais.

Essa descoberta é revolucionária para o tratamento e a prevenção de ataques cardíacos. Em vez de se concentrar somente em baixar os níveis de colesterol, você precisa entender os passos necessários para diminuir a causa de inflamação em suas artérias. Essa abordagem poderia ter implicações expressivas na prevenção e reversão das moléstias do coração.

E Quanto ao Colesterol?

Você sabia que o colesterol elevado no sangue nem sempre é considerado um fator de risco de doença arterial coronariana ou AVCs? Quando comecei a praticar a medicina, em 1972, considerávamos normal qualquer nível de colesterol abaixo de 320. Lembro-me claramente de dizer a pacientes com níveis de colesterol de 280 ou 310 que não precisavam se preocupar, pois seus níveis estavam normais.

Não foi senão no final dos anos 70 que começamos a perceber que quanto mais alto o nível do colesterol, mais risco havia de um ataque cardíaco ou um AVC. Isso se baseava, em parte, nos estudos de Framingham, que acompanharam os casos de uma grande população de pacientes que viviam em Framingham, Massachusetts. Os cientistas notaram nesses estudos que, conforme subia o nível do colesterol, mais alta era a freqüência de ataques cardíacos. Segundo essa pesquisa, níveis de colesterol acima de 200 seriam considerados anormais e acima de 240 deixariam o paciente sujeito a um alto risco de ataque cardíaco.[2]

No início dos anos 80, os médicos começaram a descobrir que nem todo colesterol era ruim. Aprendemos que o colesterol HDL (high density lipoproteins – lipoproteínas de alta densidade) é, na verdade, benigno e, quanto mais alto seu nível, melhor. É o colesterol LDL (low density lipoproteins – lipoproteínas de baixa densidade) que é maligno. O colesterol LDL se acumula junto às paredes das artérias, formando uma placa e estreitando seu lúmen (espaço interno por onde o sangue circula). Já a partícula de HDL tem ação inversa, promovendo uma reabsorção do colesterol depositado na parede da artéria, à medida que passa por esses pontos de acúmulo.

Depois dessa descoberta, começamos não somente a medir os níveis do colesterol como também a determinar as quantidades de colesterol benigno e maligno. Calculamos a proporção dividindo o colesterol total pelo colesterol HDL. Quanto menor essa proporção, melhor se encontra o paciente no que se refere a doenças cardíacas. Hoje é prática comum checar rotineiramente os níveis de colesterol HDL e LDL. Não preciso dizer que todos conhecemos bem a importância do colesterol e dos efeitos detrimentosos do colesterol LDL.

O que compartilhei com você até aqui é do conhecimento comum. Está pronto para o conhecimento incomum?

O colesterol LDL na verdade não é "maligno". Deus não cometeu um erro quando o criou. O colesterol natural LDL, o tipo que o corpo produz originalmente, é benigno. Na verdade, ele é essencial para formar boas membranas celulares, outras partes das células e muitos hormônios diferentes de que nosso corpo precisa. Não poderíamos viver sem ele. Na verdade, se não o obtivermos a partir de nossa dieta em quantidades suficientes, nosso corpo o produzirá.

Os problemas só começam quando os radicais livres alteram ou oxidam o colesterol LDL natural. Esse colesterol LDL modificado, sim, é "maligno". Em uma edição de 1989 do *New England Journal of Medicine*, o dr. Daniel Steinberg postulou que se os pacientes portarem antioxidantes adequados para aplacar a oxidação, o colesterol LDL não se tornará maligno.[3]

Nos anos transcorridos desde o surgimento da teoria do dr. Steinberg, centenas de estudos foram feitos na tentativa de prová-la ou refutá-la. Pode-se deduzir por que cientistas e pesquisadores receberam a nova teoria do dr. Steinberg com tanto entusiasmo. Afinal de contas, dos cerca de 1,5 milhão de ataques cardíacos que ocorrerão somente em um ano nos Estados Unidos, quase metade atingirá pacientes com menos de 65 anos de idade.[4] Todos tivemos amigos ou entes queridos que pareciam gozar de excelente saúde e que morreram subitamente de um ataque cardíaco. Se a teoria de Steinberg se mostrasse verdadeira, portas seriam abertas para uma vasta gama de novos protocolos preventivos e de tratamento.

Em 1997 o pesquisador Marco Diaz fez uma impressionante resenha de todos os estudos que haviam aparecido em publicações médicas de primeira linha desde que o dr. Steinberg apresentou sua teoria. Diaz concluiu que os pacientes com níveis superiores de antioxidantes em seus corpos eram os que menos sofriam da doença arterial coronariana.[5]

Estudos feitos em animais durante esta época também apoiavam a teoria do dr. Steinberg.[6] Os antioxidantes e seus nutrientes de apoio se tornaram a nova esperança na guerra contra nossa matadora número um: as doenças do coração.

A Natureza da Resposta Inflamatória

O colesterol LDL não é o único instigador por trás da inflamação dos vasos sangüíneos. Outras causas principais incluem algo chamado de *homocisteína* (sobre a qual falarei no Capítulo 6) e os radicais livres que o fumo, a hipertensão, os alimentos gordurosos e o diabetes causam.

A inflamação que ocorre em nossas artérias é muito similar às reações inflamatórias vistas em outras partes do corpo. Tentarei explicar esse processo em termos leigos, para que você compreenda melhor o que realmente ocorre no nível celular. Não se detenha tentando entender as minúcias do processo. (Isso é complicado até para a maioria dos médicos, por isso, não se sinta mal se não compreender tudo.) Explicarei agora qual a melhor forma de prevenir-se contra esse ataque às artérias — o que é na verdade muito simples.

Ao observar a seção em corte de uma artéria típica e de proporções médias (Figura 5.1), você só precisa atentar à primeira camada de células, chamada de *endotélio*. Trata-se do revestimento tecidual fino da artéria. Tudo o que comentarei a seguir envolverá essa fina camada de células e a área logo abaixo dela, chamada de *espaço subendotelial* (veja a Figura 5.2).

Figura 5.1 — Artéria Normal

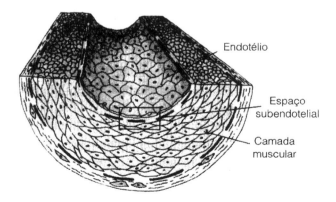

A superfície interna da artéria é composta de uma única camada sensível de células chamada de endotélio, sob a qual encontra-se a camada muscular. Entre o endotélio e a camada muscular está o espaço subendotelial. É onde os danos começam a ocorrer.

Figura 5.2 — Oxidação do Colesterol LDL

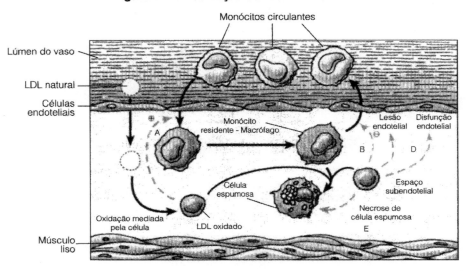

O colesterol LDL natural fica preso no espaço subendotelial, onde pode ser facilmente oxidado, se não houver antioxidantes adequados disponíveis. Esse colesterol LDL oxidado é então "engolido" pelos glóbulos brancos macrófagos até que esses fiquem literalmente "estufados" de gordura. Lembre-se de que isso não ocorre se o colesterol LDL não estiver oxidado. Quando o macrófago se estufa com o colesterol oxidado LDL, ele se torna uma "célula espumosa". A célula espumosa causa danos então ao sensível revestimento da artéria, gerando estresse oxidativo nessa área. Isso provoca lesões e disfunções do endotélio, e o processo de espessamento das artérias tem início.

A resposta inflamatória é um processo em quatro passos.

Passo 1: O Ataque Inicial ao Endotélio

O endotélio é um revestimento extremamente sensível, vulnerável mesmo à mais ligeira irritação. Quase todos os pesquisadores acreditam hoje que o espessamento das artérias começa quando o estresse oxidativo lesa ou irrita essa camada celular.

O colesterol LDL oxidado, a homocisteína e o excesso de radicais livres provocam o estresse oxidativo que *fere* o endotélio. Isso ocorre quando o colesterol LDL natural consegue passar para a área abaixo do revestimento da artéria (chamado de espaço subendotelial), onde fica oxidado. Esse colesterol começa então a irritar o revestimento da artéria.

Passo 2: A Resposta Inflamatória

Nosso corpo tem um sistema defensivo projetado para proteger o endotélio da artéria. No caso de ferimento, ele responde enviando certos glóbulos brancos (em maioria monócitos) na tentativa de eliminar o nocivo colesterol LDL oxidado. No local, a equipe defensiva de monócitos se transforma em macrófagos. Essas células começam então a absorver o inimigo na tentativa de minimizar a irritação do endotélio. Se essa resposta inflamató-

Doenças do Coração: Uma Moléstia Inflamatória

ria for bem-sucedida, o problema estará encerrado, e o revestimento da artéria será reparado. Mas não é isso o que costuma ocorrer.

Imagine o macrófago como uma minivan branca. Conforme avança, recolhendo crianças e deixando-as nos lugares adequados, ela está limitada à quantidade de passageiros que consegue carregar simultaneamente, já que tem um número limitado de assentos e de cintos de segurança. Nos dias bons, isso também ocorre com os macrófagos. Quando estamos saudáveis eles giram por aí, recolhendo e liberando colesterol natural LDL. E, assim como uma minivan, os macrófagos só conseguem carregar um número limitado de partículas de colesterol LDL por vez. Isso é conhecido como *mecanismo natural de feedback negativo*.

Quando o colesterol natural LDL é oxidado, suas partículas deixam de ser crianças inofensivas. Em vez disso, elas representam uma ameaça ao corpo, e os macrófagos os recolhem por um método totalmente diferente. Eles continuam a recolher as partículas delinquentes de LDL oxidado, mas já não liberam nenhuma. É como uma gangue de jovens extremamente obesos abarrotando-se na minivan pela porta dos fundos, sem que o motorista tenha qualquer controle sobre o número de garotos que entra. Se isso ocorrer, a van ficará imóvel e logo começará a atravancar o trânsito.

Quando encontra o colesterol maligno, o macrófago fica em um apuro similar. Como já não há um mecanismo natural de feedback negativo, ele fica tão abarrotado de colesterol LDL oxidado (gordura) que vira uma célula espumosa. É exatamente o que você está imaginando: uma célula que parece uma bola de gordura. Essa célula espumosa adere então ao revestimento da artéria e acaba gerando o primeiro indício do espessamento das artérias, chamado de *estria gordurosa*.

A estria gordurosa é uma lesão inflamatória. É o passo inicial no processo chamado *aterosclerose*. Se o processo simplesmente parasse aqui, o corpo teria ao menos uma chance de eliminar esse defeito. Mas não é esse o caso. Como em qualquer guerra, esse processo provoca algum dano colateral. Em outras palavras, a camada fina e vulnerável de células que reveste nossas artérias é danificada ainda mais pelo próprio processo que deveria curá-la. Isso gera ainda mais inflamação, o que atrai mais macrófagos e converte o colesterol natural LDL em LDL oxidado. Isso provoca uma resposta inflamatória crônica na área em torno do revestimento de nossas artérias.

Passo 3: Resposta Inflamatória Crônica

A inflamação crônica é a causa subjacente de ataques cardíacos, AVCs, doenças vasculares periféricas e aneurismas. Em geral, essas são classificadas como doenças cardiovasculares (doenças que envolvem as artérias de nosso corpo). Quando a inflamação das artérias persiste, a estria gordurosa simples que descrevi começa a mudar. Não somente a inflamação atrai mais glóbulos brancos (sobretudo monócitos), como esses se transformam em macrófagos que continuarão a "engolir" mais LDL oxidado e a se estufarem, formando mais células espumosas. Isso faz surgir uma placa muito mais espessa, e o processo de espessamento das artérias atinge um estádio avançado.

Essa inflamação também gera um estímulo para que as células musculares que compõem a parede da artéria se multipliquem. Essa multiplicação acarreta um maior espessamento da parede arterial, sendo esse processo denominado *proliferação*. Como resultado, a artéria começa a estreitar-se (veja a Figura 5.3).

Tal processo é um círculo vicioso. Não somente ocorre a geração de uma placa de gordura como também há um espessamento da parede da artéria. Normalmente, o funcionamento da camada endotelial decorre da liberação de um importante produto chamado *óxido nítrico*. Durante a resposta inflamatória, contudo, a liberação apropriada de óxido nítrico é bloqueada no endotélio, causando seu mau funcionamento. Isso, em contrapartida, faz com que plaquetas adiram à placa e que a artéria ao redor dessa sofra espasmos.

Figura 5.3 — Obstrução Arterial

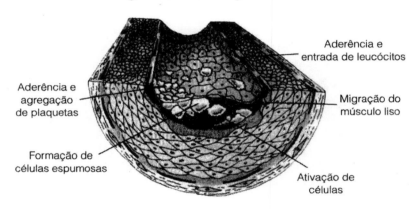

As células espumosas começam a se acumular, atraindo mais monócitos, que acabam se tornando eles próprios células espumosas. O músculo liso passa a proliferar e também a migrar para essa área, sendo que o lúmen da artéria começa a se estreitar. O revestimento da artéria torna-se menos eficaz, o que promove maior estreitamento devido aos espasmos da artéria e à aderência de plaquetas.

Passo 4: A Ruptura da Placa

O evento final em cerca de 50% dos ataques cardíacos é a ruptura de uma dessas placas acarretando a formação de um coágulo ao redor dessa placa rompida. Uma situação como essa provoca um fechamento agudo, abrupto e total dessa artéria, bloqueando o fluxo sangüíneo para aquela parte do corpo. Placas potencialmente perigosas são, com freqüência, pequenas e podem até não causar um estreitamento significativo da artéria — dificultando o diagnóstico de doenças cardíacas antes da ruptura da placa. (Você pode ver, agora, por que as doenças do coração são tão silenciosas e insuspeitas até que a placa se rompa e bloqueie efetivamente a artéria.) O estresse oxidativo também pode causar a avaria dessas placas, o que leva finalmente a sua ruptura.

As artérias podem continuar se estreitando até o ponto em que ficam ocluídas (fechadas). Algum amigo ou parente seu já teve de injetar contraste nas artérias para descobrir se possuía estreitamentos severos das artérias coronárias? Esses pacientes costumam ter como sintomas dores no peito, ou o que os médicos chamam de *angina instável*. Em situações como essa, tais médicos abrem os vasos mediante uma angioplastia (dilatação por meio de um pequeno balão introduzido dentro do lúmen da artéria), ou criam um desvio dos bloqueios por meio de cirurgia (pontes de safena ou mamária).

Se tivesse de passar um dia acompanhando um cardiologista ou um cirurgião cardiovascular por um hospital, você logo perceberia que ele passa a maior parte do tempo "apagando incêndios". Ele costuma tratar pacientes que estão no termo do processo inflamatório, concentrando-se totalmente em tentar salvar uma vida de modo heróico. Não resta muito tempo para ensinar aos pacientes as mudanças de estilo de vida necessárias a retardar ou mesmo reverter essa doença devastadora, evitando, assim, a necessidade futura de seus serviços.

A Verdadeira Prevenção: O Que Dizem as Pesquisas

A boa notícia é que os antioxidantes e seus nutrientes de apoio podem eliminar ou, ao menos, reduzir significativamente *todas* as causas de inflamação das artérias. Centenas de estudos clínicos sobre doenças cardíacas constatam benefícios significativos à saúde pelo uso de suplementos nutricionais. Analisemos agora cada um dos nutrientes e vejamos qual o papel particular que eles têm em retardar ou prevenir essa reação inflamatória.

Vitamina E

A vitamina E é o antioxidante mais importante quando se trata de impedir o processo de espessamento das artérias. O principal motivo para que a vitamina E proporcione tamanha proteção é o fato de ela ser solúvel em gordura, o que a torna o antioxidante mais potente dentro da parede da célula. De fato, a vitamina E se incorpora ao colesterol LDL. Quanto mais altos os níveis de vitamina E dentro da membrana celular do colesterol natural LDL, mais esse resistirá a ser modificado ou oxidado. Aonde quer que o colesterol natural LDL vá, a vitamina E o acompanhará.

É importante compreender que, como mencionei anteriormente, o colesterol LDL não se oxida dentro da própria artéria, mas somente quando atravessa o revestimento fino de células endoteliais e chega ao espaço subendotelial. Os pesquisadores acreditam hoje que o alto conteúdo antioxidante do plasma ou do sangue não permite que essa mudança ocorra na artéria. No espaço subendotelial as células vizinhas oferecem muito menos proteção antioxidante. Se o conteúdo de vitamina E do colesterol natural LDL for alto, ele estará protegido da oxidação, mesmo que passe ao espaço subendotelial.

Lembre-se de que os glóbulos brancos monócitos recolhem e liberam colesterol natural LDL, de modo que não ocorre acumulação. Impedir que o colesterol natural LDL seja modificado evita, desde o início, o processo inflamatório.

Vitamina C

Estudos recentes mostraram que a vitamina C é o melhor antioxidante dentro do plasma ou fluido do sangue, sobretudo por ser solúvel em água. Demonstrou-se que a suplementação com vitamina C preserva e protege o funcionamento do endotélio.[7] Lembre-se: o mau funcionamento do endotélio está no âmago desse processo inflamatório. Uma vez que manter a integridade desse revestimento fino da artéria é de primeira importância, surgiram numerosos estudos sobre a vitamina C suplementar como método de prevenir ou reduzir doenças cardiovasculares.[8]

A vitamina C também se mostrou eficaz para evitar que o colesterol LDL se oxide, seja dentro do plasma, seja no espaço subendotelial.[9] Todavia, outro benefício da vitamina C é que ela tem a capacidade de regenerar a vitamina E e a glutationa intracelular, de modo que essas podem ser usadas repetidas vezes.

Glutationa

A glutationa é o mais potente antioxidante intracelular, e encontra-se presente em todas as células. Pacientes com doença arterial coronariana têm níveis intracelulares de glutationa inferiores aos das pessoas com artérias saudáveis. A glutationa é um antioxidante essencial, pois existe em todas as células que rodeiam o espaço subendotelial. Quando se ingerem os nutrientes necessários para que a célula produza mais glutationa (selênio, vitamina B2, niacina e N-acetil L-cisteína), aprimora-se o sistema de defesa antioxidante do corpo como um todo.

Flavonóides

Há milhares de flavonóides em nossas frutas e vegetais. Eis aqui uma regra prática: quanto mais variadas as cores de suas frutas e vegetais, maior a variedade de flavonóides que você obterá. Esses antioxidantes extremamente potentes também possuem propriedades antialérgicas e antiinflamatórias. O vinho tinto e o suco de uvas, por exemplo, contêm substâncias chamadas *polifenóis*, que se demonstraram capazes de reduzir a formação de colesterol LDL oxidado. Essas substâncias também ajudam a proteger a integridade do endotélio.[10]

Acredita-se que o extrato de sementes de uva seja o melhor antioxidante bioflavonóide para ajudar a evitar doenças inflamatórias crônicas.[11]

Medicina Nutricional: A Verdadeira Prevenção

Os pesquisadores estão descobrindo que a causa original das doenças do coração é a inflamação resultante do estresse oxidativo. Agora os clínicos (médicos praticantes como eu) precisam tomar essas informações e fazer com que sejam práticas e úteis para você, o paciente. Mas tanto médicos como pesquisadores têm a tendência de tratar os nutrientes básicos como se fossem drogas; ou seja, eles testam a reação do corpo a um nutriente por vez, para conhecerem seu potencial exato.

Doenças do Coração: Uma Moléstia Inflamatória

Por exemplo, eles conduzem um estudo com a vitamina E, em seguida um estudo específico sobre a vitamina C, e depois um estudo à parte que examina os efeitos do betacaroteno. Nessas avaliações isoladas, em não se detectando nenhum benefício significativo à saúde, médicos e pesquisadores hesitam em recomendar aquele nutriente em particular. É isso que gera a polêmica que se vê na mídia e na literatura médica. Antes de recomendar qualquer tipo de suplementação nutricional, os médicos querem saber, sem sombra de dúvida, se o nutriente em questão será útil. Mas estão ignorando os importantíssimos *efeitos sinérgicos* da medicina nutricional.

Isso se refere à maneira como os antioxidantes *funcionam juntos*. Para deter o estresse oxidativo, o corpo necessita de antioxidantes em quantidade suficiente para dar conta de todos os radicais livres, e os antioxidantes necessitam de todos os nutrientes de apoio para bem cumprirem sua função. Esses ingredientes atuam em sinergia, na busca pela meta final de derrotar o estresse oxidativo.

Sugiro a meus pacientes que proporcionem todos os nutrientes às células e tecidos, e em níveis otimizados. Eu quero barrar esse processo inflamatório antes que inicie. Portanto, recomendo que tenham a maior quantidade possível de vitamina E dentro do próprio colesterol LDL, como meio de evitar que esse seja oxidado.

Descobri que meus pacientes precisam de níveis otimizados de vitamina C para proteger a integridade do endotélio, reduzir a oxidação do colesterol LDL e regenerar a vitamina E e a glutationa. O betacaroteno, assim como todos os diversos tipos de caroteno, é também necessário para ajudar a evitar ou retardar esse processo.

Pretendo recompor os níveis de glutationa dentro da célula provendo ao corpo seus precursores — o selênio, a vitamina B2, a N-acetil L-cisteína e a niacina. No próximo capítulo, você também conhecerá a importância do ácido fólico e das vitaminas B6 e B12 na redução do risco de doenças cardiovasculares.

Mais uma vez, esses nutrientes funcionam todos juntos para eliminar ou reduzir a inflamação das artérias. O efeito sinérgico de sua suplementação é a chave de tudo. Por isso a nutrição celular é tão fundamental para nossa saúde.

Vire a página e conheça o novato do bando... a homocisteína.

SEIS | **Homocisteína: O Novato do Bando**

VOCÊ JÁ OUVIU FALAR DE HOMOCISTEÍNA? OU, MELHOR AINDA, SEU MÉDICO JÁ LHE recomendou um exame de sangue para verificar seu nível de homocisteína? Provavelmente não. Depois de ler este capítulo, garanto que você se perguntará por quê. Pouca gente já ouviu falar dessa substância, e um número ainda menor sabe que ela é uma ameaça tão grande quanto o colesterol no que se refere a doenças cardiovasculares.

Estima-se que o mero nível elevado de homocisteína no sangue seja responsável hoje por aproximadamente 15% de todos os ataques cardíacos e AVCs no mundo — o que significa 225 mil ataques cardíacos e 24 mil derrames por ano nos Estados Unidos. Além disso, há 9 milhões de pessoas com doenças cardiovasculares decorrentes de níveis elevados de homocisteína.[1] Não preciso dizer que creio ser muito importante conhecermos mais sobre essa terrível assassina, especialmente quando se sabe que é possível corrigi-la pela mera ingestão de suplementos de vitamina B.

O Que É Homocisteína?

A história das pesquisas sobre homocisteína é fascinante, e começa com a carreira do dr. Kilmer McCully. Um promissor patologista e pesquisador, graduado na Faculdade de Medicina de Harvard em meados da década de 1960, o dr. McCully estudou a ligação da bioquímica com as moléstias. Sua reputação era alta, e ele logo alcançou posições de prestígio como patologista associado do Hospital Geral de Massachusetts e como professor assistente de patologia na Faculdade de Medicina de Harvard.

No início de sua carreira, o dr. McCully teve particular interesse por uma doença chamada *homocistinúria*. Ela se manifestava em crianças com um defeito genético que as impedia de romper um aminoácido essencial chamado *metionina*. Essas crianças apresentavam uma grande aglomeração de um subproduto chamado *homocisteína*. McCully avaliou dois casos separados envolvendo meninos que, possuindo tal deficiência, morreram de ataque cardíaco. Era algo impressionante, já que os dois tinham menos de 8 anos de idade. Ao examinar as peças anatomopatológicas das artérias desses meninos, ele descobriu que seu aspecto era semelhante ao de uma pessoa idosa com grave espessamento de artérias. Isso levou o dr. McCully a cogitar se elevações mínimas ou moderadas de homocisteína persistindo por toda a vida não poderiam ser uma causa de ataques cardíacos e derrames nos pacientes em geral.[2]

Como vimos no caso dos dois meninos, a homocisteína é um subproduto intermediário que produzimos quando nosso corpo metaboliza (quebra) um aminoácido essencial chamado metionina. A metionina existe em grandes quantidas na carne bovina, nos ovos, no leite, no queijo, na farinha branca, em comida enlatada e em alimentos altamente processados. Apesar de necessitarmos de metionina para sobreviver, há um consumo enorme desse nutriente nos Estados Unidos, como pode ser visto nessa lista de alimentos em que ele é encontrado; alimentos, aliás, que fazem parte da dieta da maior parte da população norte-americana. Nosso corpo normalmente converte a homocisteína em cisteína ou a transforma novamente em metionina.

A cisteína e a metionina são produtos benignos, não sendo nocivos de maneira alguma. Mas eis o nó da questão: as enzimas necessárias para romper a homocisteína em cisteína ou revertê-la em metionina precisam de ácido fólico, vitamina B12 e vitamina B6 para cumprirem sua função. Se tivermos deficiência de tais nutrientes, os níveis de homocisteína no sangue começam a subir.

Então, por que não ouvimos falar disso antes? Voltemos ao dr. Kilmer McCully.

A Coisa Certa — O Momento Errado

McCully publicou sua teoria sobre a homocisteína em diversos jornais médicos no fim dos anos 60 e início dos 70, sendo, a princípio, saudado com grande entusiasmo. O dr. Benjamin Castle, chefe de seu departamento, o apoiou plenamente, expondo seu trabalho a um prestigioso conselho de especialistas. Mas, em meados da década de 1970, a teoria da homocisteína perdera muito de seu impulso.

O dr. Castle aposentou-se, e o novo chefe de departamento disse a McCully que procurasse seu próprio fundo de pesquisas ou se demitisse. Seu laboratório foi transferido para o porão. McCully lutou longamente e com muito empenho, mas acabou ficando sem tempo e sem dinheiro: em 1979 o novo chefe de departamento informou-o de que a universidade o estava dispensando, uma vez que sua teoria sobre a homocisteína e as doenças do coração ainda não tinham sido provadas.

Como os cargos de McCully na Faculdade de Medicina de Harvard e no Hospital Geral de Massachusetts estavam associados, ele perdeu os dois em janeiro de 1979. Um antigo colega de classe de Harvard, então diretor do centro de arteriosclerose do MIT[3], designou as idéias de McCully como "absurdos berrantes" e "uma fraude infligida ao público".[4] Em pouco tempo, o diretor de relações públicas do Hospital Geral de

Massachusetts pediu ao dr. McCully que não associasse suas teorias sobre a homocisteína com o hospital ou com Harvard.[5] McCully foi expelido de vez.

O dr. Kilmer McCully estava certamente adiante de seu tempo. Mas por que tanta hostilidade para com um homem que só estava tentando descobrir a causa subjacente da principal assassina do mundo de hoje? Qual o motivo para tanto pessimismo e tamanhos ataques verbais? Poderiam as caríssimas pesquisas sobre colesterol na época ser a razão?

Naquela época, a teoria sobre os ataques cardíacos por colesterol vinha ganhando grande impulso, e a hipótese de Kilmer McCully desafiava abertamente seu futuro.

O dr. Thomas James, cardiologista, presidente da Divisão Médica da Universidade do Texas e da American Heart Association (Associação Americana do Coração) em 1979 e 1980, disse: "Não se podia obter patrocínio para idéias que seguissem em direções opostas à do colesterol. Havia um desencorajamento intencional a seguir questões alternativas. Nunca lidei com nenhum assunto em minha vida que gerasse reações tão imediatamente hostis"[6].

Com todas as teorias opostas silenciadas, a do colesterol avançou a passos largos. As companhias farmacêuticas começaram a ganhar seus bilhões, e todos se convenceram de que os ataques cardíacos e derrames eram simplesmente o resultado de colesterol em demasia na corrente sangüínea. Você concorda que eles fizeram um bom trabalho vendendo essa idéia para a comunidade médica e o público em geral?

Interesse Renovado na Homocisteína

Em 1990 o dr. Meir Stampfer revitalizou o interesse na teoria do dr. McCully sobre a homocisteína. Professor de epidemiologia e nutrição na Faculdade de Saúde Pública de Harvard, Stampfer analisou os níveis sangüíneos de homocisteína de 15 mil médicos envolvidos em um estudo de saúde. Ele declarou que mesmo níveis *ligeiramente elevados* relacionavam-se diretamente a um risco maior de desenvolvimento de doenças do coração. Os indivíduos com os níveis mais elevados de homocisteína corriam um risco três vezes maior de sofrer ataque cardíaco do que aqueles com os menores níveis.[7] Esse foi o primeiro grande estudo a demonstrar a possibilidade de a homocisteína ser um fator independente de risco de doenças do coração.

Em fevereiro de 1995 o dr. Jacob Selhub também declarou, no *New England Journal of Medicine*, que níveis elevados de homocisteína no plasma relacionavam-se diretamente ao maior risco de estenose das artérias carótidas (a obstrução progressiva das duas principais artérias que conduzem sangue ao cérebro). Além disso, Selhub notou que a maioria dos pacientes com níveis elevados de homocisteína também possuíam níveis reduzidos de ácido fólico e vitaminas B12 e B6 em seus corpos.[8]

Outro grande estudo de caso-controle, o European Concerted Action Project[9], indicou que, quanto mais alto o nível de homocisteína, maior o risco de ataque cardíaco.[10] O que outrora se consideravam níveis normais de homocisteína foram vistos, de súbito, como níveis altamente perigosos.

De maior importância ainda para os pesquisadores foi o fato de que, quando encontravam níveis elevados de homocisteína em pacientes que também possuíam outros grandes fatores de risco (hipertensão, colesterol elevado ou hábito de fumar), o risco de doenças vasculares aumentava *dramaticamente*. Os resultados desses exames clínicos proporcionaram evidências de que, quanto menor nosso nível de homocisteína, melhor.

De uma hora para outra, os pesquisadores admitiam como fato que a homocisteína era realmente um fator de risco independente de doenças cardiovasculares. Mesmo inveterados defensores do colesterol, como Claude L'enfant, diretor do National Heart, Lung and Blood Institute (Instituto Nacional do Coração, dos Pulmões e do Sangue, nos Estados Unidos), disseram: "Ainda que o risco da homocisteína elevada não esteja totalmente demonstrado, é uma área extremamente importante de pesquisa".[11] Hoje a evidência médica é incontestável: a homocisteína pode ajudar a causar doença arterial coronariana, AVCs e doenças vasculares periféricas.

Mostre-me o Dinheiro! Os Poderes Econômicos da Medicina

Pode-se entender agora por que mais da metade das pessoas que sofrem ataques cardíacos tem níveis normais de colesterol. Por que foram necessários 25 anos desde que o dr. McCully apresentou sua hipótese sobre a homocisteína para que a comunidade médica lhe desse atenção? O dr. Charles Hennekens, professor na Faculdade de Medicina de Harvard e chefe de medicina preventiva no Brigham and Women's Hospital, cita um exemplo paralelo. "Já há alguns anos que sabemos dos grandes benefícios da aspirina no tratamento de [pacientes] que sofreram ataques cardíacos agudos e de sobreviventes de ataques cardíacos, e nós, todavia, a subutilizamos", ele diz. "Em um encontro recente do comitê consultivo da FDA[12], gracejei que, se a aspirina tivesse metade de sua eficácia, mas fosse dez vezes mais cara e vendida sob prescrição, talvez as pessoas a levassem mais a sério".[13]

Bem, ao menos as companhias farmacêuticas levariam a aspirina mais a sério, e compartilhariam, sem dúvida, esses benefícios à saúde com os médicos. A situação, no caso, é similar. Como a aspirina, os suplementos de vitamina B podem, ao custo de alguns centavos por dia, reduzir efetivamente a maioria dos níveis elevados de homocisteína. "É inegável que não há interesse comercial suficiente para apoiar pesquisas sobre homocisteína", diz o dr. Stampfer, "já que ninguém vai ganhar dinheiro com ela".[14]

Dê uma olhada na quantidade de dinheiro que a comunidade médica e a indústria farmacêutica ganharam reduzindo o colesterol com drogas sintéticas. Bilhões e bilhões de dólares entrando todos os anos. Você já se perguntou quem foi que o educou quanto aos riscos do colesterol alto? Quem está pagando aquele anúncio de página inteira no *USA Today* para lhe falar da importância de reduzir seu colesterol? As empresas farmacêuticas. Por que ninguém publicou um anúncio na TV ou nos jornais para informá-lo sobre a importância de reduzir sua homocisteína? Não se pode ganhar tanto dinheiro com a venda de vitamina B12, vitamina B6 e ácido fólico. É triste dizer, mas estamos encurralados nos efeitos em cascata da economia medicinal. Poderia ter sido essa a causa secreta de o dr. Kilmer McCully haver perdido seu fundo de pesquisa e seu emprego em Harvard?

O dr. McCully dá sua opinião pessoal sobre essa medicina capitalista ao perguntar quem ganha mais em não informar as pessoas sobre os perigos da homocisteína. "Os avanços mais significativos na longevidade durante os últimos dois séculos foram conquistados pela saúde pública, e não pela medicina", ele diz. "Mas a saúde pública é notoriamente não-lucrativa. As pessoas não lucram evitando doenças. Elas lucram com a medicina — tratando doenças em estádios avançados e críticos".[15]

Existe um Nível Saudável de Homocisteína?

Diversamente do colesterol, do qual o corpo precisa para a produção de certas partes celulares e hormônios, a homocisteína não oferece benefício algum à saúde. Quanto mais alto seu nível, maior o risco de doenças cardiovasculares. Em contrapartida, quanto mais baixo o nível de homocisteína, melhor. Não há um limite abaixo do qual ela seja aceitável. Seu nível de homocisteína deve ser o mais baixo possível.

A maioria dos laboratórios determinará os níveis normais de homocisteína como estando entre 5 e 15 micromols/L (micromols por litro de sangue). A literatura médica diz que quando esse nível se eleva muito acima de 7 micromols/L, contudo, o risco de desenvolver doenças cardiovasculares se torna aparente. A maioria dos pacientes precisará de níveis de homocisteína abaixo de 7. Se seu nível estiver acima de 12, você estará correndo sérios riscos.

Sempre que a comunidade médica descobre uma nova entidade ou fator de risco, os padrões de teste ficam muito desatualizados. Isso ocorreu com o colesterol e ocorrerá com a homocisteína. Portanto, não se tranqüilize se seu médico lhe disser que um nível de homocisteína de 10 ou 11 está dentro da faixa normal e que não há por que se preocupar. Você precisa que seu nível de homocisteína reduza-se ao menos para 9, caso não possua sintomas de doenças cardiovasculares; e para menos de 7 se já tiver indícios de doenças cardiovasculares ou possuir outros fatores de risco de doenças cardíacas.

Como Reduzir Meu Nível de Homocisteína?

Há na verdade dois lados da moeda no caso dos níveis elevados de homocisteína. Um é a quantidade de metionina em sua dieta a ser metabolizada e degradada por seu corpo. Você deve atentar à quantidade de carne bovina e produtos lácteos que consome. Não é interessante que esses sejam exatamente aqueles produtos ricos em gordura saturada e colesterol? Obviamente, precisamos substituir esses alimentos por uma quantidade maior de frutas e legumes, assim como proteínas vegetais. Sei que a metionina é um aminoácido essencial; todavia, na dieta norte-americana sempre teremos dela mais do que o suficiente.

O outro lado da moeda é proporcionar ácido fólico, vitamina B6 e vitamina B12 em quantidades suficientes para que os sistemas enzimáticos necessários ao rompimento da homocisteína funcionem adequadamente. É interessante notar que todos os estudos a indicarem aspectos nocivos da homocisteína elevada também apresentaram níveis reduzidos das vitaminas B. Recomendo que meus pacientes tomem 1.000 µg (microgramas) de ácido fólico, de 50 a 150 µg de vitamina B12 e de 25 a 50 mg (miligramas) de vitamina B6.

Lembre-se, quanto mais baixo o nível de homocisteína, melhor. Quero ver o nível de todos abaixo de 7, se possível. Quando meus pacientes têm um nível inicial de homocisteína acima de 9, receito-lhes suplementos de vitamina B e volto a verificar seu nível sangüíneo passadas seis ou oito semanas. Com esse regime de vitamina B, os níveis de homocisteína tendem a cair entre 15% e 75%. Mas nem todos os pacientes respondem adequadamente ao uso exclusivo de vitaminas B. Isso me indica que tais pacientes possuem um problema geral de metilação, o processo bioquímico usado pelo corpo para reduzir a homocisteína a produtos benignos ou inofensivos.

Deficiência de Metilação

A deficiência de metilação não somente é responsável pelos níveis elevados de homocisteína, como é também um dos principais problemas por trás de algumas das maiores doenças degenerativas crônicas, especialmente alguns tipos de câncer e o mal de Alzheimer. Na verdade, enquanto escrevo este capítulo um estudo acaba de divulgar que foi descoberto um novo teste para determinar quem corre maiores riscos de desenvolver o mal de Alzheimer. Leio os resultados desse estudo com grande ansiedade. Consegue adivinhar o que o novo teste verifica? Sim — o nível de homocisteína no sangue.[16] Há vários anos que realizamos esse teste em meu consultório, porquanto ele sustenta o fato de que os níveis elevados de homocisteína não somente são um indicador de deficiências em vitamina B, como também servem para indicar níveis reduzidos de doadores de "metil" em nosso corpo. Os doadores de metil, além de necessários para reduzir os níveis de homocisteína no corpo, também produzem nutrientes importantes de que o cérebro precisa.

O doador de metil menos dispendioso, com excelentes efeitos nos níveis de homocisteína, é chamado de *betaína* ou *trimetilglicina* (TMG). Se o nível de homocisteína não se reduzir ao desejado, adiciono de 1 a 5 gramas de TMG ao suplemento diário de vitaminas B.

Dr. Kilmer McCully: A Conclusão

Publicou-se, em 10 de agosto de 1997, uma reportagem na *New York Magazine* intitulada "A Queda e Ascensão de Kilmer McCully". Ela detalhava o final de sua história e oferecia uma interessante perspectiva para nossas preocupações presentes:

> McCully revela, em suma, a sombra de seu desapontamento, que deve ter sido muito maior duas décadas atrás. "Em outubro último", ele diz, "o departamento de patologia do Hospital Geral de Massachusetts promoveu uma reunião para a qual me convidou, e encontrei uma das pessoas responsáveis por minha demissão. 'Bem', disse-me ele, 'parece que você tinha razão, afinal de contas'. Já se

passaram 20 anos. Minha carreira está quase acabada. Não há muito que se possa fazer com 20 anos perdidos, não é mesmo?"[17]

Pior, as forças políticas e econômicas que arruinaram McCully na época podem ser ainda mais intensas hoje. Em abril de 2001, o *New England Journal of Medicine* publicou um artigo chamado "O Mensageiro sob Ataque — Intimidação de Pesquisadores por Grupos de Interesses Especiais", detalhando três casos de molestamento por parte de grupos advocatícios, associações médicas ou consultorias acadêmicas que nem sempre revelam suas estreitas ligações com empresas farmacêuticas. Com mais e mais grupos de pressão exercendo seu peso sobre o patrocínio e a promoção de pesquisas, diz o artigo, "tais ataques podem se tornar mais freqüentes e mais acrimoniosos"[18].

McCully conhecia os perigos da homocisteína. Estou certo de que também sabia que a ingestão suplementar de vitaminas B é uma garantia não somente barata contra tais perigos, como também segura. Ele enfrentava um gigante político. Mas a verdade hoje está clara. Só nos resta especular por que os médicos ainda relutam tanto em verificar os níveis de homocisteína de seus pacientes e por que não recomendam vitaminas B a todos eles. *O que seu médico não sabe pode estar matando você*. Especialmente quando se considera o fato de que a homocisteína é um fator de risco de doenças do coração tão ou mais importante do que o colesterol.

Os Novos Testes para Doenças do Coração

PCR de Alta Sensibilidade

Conforme a comunidade médica vai se dando conta de que a doença arterial coronariana é um mal inflamatório, e não uma moléstia causada por colesterol, mais estudos vão surgindo na literatura médica aconselhando os médicos sobre meios eficientes de avaliar os pacientes. Muitos estudos avaliaram várias substâncias no corpo humano que servem como marcadores, sinalizando o nível (a quantidade) de inflamação presente nas artérias.

Um dos exames de sangue mais prestigiados é o da Proteína C Reativa de alta sensibilidade (PCRas)[19]. Esse teste mede a inflamação arterial existente no momento. Ele funciona melhor do que o nível de colesterol para prever quem poderá desenvolver doenças do coração. E por que não funcionaria? A verdade é que os exames de PCR de alta sensibilidade permitem ao médico identificar os pacientes que, mesmo tendo níveis normais de colesterol, podem correr grandes riscos de desenvolver doenças cardiovasculares.

Níveis de Homocisteína no Sangue

Verificar o nível de homocisteína no sangue de pacientes em jejum não somente é simples, como é fundamental para determinar se tal nível é problemático ou não. É de se esperar que, conforme os testes se tornarem mais padronizados entre os laboratórios, tornem-se também mais acessíveis. Atualmente, um teste do nível de homocisteína no soro custa entre US$45 e US$150[20].

Nível de Calcificação do Coração

Hoje, a maioria dos centros médicos já fez modificações em seus scanners de tomografia computadorizada[21] de modo a poder determinar a quantidade de calcificação, ou acúmulo de placa, nas artérias coronárias. Esse é um procedimento simples e não invasivo, mas seu custo oscila normalmente entre US$ 250 e US$ 600. Recomendo esse teste a todos os pacientes com fatores de risco significativos ou que tenham um histórico familiar considerável de doenças do coração.

Se indicar alguma calcificação, o teste dará ao médico uma idéia de quão sério é o problema e quão agressivamente o paciente deve ser tratado. Lembre-se de que mais de 30% das vezes o primeiro sinal de doença cardíaca é a morte súbita. Descobri que essa ferramenta é muito útil e estimulante para meus pacientes.

Incentivo-o a pedir a seu médico que efetue em você um desses testes, ou todos. Talvez seja prudente verificar com seu plano de saúde se eles têm cobertura. Juntamente com os perfis químicos e as tabelas de colesterol tradicionais, tais testes ajudam a determinar quais pacientes correm maior risco de desenvolver doenças cardiovasculares. Obviamente, o objetivo de todo médico deve ser prevenir ou retardar esse processo em seus pacientes, para que eles não tenham de cair nas mãos do cirurgião. Isso não soa convincente para você também?

SETE | Miocardiopatia: Nova Esperança de Cura

WAYNE É UM AMIGO MEU DE LONGA DATA. CRESCEMOS JUNTOS EM UMA CIDADEZINHA às margens do Rio Missouri, na Dakota do Sul. Seu pai foi meu técnico de beisebol durante todo o colégio, e, embora Wayne fosse mais jovem do que eu, sempre parecíamos competir de igual para igual nos esportes. De fato, quando era veterano, estabeleci o recorde da escola na corrida de meia milha; Wayne o bateu dois anos depois. Wayne e eu fomos juntos para a Universidade da Dakota do Sul, onde corremos lado a lado na equipe local de velocistas. Passados nossos anos na universidade, Wayne manteve suas práticas atléticas, sendo um ciclista empenhado e correndo ocasionalmente. Eu admirava seus esforços continuados por manter o auge da condição física.

Sabendo disso, portanto, fiquei bastante preocupado quando esse amigo entrou em meu consultório em um dia de meados de verão. A cor de Wayne não era boa, e ele reclamava que seu coração parecia querer saltar para fora do peito. Meu ex-concorrente mostrava-se cansado e abatido, enquanto me dizia ter sofrido um grave surto de *influenza* havia três meses, do qual não parecia nunca ter se recuperado. Parecia-lhe que qualquer coisa que fizesse o esgotava totalmente. Ele era gerente de um restaurante e não sabia como continuar trabalhando — já que isso extenuava seu corpo.

Ao examinar meu amigo, notei logo de início que seu coração batia rápida e irregularmente. Parecia uma máquina de lavar roupas. Ele se encontrava evidentemente em um estado muito grave, e eu lhe disse que devia ser internado no hospital.

Wayne foi direto para o hospital, onde um de nossos cardiologistas locais o examinou. Uma radiografia revelou que seu coração tinha inchado consideravelmente, e o médico pediu um ecocardiograma (um ultra-som do coração). Os resultados foram chocantes: a fração de ejeção de Wayne (a medida do quão fortemente o coração está batendo) era de apenas 17%. Uma fração de ejeção normal fica entre 50% e 70%. Quando essa fração cai para menos de 30%, o paciente é um possível candidato a transplante de coração. O coração de

Miocardiopatia: Nova Esperança de Cura

Wayne estava imenso, repleto de coágulos de sangue e com fibrilação atrial (batimentos irregulares). Sua situação era crítica.

O cardiologista efetuou então um cateterismo cardíaco, mediante o qual injetou um corante especial no coração e nas artérias coronárias de Wayne. Suas artérias estavam bem, mas seu coração havia, com certeza, sofrido trauma. O teste seguinte, uma biópsia do músculo cardíaco, demonstrou que, em resultado de uma infecção viral do coração, Wayne desenvolvera miocardiopatia (uma doença do músculo cardíaco, no caso, decorrente da sua inflamação causada por uma infecção viral). A infecção ocorrera muito provavelmente na primavera, quando Wayne contraiu o que supunha ser *influenza*. Ele contraíra na verdade uma miocardite viral, que causou sérios danos a seu coração.

O cardiologista prescreveu a Wayne o anticoagulante warfarina e diversos outros medicamentos, na tentativa de fortalecer seu coração. Wayne conseguiu deixar o hospital, embora estivesse muito fraco e mal pudesse mover-se.

Estudos de acompanhamento do coração de Wayne, feitos poucas semanas depois, mostraram que sua fração de ejeção subira para 23%. O cardiologista não estava muito otimista, contudo, e sentira ser essa a máxima melhora que a saúde de Wayne poderia ter. Seu coração ainda estava repleto de coágulos e ainda sofria fibrilação atrial.

A única outra opção que o cardiologista tinha a oferecer era a possibilidade de enviar Wayne para Abbott Northwestern, em Minneapolis, onde ele poderia ser incluído na lista de transplantes de coração.

Pode-se imaginar quão difícil foi para mim discutir isso com meu paciente, meu amigo. Também tive de informar aos pais de Wayne, duas pessoas que eu sempre amara e admirara, que a vida de seu filho corria sérios riscos. Para tornar as coisas ainda mais dolorosas, eles haviam perdido, havia pouco, um filho mais jovem por câncer do pulmão. Parecia que eu era o mensageiro da desesperança.

Wayne preferiu recusar a ida a Minneapolis e continuar se tratando com o cardiologista local, visitando-me regularmente. Receitamos-lhe um potente suplemento mineral e antioxidante, mantendo suas outras medicações. Seus coágulos de sangue finalmente foram sanados, e o cardiologista conseguiu restabelecer seu ritmo cardíaco normal pela terapia de choque elétrico.

Por volta dessa mesma época, minha esposa Liz e eu voávamos em direção ao grande noroeste, quando ela me mostrou um artigo que estava lendo a respeito dos estudos realizados com um nutriente natural, a Coenzima Q10. Liz me passou o artigo, escrito pelo dr. Peter Langsjoen, cardiologista e bioquímico praticante de Tyler, Texas. O dr. Langsjoen conseguira melhorar significativamente a saúde de seus pacientes de miocardiopatia simplesmente adicionando à medicação diária suplementos do nutriente chamado CoQ10.[1]

Logo que voltei para casa, pesquisei extensamente a literatura médica sobre o uso da CoQ10 e concluí ser seguro testá-la em meu amigo. O que Wayne tinha a perder? Chamei-o a meu consultório no dia seguinte e receitei-lhe uma dosagem de CoQ10 similar à que o dr. Langsjoen estava recomendando.

Como Wayne vinha sendo monitorado tão de perto por seu cardiologista, não o vi por três ou quatro meses e, quando ele voltou a meu consultório, foi para discutir a possibilidade de requerer uma pensão por invalidez plena. Minhas esperanças sucumbiram. *Invalidez plena?* Wayne explicou que, como não trabalhava havia oito meses, seus amigos e conhecidos de negócios o exortaram firmemente a considerar um pedido de pensão. Quando lhe perguntei como estava passando, contudo, ele me disse que se sentia bem e conseguia até percorrer de bicicleta cerca de oito quilômetros diários. Conseguia até mesmo correr um pouco.

Sorrindo, eu disse a Wayne que seria difícil recomendá-lo como inválido quando seu nível de atividades melhorara tão expressivamente. Sugeri tirarmos um novo ecocardiograma para verificar como estava seu coração. Fiquei espantado com os resultados. A fração de ejeção de Wayne voltara à faixa normal, com 51%! A única explicação para essa milagrosa melhora eram as muitas preces e o nutriente CoQ10.

Na semana seguinte, abordei o cardiologista de Wayne na sala dos médicos e compartilhei alegremente com ele o que ocorrera a nosso paciente. Mas o cardiologista não correspondeu a meu entusiasmo. Ele simplesmente não acreditou em mim. Na verdade, esse médico insistiu em que o ecocardiograma de Wayne fosse repetido em "seu" aparelho.

Wayne foi chamado ao consultório do cardiologista, mas eu não soube dos resultados por várias semanas. Quando uma carta finalmente chegou, soube que sua fração de ejeção, no aparelho do cardiologista, fora de 58%. *Maravilha! Isso é melhor ainda*, pensei.

Uma semana depois de receber a carta, eu estava na sala dos médicos servindo-me de uns aperitivos quando o cardiologista me interpelou. Nossa interação foi um pouco diferente dessa vez. Surpreso com a recuperação de Wayne, o médico estava ansioso por ver alguns dos estudos feitos sobre a CoQ10. Eu disse que em breve lhe enviaria cópias dos estudos.

"Ray", ele disse, " você me faz lembrar um médico que eu costumava ouvir no rádio ao vir para o trabalho. Ele falava desses estudos médicos sobre nutrição e suplementos. Eu estava seguro de que ele se enganava. Fustigar seu tema era um de nossos passatempos favoritos no hospital. Rapaz, como o espicaçamos!"

O cardiologista prosseguiu: "O médico mais crítico era Jim. Na sala dos médicos ele virava pelo avesso esse sujeito do rádio. Isso continuou por alguns meses até que um dos colegas de Jim o confrontou. 'Jim, se você tem tanta raiva do assunto, por que então toma suplementos nutricionais?'

'Bem', replicou Jim, 'para o caso de eu estar enganado.'"

Wayne não pediu pensão por invalidez e voltou a trabalhar em tempo integral. Sua primeira visita a meu consultório ocorreu há mais de quatro anos. Meu amigo agora consegue fazer tudo o que fisicamente desejar, e seus ecocardiogramas de acompanhamento continuam a mostrar que sua fração de ejeção está normal.

Permita-me reafirmar, contudo, que o coração de Wayne não foi "curado". Ele ainda tem miocardiopatia. Mas, com a adição do nutriente CoQ10, seu coração tem toda a fonte de combustível de que precisa, o que lhe permite compensar seu estado enfraquecido.

Doenças do Músculo Cardíaco

O coração não é um órgão complicado. É primariamente um músculo cuja principal função é bombear o sangue pelo corpo. Nos últimos dois capítulos, concentramo-nos nas artérias coronárias que conduzem o sangue ao coração. Este capítulo se concentrará no próprio coração.

A insuficiência cardíaca congestiva e a miocardiopatia são doenças do *músculo* cardíaco.

Um sistema elétrico aciona esse músculo e o faz bater de maneira coordenada e eficiente. Em seguida, as válvulas do coração abrem-se e fecham-se, permitindo que o sangue flua eficazmente por suas quatro câmaras. Como músculo primário responsável pelo bombeamento do sangue vital para todos os órgãos do corpo, o coração deve continuar batendo consistentemente a todo momento, tendo, por isso mesmo, necessidades notavelmente altas de energia.

A insuficiência cardíaca congestiva e a miocardiopatia têm diversas causas: a hipertensão, ataques cardíacos repetidos ou severos, infecções virais e doenças cardíacas infiltrativas como o lúpus ou a escleroderma, para citar apenas algumas. Em todos esses casos a doença reduz a força do músculo cardíaco, tornando-o incapaz de lidar com a quantidade de sangue que recebe do corpo. O coração tenta compensar seu estado enfraquecido dilatando-se e batendo mais rápido. Mas o sangue acaba retornando aos pulmões, enchendo-os de fluido. Isso se chama *insuficiência cardíaca congestiva*. Em essência, o paciente começa a se afogar em seu próprio fluido. Por vezes, a insuficiência ocorre primariamente no lado direito do coração, o que significa que o fígado fica congestionado e as pernas do paciente começam a inchar.

Quando o coração da pessoa fica demasiadamente enfraquecido e dilatado, como no caso de Wayne, os médicos chamam a tal estado miocardiopatia. A miocardiopatia é um caso muito severo de insuficiência cardíaca congestiva. Um coração incomumente grande e dilatado é seu marco característico.

O Que É a Coenzima Q10?

A Coenzima Q-10 (CoQ10), ou ubiquinona, é uma vitamina — ou substância similar às vitaminas — solúvel em gordura, e também um poderoso antioxidante. Quantidades residuais de CoQ10 existem em diversos alimentos, como a carne de órgãos, bifes bovinos, óleo de soja, sardinhas, cavalas e amendoins. O corpo também possui a capacidade de produzir CoQ10 a partir do aminoácido tirosina, mas esse é um processo complicado que requer, no mínimo, oito vitaminas e diversos minerais residuais para efetuar-se. A deficiência de qualquer um destes nutrientes pode impedir a produção natural de CoQ10 pelo corpo.

As coenzimas, como grupo, são cofatores essenciais para um grande número de reações enzimáticas do corpo. A CoQ10 é o cofator de pelo menos três enzimas muito importantes usadas na mitocôndria da célula. Lembre-se, a mitocôndria é essencialmente a bateria ou forno da célula, onde se produz a energia dessa. As enzimas mitocondriais são necessárias para a produção dos altamente energéticos fosfato e trifosfato de adenosina, dos quais dependem todas as funções celulares.

Você se recorda de que é nas mitocôndrias que o processo oxidativo ocorre. Não somente a energia surge daí, como também aqueles subprodutos perigosos, os radicais livres, são aí criados; todavia, sua função mais importante nessa situação é ajudar a gerar energia.

A CoQ10, que ajuda a abastecer a mitocôndria humana, foi isolada pela primeira vez na mitocôndria de uma fatia de coração pelo dr. Frederick Crane, em 1957. Em 1958, o dr. Karl Folkers e seus colegas de trabalho na Merck, Inc., determinaram a estrutura química exata da CoQ10 e começaram a sintetizá-la. Os japoneses então aperfeiçoaram a tecnologia em meados da década de 1970, sendo hoje capazes de produzir grandes quantidades de CoQ10 em estado puro.[2]

A Deficiência de CoQ10 e a Insuficiência Cardíaca

Numerosos pesquisadores não apenas estabeleceram os níveis sangüíneos normais de CoQ10, como também identificaram o que parece ser uma correlação direta entre a gravidade da insuficiência cardíaca e a correspondente obliteração dessa coenzima. Notaram-se reduções significativas de CoQ10 em casos de doenças periodontais, câncer, doenças cardíacas e diabetes. Níveis deficientes de CoQ10 foram confirmados mais claramente, contudo, no nível sangüíneo de pacientes com insuficiência cardíaca congestiva e miocardiopatia.[3]

A deficiência de CoQ10 pode resultar de diversas condições: uma dieta ruim, a redução da capacidade do corpo de sintetizar a CoQ10 e/ou o uso excessivo dessa última pelo organismo.

Pesquisadores no início da década de 1980 iniciaram experimentos em que os pacientes tomavam suplementos de CoQ10. Ao longo dos últimos 20 anos, o interesse nela continuou a crescer, e diversos estudos clínicos testaram seus resultados em pacientes de miocardiopatia e insuficiência cardíaca congestiva. Nada menos que nove exames clínicos controlados com placebo foram feitos por todo o mundo. Oito simpósios internacionais foram promovidos sobre os aspectos biomédicos e clínicos da CoQ10, nos quais médicos e cientistas de dezoito países apresentaram mais de trezentas dissertações.[4]

O maior desses estudos internacionais foi o Estudo Multicêntrico Italiano, da Baggio e Associados, que envolveu 2.664 pacientes com insuficiência cardíaca. Nesse estudo em particular, aproximadamente 80% dos pacientes melhoraram quando começaram a tomar CoQ10, e 54% tiveram grandes melhoras em três das principais categorias sintomáticas.[5]

Para dizer de forma simples, estudos e exemplos da vida real demonstram que a CoQ10 é um suplemento imensamente útil no tratamento de pacientes com condições cardíacas de risco. Embora não os cure, ela certamente impede o progresso da doença.

Tratando Pacientes com Miocardiopatia

Já se perguntou alguma vez quanto custa um transplante de coração? Seu palpite foi US$ 250 mil?

Você sabia que mais de 20 mil pacientes *com menos de 65 anos* se encontram na lista de transplante de coração nos Estados Unidos? Milhares de outros pacientes acima dos 65 também têm miocardiopatia, mas, em função da idade, não podem se inscrever na lista de transplante. Embora possam receber tratamento médico máximo, a maioria continuará totalmente incapacitada. Somente um em cada dez pacientes elegíveis para transplante cardíaco realmente o consegue; os outros nove costumam morrer da doença em pouco tempo. Esses números não incluem as centenas de milhares de pacientes que sofrem de insuficiência cardíaca congestiva.[6]

Os doutores. Folkers e Langsjoen publicaram um estudo na literatura médica em 1992 que, acredito, traz esse dilema a uma óbvia conclusão. Eles submeteram à CoQ10 onze candidatos característicos ao transplante. Três deles saíram da pior classificação, a Classe IV, para a melhor, a Classe I, na escala da New York Heart Association (veja quadro a seguir). Quatro pacientes passaram das Classes III e IV para a Classe II, e outros dois passaram da Classe III para a Classe I.[7]

Classificações da New York Heart Association para capacidades funcionais:

Classe I: Sem limitações; atividades físicas ordinárias não causam fadiga indevida, perda de fôlego ou palpitações do coração.

Classe II: Ligeira limitação das atividades físicas; tais pacientes sentem-se à vontade em repouso. Atividades físicas ordinárias resultam em fadiga, palpitações do coração, perda de fôlego ou angina.

Classe III: Limitações acentuadas das atividades físicas; embora os pacientes se sintam bem em repouso, atividades físicas inferiores às ordinárias provocam os sintomas acima descritos.

Classe IV: Incapacidade de desempenhar qualquer atividade física sem desconforto; sintomas de insuficiência cardíaca congestiva durante o repouso. Com qualquer atividade física ocorrem desconforto e outros sintomas.[8]

Diferentemente da maioria dos estudos clínicos encontrados na literatura médica, Folkers e Langsjoen deram provas inegáveis da eficácia e segurança do uso da CoQ10 em pacientes com insuficiência cardíaca em estado terminal e no aguardo de transplante.

Esse é um excelente exemplo de uma vitamina natural e antioxidante mostrando-se eficaz e segura em diversos experimentos clínicos. É a medicina nutricional em sua essência. Quando o músculo cardíaco se enfraquece, por qualquer razão que seja, ele impõe maior demanda aos nutrientes de que as células necessitam para gerar energia. Devido à utilização excessiva desses nutrientes, o músculo cardíaco passa a carecer de CoQ10, que é o mais importante dos nutrientes necessários à geração de energia. Quando os pacientes tomam tal nutriente como suplemento, o músculo enfraquecido do coração consegue reabastecer seu estoque de CoQ10, gerar mais energia e compensar seu estado debilitado.

Os médicos deviam usar a CoQ10 como *suporte* ao tratamento médico tradicional, e não no lugar desse. Trata-se de medicina complementar, *não* alternativa. Embora, nos estudos, muitos pacientes tenham melhorado a ponto de suspender a ingestão de diversos medicamentos, eles não foram curados de sua doença cardíaca original.

É importante notar que os pacientes devem continuar tomando suplementos de CoQ10 por longo tempo. Estudos clínicos afirmam que, quando os pacientes suspendem o uso suplementar da CoQ10, as fontes necessárias de combustível voltam a escassear e o funcionamento do coração declina novamente até o nível deficiente anterior ao uso do suplemento. De outro lado, o dr. Langsjoen declarou, após um acompanhamento de 6 anos junto a pacientes, que aqueles que mantiveram a dosagem suplementar preservaram as melhoras em sua condição cardíaca.[9]

Por Que os Médicos Não Recomendam a COQ10?

Eis aqui uma doença mortal para a qual a terapia médica tradicional oferece pouca esperança de melhora. Os custos de tomar CoQ10 em suplementação é de cerca de um dólar americano por dia. Excluindo-se os reduzidos custos de hospitalização, isso é substancialmente menos do que os US$ 250 mil que custa o transplante de coração pelo qual a maioria desses pacientes espera! Além disso, o uso de CoQ10 jamais apresentou algum efeito colateral ou problema. Na verdade, a maioria dos estudos demonstra melhorias notáveis em quatro meses.[10] Então, por que os médicos não recomendam a seus pacientes de miocardiopatia que experimentem a CoQ10?

O que os médicos não sabem pode estar matando você.

Nunca ouvi nenhuma discussão sobre o uso da CoQ10 em reuniões médicas ou junto a cardiologistas, salvo em minha interação com o médico de Wayne. E nunca soube de nenhum cardiologista que submetesse algum de meus pacientes de insuficiência cardíaca congestiva ao uso da CoQ10. Após ter avaliado esses estudos, fico espantadíssimo com a indisposição da profissão médica em oferecer essa alternativa a seus pacientes. Somente 1% dos cardiologistas dos EUA recomenda a CoQ10 a seus pacientes de insuficiência cardíaca ou miocardiopatia.[11] Não parece que eles tenham em mente uma boa terapia alternativa. O National Institute of Health custeou a maioria dos estudos envolvendo a CoQ10 nos Estados Unidos. Mas, diversamente do amontoado de drogas sintéticas, a CoQ10 é um produto natural e, como tal, não pode ser patenteada junto à FDA.[12] As companhias farmacêuticas não gastarão os 350 milhões de dólares necessários a aprovar um produto natural como a CoQ10 junto à FDA se não houver incentivo econômico.[13] É também muito dispendioso para uma empresa promover o uso de seu medicamento entre os médicos. Isso simplesmente não vai acontecer.

Vou lhe dizer por que os médicos não recomendam a CoQ10. Eles são treinados farmaceuticamente. Conhecemos drogas, mas não sabemos muito sobre produtos naturais. Por mais que detestemos admiti-lo, os vendedores de produtos farmacêuticos que visitam diariamente nossos consultórios controlam muito do que sabemos sobre os novos tratamentos. E ainda não vi um vendedor mostrar-me um estudo sobre a CoQ10 e seus efeitos sobre a miocardiopatia. Ela simplesmente não gera dinheiro.

A História de Emma

Emma é uma adorável paciente minha com pouco mais de 80 anos. Há cerca de 4 anos seu cardiologista lhe deu o diagnóstico de miocardiopatia. Uma fração de ejeção de 20% limitou severamente a vida de Emma. O cardiologista lhe receitou diversos medicamentos, inclusive a amiodarona, que ela tomava para controlar seu ritmo cardíaco irregular. Contudo, esse medicamento a deixava muito abatida e ela, em pouco tempo, viu-se incapaz de comer. Não somente perdeu muito peso, como o medicamento também destruiu sua glândula tireóide. Medicamentos para a tireóide foram utilizados, mas não preciso dizer que Emma continuou muito mal. Seu cardiologista não lhe deu muitas esperanças e, em função de sua idade, ela não era de modo algum elegível para um transplante cardíaco.

O tratamento tradicional que Emma recebeu só a deixou pior.

Em desespero, ela veio me consultar, tendo ouvido falar de como eu conseguira ajudar outras pessoas com problemas similares. Depois de examinar minha nova paciente, constatei que ela estava tendo graves reações à amiodarona. Ela queria parar de tomar o remédio e eu me mostrei de acordo. Eu, pessoalmente, sentia que, se insistisse nesse medicamento, ela só viveria mais um mês ou dois. Depois de liberá-la da amiodarona, submeti minha nova paciente a 300 mg de CoQ10.

Para a alegria de Emma, seu apetite e sua força melhoraram, e sua falta de fôlego foi aliviada. Suas atividades logo voltaram ao normal. Quatro meses mais tarde, seu cardiologista repetiu um ecocardiograma e viu, com prazer, que a fração de ejeção dela aumentara para 42%.

Emma passou a se preocupar mais com a artrite do que com o coração. Na verdade, ela pôde substituir totalmente seu joelho esquerdo — nada mal para uma senhora que nem se esperava que vivesse!

Faz 4 anos que Emma recebeu seu diagnóstico de miocardiopatia, e continua a viver uma vida saudável e feliz.

● ● ●

Os médicos devem tornar-se advogados de seus pacientes. Precisamos descobrir e compreender como os produtos naturais podem ajudar nossos pacientes. Um princípio básico que nunca é demais enfatizar: quando apoiamos o funcionamento natural do corpo e tentamos elevar sua capacidade de operar em níveis otimizados, então, e *somente* então, teremos feito todo o possível para promover a cura.

Tomar suplementos que ensejem tal funcionamento é algo que se designa melhor como medicina complementar. Pacientes de miocardiopatia devem continuar a tomar sua medicação, mas, se adicionarmos um tablete completo e equilibrado de mineral antioxidante juntamente com doses mais elevadas de CoQ10 (de 300 a 500 mg por dia), sustentaremos o desempenho natural do coração enfraquecido e o paciente melhorará significativamente.

OITO | Quimioprevenção e Câncer

NADA É MAIS DIFÍCIL PARA MIM DO QUE TER DE DIZER A UM PACIENTE QUE ELE possui câncer. E, todavia, o câncer é um diagnóstico para o qual devo estar preparado, sendo parte rotineira de meu trabalho. Médicos de todos os países têm de compartilhar a mesma notícia desoladora com seus pacientes: mais de 1,3 milhão de *novos casos* serão diagnosticados só nos Estados Unidos a cada ano.[1]

Aproximadamente, 550 mil pacientes morrerão de câncer antes que o balão volte a cair na Time's Square, em Nova York. Apesar dos US$25 bilhões gastos em pesquisas sobre o câncer nos últimos 20 anos, as mortes por câncer na verdade *aumentaram* durante o mesmo período.[2] Gerou-se uma preocupação acentuada entre pesquisadores e clínicos — é hora de repensar nossa abordagem sobre prevenção e tratamento do câncer.

Mas — você talvez pergunte — as pesquisas não fizeram alguns progressos notáveis? De fato. Houve alguns aprimoramentos, mas esses se situam no campo da detecção *prematura* de alguns tipos de câncer, graças a avanços como a mamografia para a detecção de câncer da mama e os testes de PSA para o câncer da próstata.

Será a detecção prematura tudo o que podemos esperar? Não. Neste capítulo discutiremos alguns dos avanços mais recentes nas pesquisas sobre o câncer e o modo como você pode reduzir *seu* risco de desenvolvê-lo.

O Câncer e Suas Causas

Pelo que se diz, não parece que tudo o que fazemos ou comemos atualmente causa câncer? A exposição excessiva à luz do sol aumenta o risco de câncer de pele. Os operários que lidam com asbesto têm maior risco de desenvolver uma variedade incomum de câncer do pulmão chamada *mesotelioma*. O fumo e o tabagismo passivo são a maior razão para que o câncer do pulmão seja a principal causa de mortes por câncer. A radiação, churrascos, o excesso de gordura em nossa dieta, a sacarina e muitas outras substâncias químicas encontradas em herbicidas e pesticidas são o que a literatura médica chama de *carcinógenos* — ou seja, tudo aquilo que aumenta nosso risco de desenvolver câncer.

Desde o primeiro relatório de que os limpadores de chaminés estavam sob maior risco de câncer escrotal em função de sua exposição à fuligem,[3] tornamo-nos mais e mais receosos de nosso ambiente, e com razão. Como observei anteriormente, nossos corpos encontram-se expostos a mais substâncias químicas do que os de qualquer geração anterior. E qual o denominador comum de todos esses carcinógenos? Você já adivinhou. Todos aumentam o estresse oxidativo. Nisso está a chave para compreender as novas estratégias de combate ao câncer.

O Estresse Oxidativo Como Causa do Câncer

Muitos pesquisadores propuseram teorias sobre a causa subjacente do câncer. Infelizmente, nenhuma dessas teorias conseguiu explicar os aspectos totalmente diversos do câncer e de seu desenvolvimento dentro do corpo humano.

Em resposta a esse dilema médico, o dr. Peter Kovacic escreveu um longo artigo na *Current Medicinal Chemistry 2001* (Medicina Química Atual, 2001). No artigo ele afirma: "Das numerosas teorias que foram propostas, o estresse oxidativo é a mais abrangente, e tolerou o teste do tempo. Ela pode racionalizar a maioria dos aspectos associados com a carcinogênese (o desenvolvimento do câncer) e atender a eles."[4]

A pesquisa de Kovacic sustenta a crescente evidência médica de que, quando um número excessivo de radicais livres existe próximo ao núcleo celular, podem ocorrer danos consideráveis ao DNA da célula. O DNA do núcleo fica especialmente vulnerável quando a célula está se dividindo, momento em que seu filamento é literalmente desembalado e estendido. Pesquisadores já conseguem confirmar não somente que os radicais livres podem danificar o núcleo de DNA da célula, mas também quais filamentos do DNA eles danificam com maior freqüência.

Ao se defrontar com um ataque de carcinógenos, a unidade MASH do corpo procura reparar o DNA danificado. Mas, em épocas de grande estresse oxidativo, os danos causados pelos radicais livres superam o sistema de reparo e podem provocar a mutação do DNA. Os radicais livres são capazes também de danificar a estrutura genética do DNA, o que pode provocar um crescimento anormal da célula. Conforme tais células continuam a se replicar, o DNA alterado é transmitido a cada nova célula desenvolvida. Quando aumenta o estresse oxidativo desse DNA alterado, ocorrem ainda mais danos. A célula começa então a fugir ao controle e assumir vida própria. Ela desenvolve a capacidade de se espalhar de uma parte do corpo para outra (metástase), tornando-se assim um legítimo câncer (Figura 8.1).

Figura 8.1

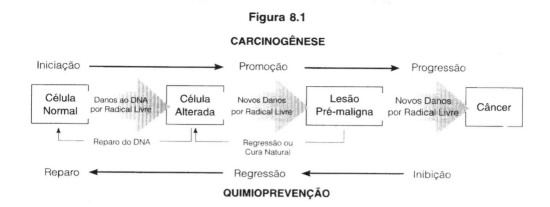

Um Processo de Múltiplos Estádios

O dr. Donald Malins, bioquímico de Seattle, divulgou um novo método para identificar mudanças estruturais no DNA do tecido do seio. Usando um instrumento que lança radiação infravermelha sobre o DNA e analisando os sinais por meio de um computador sofisticado, ele consegue acompanhar o dano estrutural causado ao DNA pelos radicais livres.[5]

Os pesquisadores concordam com Malins em que o desenvolvimento do câncer é um processo de múltiplos estádios, que usualmente leva décadas para desenvolver-se. Nos adultos, o câncer pode levar 20 ou mesmo 30 anos para passar da mutação inicial do DNA à manifestação plena. Em crianças, esse processo pode avançar mais rapidamente devido a sua reposição mais acelerada das células.[6]

Malins notou mudanças significativas na estrutura do DNA conforme acompanhava seus estádios de desenvolvimento, desde o tecido normal do seio até o câncer metastático de mama. Ele acreditava ser o estresse oxidativo a causa desse dano previsível ao DNA, que levava, no fim das contas, à formação do câncer de mama. Ele argumentou ainda que o câncer não é tanto o resultado de genes com mau funcionamento como o resultado de danos genéticos causados por radicais livres altamente reativos.[7]

Pelos últimos 25 anos os pesquisadores acreditaram que genes anormais eram a força condutora de todos os tipos de câncer. Mas hoje começam a acreditar que indivíduos com determinados genes são simplesmente mais vulneráveis ao estresse oxidativo do que outros. Isso pode explicar os padrões familiares de muitos tipos de câncer.[8]

Maior a Idade, Maiores os Gastos

Os médicos costumam diagnosticar o câncer em seus estádios finais de desenvolvimento. Infelizmente, quando um câncer está avançado o bastante para causar sintomas ou aparecer na radiografia, ele já veio se desenvolvendo por 10 ou 20 anos. Os médicos recorrem ao armamento pesado da cirurgia agressiva, da quimioterapia e da radioterapia somente para constatar que, na maioria das vezes, não podem fazer muito para ajudar o paciente.

Na última vez em que diagnostiquei um câncer de pulmão em um paciente meu, seu oncologista recomendou-lhe a quimioterapia, procedimento por meio do qual dizia poder redimir o câncer em cerca de 40% dos casos. Meu paciente ficou bastante animado com os dados, até que perguntou o que se entendia exatamente por "redimir". O oncologista respondeu: "Se o câncer for devidamente redimido, sua vida pode estender-se em cerca de três meses". Não preciso dizer que não era isso que meu paciente esperava ouvir. Essa é a típica história trágica da maioria das pessoas com câncer.

Quando se diagnosticou em minha mãe um tumor cerebral de alto grau, o radioterapeuta disse que havia cerca de 1% de chance de que a terapia pudesse prolongar sua vida. Contra a minha vontade, minha mãe submeteu-se ao tratamento. Ela morreu seis meses depois, após lutar não somente com o câncer, mas também com o tratamento, que a deixava debilitada e doente. Um tratamento agressivo pode estender uma vida por uns poucos meses, ou mesmo por um ano ou mais, mas o sofrimento imposto aos pacientes e aos entes queridos parece uma crueldade para com aqueles cujas vidas já são tão frágeis.

Atualmente estamos perdendo a batalha contra o câncer. Há alguma dúvida de que essa doença maligna deve ser atacada em estádios *muito* anteriores de desenvolvimento para que o número de mortes regrida? Temos esperança, como você sabe. Compreender o papel do estresse oxidativo no desenvolvimento do câncer nos oferece um grande número de novas possibilidades de prevenção e tratamento.

Prevenção do Câncer = Quimioprevenção

Conforme começamos a compreender a causa original do câncer, alternativas terapêuticas vão surgindo. Como o câncer é um processo de múltiplos estádios que leva anos para desenvolver-se, há várias oportunidades de intervir em seu desenvolvimento.

Nos primeiros estádios do câncer, vemos mudanças sobretudo no núcleo do DNA em si. As mutações que ocorrem devido aos ataques dos radicais livres ao DNA se transmitem a cada célula subseqüente conforme ocorre a reprodução celular. No fim das contas, em função de novos danos causados à célula pelos radicais livres, surge um tumor pré-cancerígeno. Esse é o primeiro nível prático que podemos detectar clinicamente. O estádio final é o desenvolvimento de um tumor maligno ou câncer, com a capacidade de proliferar de uma parte do corpo para outra.

Em vez de atacar o câncer em seus estádios finais com tratamentos, a quimioprevenção se concentra em evitar seu desenvolvimento nos estádios iniciais. Lembre-se: o equilíbrio é a chave. Se tivermos antioxidantes disponíveis em quantidades suficientes, não haverá estresse oxidativo e o DNA do núcleo ficará a salvo dos danos iniciais. Imagine uma vez mais a metáfora da lareira. Quando uma tela é instalada, as cinzas não conseguem atingir o tapete.

A quimioprevenção também procura reverter os danos já causados à célula. Como você viu no Capítulo 4, o corpo tem a notável capacidade de curar a si mesmo (lembre-se da unidade MASH). Consideremos agora com cuidado uma estratégia para combater o câncer em três fases planejadas de quimioprevenção e os efeitos que cada uma tem no corpo.

Primeira Fase da Quimioprevenção: Reduzindo os Riscos

A primeira estratégia na prevenção do câncer pode parecer óbvia: sempre que possível, elimine (ou ao menos reduza) a exposição a carcinógenos (substâncias químicas que sabemos aumentar nosso risco de câncer). Embora aparentemente óbvio, isso é mais fácil de dizer que de fazer. Aqui estão medidas que você deve adotar imediatamente para reduzir seu risco de câncer:

1. *Pare de Fumar!* O tabagismo é o mais potente carcinógeno a que a maioria de nós está exposta. Embora a nicotina seja terrivelmente viciadora, devemos lutar por livrar o corpo dela e de todos os carcinógenos contidos na fumaça de cigarro. Os fumantes apresentam um crescimento muito grande no número de radicais livres em seus corpos.[9] E, embora em menor medida, o tabagismo passivo é também um importante fator no estresse oxidativo.[10]

2. *Reduza Sua Exposição à Luz Solar.* As luzes UVA e UVB são carcinógenos bem conhecidos. Recomendo firmemente o uso de bloqueadores solares que o protejam de ambas. Sem essa disciplina não se pode viver. Pais, protejam seus filhos.

3. *Siga uma Dieta de Pouca Gordura.* Sabe-se que o consumo excessivo de gordura nas refeições causa estresse oxidativo, especialmente se não houver nos alimentos quantidades adequadas de antioxidantes. Devemos reduzir a ingestão de gordura saturada, lembrando-nos de consumir, no mínimo, 7 doses de frutas e vegetais e mais de 35 gramas de fibra por dia. (Sei que você já ouviu isso tudo antes; mas menos de 9% da população segue esse conselho!)[11]

4. *Fique Atento a Outros Carcinógenos.* Sempre que possível, procure tomar medidas para reduzir sua exposição a agentes causadores de câncer, como a radiação, os pesticidas, os herbicidas, o asbesto, a lenha, a fuligem e outras, eliminando-os de seu ambiente doméstico.

Um princípio que você passará a ter em conta é o de que, se reduzirmos nossa exposição a *todos* esses carcinógenos, produziremos menos radicais livres para que nosso corpo combata. Por exemplo, é difícil para mim a recomendação de uma dieta saudável suplementada pela medicina nutricional a um paciente que fuma dois maços de cigarros por dia. Sei que os efeitos serão mínimos na melhor das hipóteses; e, a menos que ele pare de fumar, as chances de reduzir o risco de câncer ficam definitivamente comprometidas.

Segunda Fase da Quimioprevenção:
Maximize o Sistema Antioxidante e Imunológico do Corpo

Não é possível evitar a exposição a todos os carcinógenos e substâncias químicas do meio ambiente. Ainda precisamos viver neste mundo. Hesitar, com medo "do que possa estar lá fora", só nos privará de uma vida plena e abundante. Como você já sabe, o mero fato de que precisamos de oxigênio para viver nos expõe a um risco significativo de estresse oxidativo. Portanto, a melhor estratégia não é se esconder, mas maximizar as defesas do sistema imunológico e antioxidante de seu corpo. E isso começa com uma dieta saudável.

Parece lógico que, se o estresse *oxidativo* for de fato a causa do câncer, *antioxidantes* usados para reequilibrar os radicais livres reduzirão o risco de câncer. Essa é uma lógica válida. A dra. Gladys Block, especialista em pesquisas sobre o câncer, adotou-a em sua análise de 172 estudos epidemiológicos realizados em todo o mundo sobre dietas e câncer. Ela fez uma descoberta universal e consistente: os indivíduos que mais consumiam frutas e vegetais (as principais fontes de antioxidantes) mostravam um risco significativamente reduzido de desenvolver praticamente qualquer espécie de câncer. O risco de desenvolvimento da maioria dos tipos de câncer, no caso dessas pessoas, era de *duas a três vezes menor* do que no caso das pessoas com menor consumo de frutas e vegetais.[12]

O oposto também vale. O dr. Bruce Ames, um dos grandes pesquisadores do câncer, afirmou em uma entrevista para o *Journal of the American Medical Association* que os indivíduos que consomem as menores quantidades de frutas e vegetais têm duas vezes mais propensão a desenvolver câncer do que as pessoas que consomem mais.[13]

Pela mera ingestão de cinco ou sete doses diárias de frutas e vegetais, podemos reduzir pela metade o risco de praticamente todos os tipos de câncer.[14]

A melhor defesa que possui seu corpo é, sem dúvida, uma boa dieta. Nada que um médico possa prescrever substituirá a dieta de que seu corpo necessita para abastecer-se e recompor-se. Um dos princípios que você me ouvirá frisar por repetidas vezes é o de que, se você resolver tomar suplementos nutricionais, deverá suplementar uma dieta boa, não uma ruim. O primeiro passo para erigir um sistema imunológico é seguir uma dieta com alto teor de fibras e pouca gordura, composta em grande parte de frutas e vegetais.

Mas precisamos de mais do que isso para praticar a quimioprevenção. Pesquisas médicas começam a demonstrar que ingerir antioxidantes *em suplementação* a nossa dieta é muito importante para a quimioprevenção. Estudos mostram que a suplementação de uma boa dieta com vitamina C, vitamina E e betacaroteno durante o período de vinte semanas resulta em uma redução considerável dos danos oxidativos ao DNA, tanto de fumantes como de não-fumantes. Demonstrou-se também que a vitamina E protege o DNA de danos provocados por exercícios.[15]

Terceira Fase da Quimioprevenção: Fortalecendo o Sistema de Reparo do Corpo

Na primeira e na segunda fase da quimioprevenção, preocupamo-nos, antes de tudo, em reduzir a quantidade de estresse oxidativo com que o corpo tem de lidar e em proporcionar antioxidantes adequados para evitar que ele atinja o DNA da célula. Na terceira fase, iremos nos concentrar no notável sistema de reparo do corpo, quando associado a nutrientes adequados que permitam à célula reparar danos significativos já ocorridos.

Os tumores ou lesões pré-cancerígenas nos proporcionam um exemplo único da utilidade dos antioxidantes na quimioprevenção. É difícil acompanhar esses tumores dentro do organismo, mas muitos estudos os acompanharam na superfície do corpo. Tais estudos concentraram-se sobretudo na leucoplaquia, que é um tumor pré-cancerígeno encontrado na boca dos mascadores de tabaco, e na displasia cervical, o tumor pré-cangerígeno na superfície do colo do útero.

Esperamos que, pela observação do uso de diversos antioxidantes nesses tumores, aumente nossa compreensão de seus possíveis efeitos no DNA já danificado. Lembre-se de que o câncer é um processo de múltiplos estádios, e mesmo os tumores pré-cancerígenos estão em uma fase relativamente avançada. O passo seguinte no processo é o desenvolvimento do próprio câncer.

Como se pode imaginar, existe imenso interesse na prevenção e no tratamento da leucoplaquia. Diversos estudos demonstraram que os mascadores de tabaco têm níveis reduzidos de antioxidantes. Em contrapartida, as pessoas com os níveis mais altos de antioxidantes também demonstraram os menores riscos de desenvolver leucoplaquia.

O dr. Harinder Garewal escreveu um artigo sobre o efeito dos antioxidantes não somente na prevenção do câncer de boca como também na *reversão* da leucoplaquia. Esse artigo é um marco da terceira fase da quimioprevenção. Suas descobertas oferecem a esperança de que os antioxidantes não somente detenham o processo de desenvolvimento do câncer como capacitem o sistema de reparo do corpo a reverter os danos às células.[16] No quadro a seguir recapitulei de modo sucinto diversos dos ensaios clínicos que o dr. Harinder examinou.

Eis uma lista de estudos envolvendo o uso de suplementos nutricionais em pacientes com lesões pré-cancerígenas:

1. Um estudo na Índia empregou vitamina A e betacaroteno; pesquisadores observaram a remissão completa da leucoplaquia em um ritmo dez vezes superior ao do grupo que usou placebo[17].

2. Um estudo piloto usando somente betacaroteno apresentou reversão da leucoplaquia a células normais em 71% de seus pacientes.

3. Em um estudo em andamento nos Estados Unidos, pacientes receberam uma combinação de betacaroteno, vitamina C e vitamina E; pesquisadores testemunharam um índice de resposta de 60%. As anormais células pré-cancerígenas foram revertidas a células normais.

4. Em um exame multiinstitucional em andamento nos Estados Unidos, pacientes receberam somente betacaroteno; eles tiveram um índice de resposta de 56%.

5. Um estudo realizado com hamsters machos com câncer oral induzido experimentalmente testou o uso de betacaroteno, vitamina E, glutationa e vitamina C, tanto em combinação como isoladamente. Melhoras significativas ocorreram em todos os grupos; todavia, o grupo que recebeu a combinação teve, de longe, os melhores resultados. Esse não foi meramente um efeito adicional do uso de mais e mais antioxidantes, e sim o resultado do efeito sinergético dos suplementos em ação simultânea.[18]

A displasia cervical é outro tumor pré-cancerígeno que ocorre nas células epidérmicas (de revestimento do corpo). Diversos estudos demonstraram que indivíduos com níveis baixos de betacaroteno e vitamina C estão sob um risco consideravelmente maior de displasia cervical. Na verdade, as mulheres com níveis mínimos de betacaroteno corriam um risco duas ou três vezes maior do que as mulheres com os níveis mais altos. As mulheres que consumiam menos de 30 miligramas de vitamina C por dia tinham um risco dez vezes maior de displasia cervical do que as mulheres cujo consumo era maior. Outros estudos epidemiológicos demonstraram que deficiências dietéticas em vitamina A, vitamina E, betacaroteno e vitamina C aumentam o risco de câncer cervical.[19]

O fato é que já se demonstrou que a suplementação de betacaroteno impede que a displasia cervical converta-se em câncer cervical. Além disso, alguns exames clínicos sublinharam o papel da vitamina C e do betacaroteno juntos em reverter ou reduzir o risco da displasia cervical.[20]

Embora as ciências médicas tentem descobrir um nutriente "mágico" para cada um desses tipos de câncer, eu, como clínico, procuro determinar *princípios* que sejam benéficos para meu pacientes. Depois de analisar estudos como os que mencionei aqui, não tenho dúvida alguma de que esses nutrientes antioxidantes funcionam juntos, em sinergia. Como disse no Capítulo 5, isso significa que precisamos não somente de um sortimento de diferentes antioxidantes, mas também dos minerais (manganês, zinco, selênio e cobre) e das vitaminas B que sustentam suas funções enzimáticas.

Fico admirado com a incrível habilidade com que Deus dotou o corpo para não somente proteger-se do estresse oxidativo, mas também para reparar danos infligidos ao DNA da célula. Diversos exames clínicos em andamento determinarão ainda mais o papel dos antioxidantes em reverter o processo de carcinogênese. Por enquanto, vale lembrar que a leucoplaquia e a displasia cervical encontram-se já no fim do processo de múltiplos estádios do câncer e, todavia, estudos demonstram que o corpo pode reparar a si mesmo quando lhe fornecemos níveis otimizados de uns poucos antioxidantes seletos.

E Se Eu Já Tiver Câncer?

É fato: as terapias de quimioprevenção existem, na verdade, para indivíduos que ainda não desenvolveram o câncer pleno. E as terapias costumeiras para o câncer nem sempre parecem promissoras. Essas terapias envolvem cirurgia (quando factível), quimioterapia e radioterapia para tumores sólidos como os encontrados nos pulmões, no peito, no cólon e assim por diante. Apesar dos esforços das pesquisas médicas, essas terapias parecem finalmente ter chegado a um impasse.

As más notícias continuam. A despeito das evidências de maiores índices de cura no tratamento do linfoma de Hodgkin, da leucemia infantil e do câncer testicular, há temores crescentes do desenvolvimento de tipos secundários de câncer e de complicações resultantes desses tratamentos.[21]

As boas notícias estão no fato de que as pesquisas médicas começam a sustentar a idéia de suplementação por meio de uma mistura de antioxidantes e nutrientes de apoio. Essa mistura pode, de fato, *melhorar* a radioterapia e a quimioterapia tradicionais, ao mesmo tempo que protege as células normais dos efeitos tóxicos.

A História de Kymberly

Kymberly estava em seu quarto ano no Westmont College, em Santa Barbara, Califórnia, empenhando-se para graduar-se em comunicação e artes, quando passou a sentir desconforto abdominal e pressão na bexiga. Ela consultou o médico do campus, que diagnosticou uma infecção da bexiga e lhe receitou alguns antibióticos. Mas a condição de Kymberly piorou. Ela sofria dores abdominais crescentes, náuseas e vômitos.

Quando se deitava, ela podia sentir uma massa na parte inferior de seu abdome. Isso, obviamente, a aterrorizou e ela voltou de imediato ao médico do campus. Ao reexaminá-la, ele identificou uma massa do tamanho de uma uva. Fez um teste sangüíneo chamado de *CA 125*, um avaliador de câncer ginecológico e intestinal. O índice de Kymberly era extremamente alto, e uma cirurgia foi agendada em caráter de urgência.

Com 21 anos, Kymberly tinha câncer do ovário. Por ser essa uma doença incomum em uma mulher tão jovem, o diagnóstico pegou de surpresa tanto ela como sua família. Após a operação, o cirurgião mostrou-se confiante de que removera todo o câncer. De qualquer maneira, ele quis tomar todas as precauções possíveis, e pediu a Kymberly que visitasse o oncologista. Seu oncologista insistiu em que ela se submetesse a alguma quimioterapia pesada, sobretudo em razão de sua pouca idade — ela tinha ainda uma vida longa à sua frente.

Foi por volta dessa época que Kymberly me consultou. Queria saber mais sobre a suplementação nutricional durante tais tratamentos. Ela deu início a um programa agressivo de suplementação nutricional e agendou sua quimioterapia. Kymberly não queria desistir da faculdade, muito embora seus médicos a exortassem firmemente a isso. Era uma aluna disposta a dar o melhor de si e agendou, assim, seu tratamento quimioterapêutico em Santa Barbara, onde poderia continuar a freqüentar as aulas, se possível.

A jovem estudante de comunicações reagiu muito bem ao tratamento. Ela conseguiu freqüentar todas as disciplinas na faculdade. Seu oncologista e seu cirurgião comentavam não somente sua ótima aparência como sua boa tolerância ao tratamento. Ela perdeu, sim, seus cabelos, mas não perdeu muitas aulas. Próximo ao final do tratamento, seu oncologista a abordou e lhe perguntou de forma direta: "O que você está tomando?"

Encarando-o, ela replicou: "Como assim?"

Ele disse: "Sei que você está tomando alguma coisa, porque meus outros pacientes estão ali vomitando, mas você está aqui lendo a revista *Time*".

Quando ela lhe falou dos suplementos nutricionais que vinha experimentando, ele ficou impressionado. Ela não só tolerara o tratamento como *reagira* a ele muito bem.

Kymberly continua a melhorar. Faz mais de 3 anos que ela concluiu sua quimioterapia. Seus cabelos cresceram esplendidamente e ela vem aproveitando a vida. Seus índices de CA 125 no sangue continuam normais, e ela agora os verifica somente duas vezes por ano. Kymberly não tem nenhum sinal de recorrência de seu câncer.

Por Que Eles Funcionam

Oncologistas e radioterapeutas costumam desestimular o uso de antioxidantes em pacientes que recebem tratamento para câncer. Por quê? Os médicos receiam que os suplementos antioxidantes fortaleçam o sistema de defesa antioxidante das células cancerígenas e, como conseqüência, tornem seu tratamento menos eficaz, já que esse envolve primariamente a destruição das células cancerígenas pelo estresse oxidativo. Esse é um receio sensato. Mas a literatura médica não sustenta tal posição.

Os doutores Kedar Prasad e Arun Kumar, assim como seus colegas do Departamento de Radiologia da Faculdade de Medicina da Universidade do Colorado, avaliaram mais de setenta estudos para dar conta desses receios. Eles intitularam seu relatório "Altas Doses de Múltiplas Vitaminas Antioxidantes: Ingredientes Essenciais para Aumentar a Eficácia da Terapia-Padrão do Câncer", e esse apareceu no *Journal of the American College of Nutrition*. No relatório, os doutores Prasad e Kumar mencionaram uns poucos estudos esparsos que apontavam efeitos negativos do uso de *um* nutriente na suplementação com certos tratamentos quimioterápicos. Quando *altas doses de múltiplos antioxidantes* eram usadas juntas, contudo, as terapias eram favorecidas.[22] Por que, afinal, isso ocorria?

Antioxidantes Ajudam a Destruir Células Cancerígenas

Pesquisas clínicas vêm revelando que as células cancerígenas absorvem antioxidantes de maneira diversa das células normais. Células sadias e normais consomem apenas a quantidade necessária de antioxidantes e nutrientes de apoio. Esse é um fato científico de grande importância quando se trata dos princípios da nutrição celular.

Células cancerígenas, por outro lado, continuam a absorver antioxidantes e nutrientes de apoio sem saber quando parar. Essa ingestão excessiva de antioxidantes as torna, na verdade, mais vulneráveis à morte. Os antioxidantes não somente ajudam na batalha contra as células cancerígenas como contribuem para a defesa das células saudáveis frente aos efeitos nocivos da radiação e da quimioterapia.

Os Antioxidantes Ajudam as Células Boas

É do conhecimento geral que quase todos os efeitos colaterais nocivos da quimioterapia e da radioterapia sobre as células normais resultam do aumento de estresse oxidativo que esses tratamentos geram no interior do corpo. O que não é do conhecimento geral, contudo, é que, quando o paciente toma altas doses de suplementos antioxidantes, ele melhora o sistema de defesa das células normais, uma vez que elas os absorvem normalmente. Isso gera uma situação de vencer ou vencer. A quimioterapia e a radioterapia podem funcionar de modo pleno, ao mesmo tempo em que os terríveis efeitos colaterais e danos que acometem as células saudáveis são significativamente reduzidos.

A vitamina E protege contra os danos causados por diversos agentes quimioterápicos aos pulmões, ao fígado, aos rins, ao coração e à pele. Demonstrou-se que a CoQ10 protege dos danos que a droga Adriamicina causa em longo prazo ao coração. O betacaroteno e a vitamina A reduzem os efeitos adversos da radiação e de certos agentes quimioterápicos. Já se demonstrou que todos esses antioxidantes ajudam a evitar os danos que esses tratamentos podem infligir ao DNA das células normais.

A História de Michelle

Michelle era uma criança bonita e vibrante de 4 anos. Seu mundo era repleto de amor e sorrisos. Parecia que nada poderia penetrar o porto seguro de sua família. Mas a vida despreocupada de Michelle mudou. Os médicos descobriram que o desconforto que ela sentia nas costas e no abdome originava-se de um câncer agressivo chamado *neuroblastoma*. A família ficou arrasada.

Michelle submeteu-se a uma cirurgia exploratória pouco depois do diagnóstico. Quando o cirurgião saiu da sala de operação, a família pôde ver em seu rosto que as notícias não eram boas. Ele os informou de que o tumor de Michelle se havia espalhado, estendendo-se até próximo a seu diafragma e tendo-se instalado à volta do intestino e da grande veia em seu abdome. Não havia meios de removê-lo.

Antes mesmo de Michelle recuperar-se de sua cirurgia exploratória, a equipe de oncologia submeteu-a a uma agressiva quimioterapia, sem grande otimismo quanto a suas chances de viver muito tempo. Foi então que a mãe de Michelle me consultou. Ela queria fazer todo o possível para proteger sua filha dos possíveis efeitos colaterais dos tratamentos que os médicos recomendavam.

Iniciamos um programa agressivo de suplementação nutricional com Michelle, sem embargo das objeções de seu médico. Michelle era uma guerreira, e tomou seus suplementos fielmente. Seu tratamento teve início, e ela batalhou para superá-lo. Ficou, é certo, muito doente, mesmo tomando os suplementos. Como o tratamento era incomumente forte, houve receios muito sérios de que ela não sobrevivesse. Mas a corajosa e pequena Michelle sobreviveu, e o tumor regrediu significativamente.

A reação de Michelle estimulou, de tal modo, seus médicos que eles quiseram reconduzi-la à sala cirúrgica para ver se conseguiriam remover o tumor. Dessa vez o cirurgião deixou a sala de operações com um sorriso no rosto. Ele disse acreditar que seria possível remover o tumor por inteiro. A oncologista disse aos pais de Michelle que a reação dela à quimioterapia não poderia ter sido melhor.

Mas a jornada de Michelle não estava encerrada. Os médicos ainda queriam que ela se submetesse a um transplante de medula óssea, para assegurar que até os vestígios microscópicos do câncer houvessem sido removidos. A família defrontou-se com outra decisão difícil. Eles consideraram cuidadosamente todas as informações que puderam reunir e, com base nelas, o pai de Michelle disse à oncologista que consentiriam no transplante de medula. A médica poderia realizá-lo, com uma única condição: os pais de Michelle insistiram em que ela tomasse suplementos nutricionais durante o transplante.

A princípio a oncologista recusou-se. Ela acreditava que os suplementos nutricionais cerceariam a eficácia de seu tratamento. Quando o pai de Michelle perguntou à médica se ela possuía estudos na literatura médica que sustentassem sua preocupação, ela replicou: "Não, mas essa é uma questão teórica".

Então o pai de Michelle, que era também médico de pronto-socorro, contou que a menina estivera tomando suplementos durante todo o tratamento anterior. Ela não somente sobrevivera ao tratamento como apresentara uma reação excepcional. O pai de Michelle deixou claro que ele e sua esposa insistiam em que a filha mantivesse os suplementos enquanto se submetesse ao transplante de medula óssea.

A oncologista concordou em pedir ao farmacologista de oncologia que investigasse os suplementos que Michelle vinha tomando, para certificar-se de que não haveria conflitos com os medicamentos. Depois de pesquisas extensivas do farmacologista, todos concordaram em que Michelle poderia, afinal, tomar suplementos durante o transplante de medula. O procedimento foi difícil, mas ela sobreviveu e se recuperou. Na verdade, a oncologista disse aos pais que nunca vira criança alguma recuperar-se tão rápido de tal procedimento. Sua obstinação bem valera o esforço.

Michelle e sua mãe rezaram muitas vezes durante aqueles meses difíceis, pedindo que, ao fazer 5 anos, a menina pudesse entrar no jardim da infância com seus amigos. E Michelle estava forte o bastante para enfrentar seu primeiro dia de jardim da infância. Passaram-se mais de 3 anos desde seu diagnóstico de câncer. Com 7 anos, Michelle está ocupada andando de bicicleta, pulando corda e mantendo-se em dia com a moda e com as muitas coleguinhas.

• • •

A medicina nutricional nos oferece a maior esperança em nossa luta contra o câncer e diversas outras doenças degenerativas. Ela não somente ajuda a prevenir o câncer como pode até mesmo ajudar na quimioterapia e na radioterapia. Como poderia ser ruim o processo de fortalecer a defesa natural do corpo? Os médicos não deviam desejar que seus pacientes estivessem o mais sadios possível, já que o tratamento do câncer os submeterá à maior prova que jamais enfrentarão na vida?

Os antioxidantes naturais e seus nutrientes de apoio são agentes quimiopreventivos ideais, por muitas razões. Eles:

- limitam e mesmo evitam os danos causados pelos radicais livres ao núcleo de DNA da célula;
- proporcionam os nutrientes adequados para que o corpo repare quaisquer danos já ocorridos;
- são seguros e podem ser tomados a vida toda (as drogas farmacêuticas não partilham dessa vantagem — o tamoxifeno, que mostrou reduzir o risco de câncer da mama, tem efeitos colaterais muito sérios);
- são relativamente baratos (os nutrientes que recomendo para a prevenção custam entre US$ 1,00 e US$ 1,50 por dia);

- oferecem a melhor defesa contra novos avanços do câncer;
- protegem o corpo contra o estresse oxidativo gerado pela quimioterapia e pela radiação;
- aumentam a capacidade da quimioterapia e da radiação para combater o câncer;
- inibem a replicação e o crescimento do câncer;
- demonstraram ser capazes de fazer o tumor regredir em alguns casos.[23]

Não podemos negar que a eficiência dos tratamentos tradicionais contra o câncer atingiram um bom patamar. Oncologistas e radioterapeutas devem ter a mente mais aberta no que se refere ao uso de antioxidantes em seus pacientes. Com pesquisadores considerando seriamente o uso de múltiplos antioxidantes em níveis otimizados, a prevenção e o tratamento do câncer podem passar por uma revolução. Enquanto isso, as pesquisas atualmente disponíveis favorecem o uso de antioxidantes em todos os estádios da quimioprevenção e da terapia do câncer.

NOVE | O Estresse Oxidativo e Seus Olhos

Nada era capaz de desanimar Mavis. Depois de perder o marido, muitos anos antes, ela se tornou durona e independente. Adorava viajar e saía sozinha sem o menor sinal de hesitação. Mavis sabia o que era viver.

Não, nada era capaz de desanimar Mavis... exceto o medo sombrio da cegueira iminente. Em 1983, Mavis, que adorava ver relâmpagos rompendo o céu da noite, que conseguia perceber diferenças sutis na paisagem aparentemente sem-fim das pradarias abertas, notou que estava tendo dificuldades com a visão. Como sua vista não melhorasse, ela concluiu ser hora de ir ao centro da cidade visitar o oftalmologista local.

Naquele dia ele lhe apresentou o diagnóstico de degeneração macular. E tudo pareceu arrastar-se como em câmera lenta enquanto ela voltava para o carro.

Embora Mavis não conhecesse seu problema específico, ela sabia que tinha de usar a visão que lhe restava — e o tempo estava se esgotando. Ela se atualizou lendo tudo o que pôde sobre sua doença. Se *houvesse* uma solução, Mavis a encontraria.

Mas o que lera não era nada bom. Os livros diziam que os médicos não poderiam fazer nada por ela, exceto ver sua vista deteriorar-se. E foi exatamente isso o que ocorreu.

Durante os 14 anos seguintes, a vista de Mavis continuou a declinar. A princípio ela teve de parar de dirigir à noite. Depois descobriu que dirigir no inverno tornara-se igualmente impossível, pois os céus cinzentos mesclavam-se à estrada. Os invernos duram muito na Dakota do Sul.

O velho Chevy ficou parado no acostamento. Mas a mesma determinação briosa que guiara Mavis em muitas nevascas a levou a encontrar soluções. Em um dia de abril de 1997, meu telefone soou e Mavis falou. Ela ligou para o lugar certo. Depois de compartilhar com a mulher da Dakota do Sul tudo o que o presente capítulo diz sobre degeneração macular, expus-lhe as doses recomendadas de suplementos nutricionais. Mavis começou a tomar um potente tablete mineral e antioxidante, além de altas doses de extrato de sementes de uva.

Passados poucos meses, a vista de Mavis começou a melhorar. Sua visão ficava mais clara e, mesmo à noite, ela enxergava melhor. Ela ficou muito animada em sua visita posterior ao oftalmologista, pois este lhe confirmou as boas notícias. Na verdade, sua visão aquele dia estava no mesmo nível de 1991 — 6 anos antes!

O velho carro já não ficava no acostamento. Mavis tinha lugares para visitar — coisas para ver. Dirigir no inverno e à noite ainda a preocupavam, mas o antigo e persistente receio de perder a vista já não a desalentava. Essa mulher obstinada, que sabia como viver, voltou a contemplar com prazer o imenso céu noturno e as pradarias abertas, até que o Senhor a tomou para si no outono de 2001.

Os Problemas Que os Olhos Têm

O papel do estresse oxidativo como causa de mudanças degenerativas nos olhos gerou grande interesse no uso de vitaminas e minerais antioxidantes como meios de prevenir ou mesmo tratar doenças oftálmicas ligadas à idade. Nada menos do que seis estudos clínicos multicêntricos de grande porte vêm sendo realizados para analisar cuidadosamente o uso de diversos suplementos nutricionais nas doenças a seguir.[1]

Catarata

A cirurgia de catarata é o procedimento cirúrgico mais comum entre pacientes acima dos 60 anos. Seu impacto econômico no sistema de saúde norte-americano é tremendo. Nos Estados Unidos, os cirurgiões oftalmologistas realizam 1,3 milhão de cirurgias de catarata por ano, com um custo total de mais de *US$ 3,5 bilhões*. Estimou-se que um atraso de 10 anos no desenvolvimento de catarata na população americana eliminaria a necessidade de cerca de metade dessas cirurgias.[2]

O cristalino dos olhos coleta e concentra a luz na retina. Para desempenhar bem sua função, ele deve permanecer límpido durante toda nossa vida. Conforme envelhecemos, diversos componentes do cristalino podem ser danificados e a opacidade pode sobrevir, levando à catarata senil.

Pesquisadores médicos acreditam ser essencial determinar se o fornecimento de níveis adequados de nutrientes antioxidantes aos olhos *durante a juventude* podem preservar o funcionamento do cristalino, protegendo-o da formação de catarata. Estudos básicos sustentam a teoria de que os radicais livres são, uma vez mais, os culpados; eles surgem das lesões causadas pelos raios solares ultravioletas, e provocam a catarata.[3]

Os antioxidantes naturais que o corpo produz (a glutationa peroxidase, a catalase e o superóxido dismutase) constituem o sistema primário de defesa dos olhos. Mas pesquisadores perceberam que o sistema *natural* de defesa antioxidante não basta para proteger totalmente os olhos. Na verdade, diversos estudos clínicos consideraram a possibilidade de que quantidades maiores de antioxidantes dietéticos e suplementares possam ser uma proteção contra danos oxidativos ao cristalino.[4]

Antioxidantes descobertos no fluido à volta do cristalino são fundamentais para proteger o cristalino em si. Assim, o desenvolvimento da catarata ocorre em um ritmo muito mais acelerado se tal fluido contiver índices baixos de antioxidantes adicionais. O antioxidante mais importante nesse fluido é a vitamina C. Ela é solúvel em água e existe em alta concentração ao redor do cristalino. Outros antioxidantes encontrados nesse fluido são a vitamina E, o ácido alfalipóico e o betacaroteno.

Diversos estudos epidemiológicos demonstraram a associação entre o nível de vitamina C, vitamina E e betacaroteno e o risco de desenvolvimento de catarata. Um estudo de caso-controle na Finlândia mostrou que indivíduos com os níveis mais baixos de vitamina E e betacaroteno tinham de quatro a cinco vezes mais chances de requerer cirurgia de catarata.[5] Outro estudo demonstrou que os indivíduos que ingeriam vitaminas suplementares tinham um risco no mínimo 50% menor de desenvolver catarata.[6]

Há boas evidências médicas de que a proteção antioxidante natural de seus olhos se reduz significativamente com a idade. Muitos estudos clínicos diferentes proporcionam evidências de que as pessoas que ingerem vários suplementos antioxidantes protegem os olhos ao longo do envelhecimento. Pesquisadores descobriram que, quanto mais alto o nível de vitamina C no fluido aquoso em torno dos olhos, maior a proteção contra a formação de catarata.[7] Demonstrou-se que o ácido alfalipóico, em razão de seu efeito sinergético, intensifica a ação de todos esses antioxidantes na proteção do cristalino. Estudos clínicos recentes também revelam que tanto o ácido alfalipóico como a vitamina C têm a capacidade de regenerar a glutationa intracelular, de modo que esta possa ser usada repetidas vezes.[8]

Só espero que, nos próximos anos, todos os médicos recomendem antioxidantes como meio de proteção contra catarata. Conforme os estudos clínicos começarem a revelar suas descobertas, saberemos mais sobre antioxidantes específicos e seus níveis suplementares. Mas acredito que já existam evidências suficientes *agora* para autorizar a recomendação de suplementos antioxidantes aos pacientes, como método relativamente barato de reduzir essa alta incidência de formação de catarata.

Degeneração Macular

Nos Estados Unidos, a degeneração macular relacionada à idade (DMRI) é a principal causa de cegueira entre pessoas com mais 60 anos de idade.[9] Para os que não conhecem essa doença, trata-se da deterioração de uma parte fundamental da retina chamada de *mácula*.

É nela que se localiza a maior concentração de fotorreceptores, e é ela a área responsável pela visão central. Quando essa área dos olhos começa a declinar, perdemos essencialmente a visão central, a parte mais importante de nosso campo visual. Se um indivíduo com DMRI encarar você de frente, ele não verá seu rosto, mas conseguirá enxergar coisas à sua volta. Em outras palavras, a visão periférica permanece intacta.

A degeneração macular se apresenta sob duas modalidades diferentes: úmida e seca. Dos casos, 90% são da modalidade seca, em que a visão central se reduz gradualmente, podendo converter-se na modalidade úmida em cerca de 10% dos casos.[10] Não existe atualmente nenhum tratamento comprovado para a modalidade seca de degeneração macular.

A modalidade úmida causa uma redução mais rápida da visão central, o desenvolvimento de novos vasos e o possível vazamento vascular. Ela é potencialmente tratável por meio de fotocoagulação a laser. Esse tratamento tenta reduzir a produção de novos vasos — os quais causam inchaços (edemas) e vazamentos ou sangramentos que escoam para a retina — e estancar o sangramento que daí pode advir. A cegueira, contudo, costuma seguir-se pouco tempo depois.

A Prevent Blindness America estima que 14 milhões de norte-americanos têm indícios de DMRI. O Estudo Beaver Dam Eye[11] declara que nos EUA 30% das pessoas com mais de 75 anos têm DMRI, e, dos 70% restantes, 23% a desenvolverão dentro de 5 anos.

Mecanismo de Lesão da Retina

Nos últimos anos, pesquisadores fizeram proposições interessantes acerca da verdadeira causa da degeneração macular relacionada à idade (DMRI). Essas teorias sugerem que a luz que penetra o olho e se foca na mácula da retina causa uma significativa produção de radicais livres no lado exterior desses fotorreceptores. Uma vez mais, se não houver antioxidantes disponíveis para neutralizar de imediato os radicais livres, esses podem causar danos aos fotorreceptores. Essa forma de estresse oxidativo também causa danos comprovados à alta concentração de gorduras poliinsaturadas (PUFAs – PoliUnsaturated Fatty Acids) na retina exterior e nos fotorreceptores.

A exemplo do que ocorre com os danos oxidativos causados pelo colesterol LDL, as PUFAs oxidadas e lesadas provocam a formação de lipofuscina — um agrupamento de produtos lipídios e protéicos reunidos no epitélio pigmentar retiniano. A lipofuscina agrava o estresse oxidativo da retina, e pesquisadores acreditam ser essa a verdadeira causa da avaria e destruição desses sensíveis fotorreceptores.

Essas substâncias tóxicas podem se acumular nas células do epitélio pigmentar e são finalmente excretadas na forma de drusas. A formação de drusas é um dos primeiros sinais, para um oftalmologista, de que o paciente está desenvolvendo DMRI. Conforme as drusas se acumulam entre as células pigmentares e seu suprimento de sangue, elas bloqueiam a troca de nutrientes e as células fotorreceptoras já não têm como funcionar, o que faz surgir uma área de cegueira.

continua...

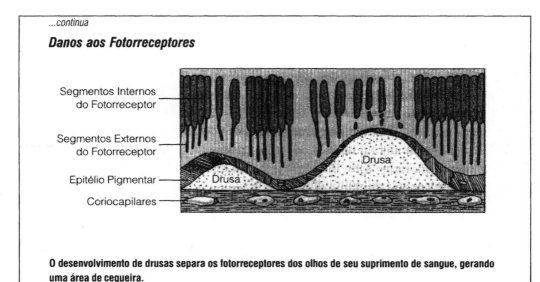

Danos aos Fotorreceptores

O desenvolvimento de drusas separa os fotorreceptores dos olhos de seu suprimento de sangue, gerando uma área de cegueira.

A Geração de Radicais Livres na Retina

Como observei, quando o pigmento retiniano e os fotorreceptores absorvem a luz, o processo produz radicais livres. A luz ultravioleta de alta energia e a luz azul visível são especialmente capazes de produzir radicais livres nocivos na retina ocular. Como você talvez deduza, pacientes expostos a essa luz de alta energia, durante períodos prolongados, correm um risco consideravelmente maior de desenvolver DMRI. Estudos sugerem que, conforme envelhecemos, os sistemas de defesa antioxidante que nos protegem dos radicais livres gerados pelas ondas luminosas de alta energia declinam significativamente.[12] Isso prejudica, como é óbvio, o equilíbrio que nosso corpo estabelece entre antioxidantes e radicais livres, provocando danos crescentes na retina dos olhos.

Diversos estudos demonstraram que pessoas com degeneração macular têm níveis reduzidos de zinco, selênio, vitamina C, carotenóides e vitamina E, em comparação com pessoas livres da doença.[13] Estudos clínicos examinaram os efeitos da suplementação de nutrientes isolados para verificar se esses poderiam aliviar a DMRI ou retardar seu desenvolvimento. Segue-se uma compilação condensada dos resultados.

Carotenóides

"Ora, Ray, coma suas cenouras. Elas são boas para a vista." Ainda posso ouvir minha mãe incentivando-me a comer as cenouras com creme antes de sair da mesa para brincar.

Seus pais também já lhe disseram que comesse cenouras? Os médicos acreditavam então que o betacaroteno presente nelas fosse necessário à vista saudável e à visão noturna. Isso é, de certo modo, verdadeiro, mas o betacaroteno é apenas um dentre vários carotenóides importantes que se encontram no corpo. Na verdade é mais importante comer milho, verduras e couve, pois esses, sim, contêm em grande quantidade os carotenóides chamados *luteína* e *zeaxantina*.

Como são amarelas, a luteína e a zeaxantina absorvem com eficácia a parte azul da luz visível. A luz azul é a luz de alta energia mais capaz de prejudicar o cristalino e a retina ocular. Quando esses dois nutrientes estão presentes no cristalino e na mácula, nossos olhos absorvem a luz azul e minimizam o estresse oxidativo. Eles agem essencialmente como óculos de sol internos; eliminam a luz danosa de alta energia e reduzem o número de radicais livres produzidos pelas células fotorreceptoras. Esses nutrientes são também antioxidantes muito potentes e, como tais, capazes de ajudar a neutralizar quaisquer radicais livres que surgirem nessa região dos olhos.

Estudos Mostram Como a Luteína Ajuda a Proteger os Olhos

Pacientes que tomaram luteína e zeaxantina em suplementação não somente conseguiram elevar o nível desses nutrientes no sangue como também aumentaram consideravelmente sua incidência dentro dos olhos. O pigmento macular, que protege a retina de lesões, aumentou entre 20% e 40% nesses estudos, enquanto a luz azul transmitida aos fotorreceptores maculares e ao pigmento macular reduziu-se em cerca de 40%.[14]

O *Journal of the American Medical Association* declarou, em sua edição de 9 de novembro de 1994, que os pacientes com a maior incidência dos dois nutrientes amarelos (a luteína e a zeaxantina) em sua dieta tinham um risco de desenvolver DMRI 43% menor do que o dos pacientes com a menor incidência. O interessante é que esses benefícios não foram constatados no caso de pacientes com altos níveis de betacaroteno. A luteína e a zeaxantina são os únicos carotenóides depositados especificamente na mácula dos olhos.[15] Embora o betacaroteno encontrado nas cenouras com creme seja saudável para o consumo, ele não reduz o risco de DMRI. Talvez minha mãe quisesse dizer simplesmente: "Coma seus carotenóides".

Vitamina C

Pessoas com baixos níveis de vitamina C têm maior risco de desenvolver DMRI. A vitamina C encontra-se em alta concentração no fluido dos olhos (o humor aquoso), e é um antioxidante muito importante para a retina. Estudos indicam que a suplementação com vitamina C pode retardar a progressão de DMRI. A vitamina C também tem a capacidade de regenerar tanto a vitamina E como o potente antioxidante intracelular glutationa.[16]

Vitamina E

Pacientes de DMRI têm níveis reduzidos de vitamina E na área da mácula, onde a luz de alta energia produz radicais livres em demasia, os quais danificam os fotorreceptores. Muito embora a vitamina E não seja o antioxidante mais importante dentro dos olhos, ela é ainda um agente fundamental. Quando ingere vitamina E em suplementação, o paciente pode proteger-se do desenvolvimento da DMRI.[17]

Coenzima Q10

A esta altura você já estará familiarizado com a CoQ10, graças à discussão sobre miocardiopatia no Capítulo 7. A CoQ10 é um antioxidante potente e solúvel em gordura. Descobriu-se ser esse nutriente um grande protetor das gorduras por todo o corpo. A retina dos olhos, composta em grande parte por gordura, não é exceção. Pacientes com DMRI apresentam quantidades bastante deficientes de CoQ10. Os pacientes com níveis normais desta coenzima têm maior capacidade para resistir aos danos oxidativos que o excesso de radicais livres pode causar.[18] A CoQ10 é nova nos estudos sobre DMRI, e seus efeitos parecem promissores.

Glutationa

A glutationa é um antioxidante muito potente encontrado em todas as células do corpo. Ela é fundamental sobretudo no cristalino dos olhos, bem como nas células pigmentares e fotorreceptoras da retina. Estudos clínicos demonstraram que, conforme envelhecemos, o nível de glutationa declina. Esse é um fato que devemos levar em conta quando consideramos a incidência maior de doenças oculares durante o envelhecimento. Diversos estudos buscaram meios de aumentar o nível desse antioxidante crucial no cristalino e na retina.

Entre os pesquisadores, um fato bem conhecido é o de que nosso corpo absorve pouca glutationa oralmente; elevar os níveis celulares de glutationa por esse método é quase impossível.[19] A melhor maneira de aumentar a quantidade intracelular de glutationa é fornecer os nutrientes de que o corpo necessita para produzi-la por si mesmo. Lembre-se de que a glutationa peroxidase é um dos sistemas naturais de defesa antioxidante criados pelo corpo. Os nutrientes necessários para que o organismo elabore sua mais eficaz defesa natural são o selênio, a vitamina B6, a N-acetil L-cisteína e a niacina.

Conforme for conhecendo melhor a nutrição celular, você começará a perceber a importância de fornecer às células estes nutrientes primordiais. Nesse caso, o ácido alfa-lipóico e a vitamina C são também fundamentais, pois ambos têm a capacidade de regenerar a glutationa. Como é difícil aumentar os níveis de glutationa dentro da célula, tais nutrientes devem estar presentes também como suplementação, de modo que a glutationa possa ser usada por repetidas vezes.

Pesquisadores demonstraram que, quando as células pigmentares retinianas e as células receptoras contêm níveis otimizados de antioxidantes, elas são muito mais capazes de se proteger do dano oxidativo. O cristalino também fica mais protegido de lesões oxidativas quando os níveis de glutationa são mais elevados.[20]

Zinco e Selênio

O zinco e o selênio são minerais importantes e necessários a nosso sistema antioxidante. O zinco é fundamental para o funcionamento de nosso sistema de defesa antioxidante por catalase, e o selênio é necessário ao sistema de glutationa peroxidase. Estes dois sistemas defensivos são essenciais na batalha contra os radicais livres produzidos nos olhos. Se o zinco e o selênio não estiverem disponíveis em quantidades adequadas, eles não funcionarão em seu nível máximo. Muitos estudos vêm mostrando que, quando se suplementam esses minerais, especialmente o zinco, a DMRI pode estabilizar-se e até melhorar.[21]

A História de Faye

Uma de minhas pacientes de longa data veio acompanhar o marido em um exame de rotina. Durante a visita, Faye revelou-me que acabara de saber que tinha degeneração macular.

Viajando para o Texas para ver a família, ela se deu conta de que não enxergava nada distintamente. Limpava continuamente seus óculos e os punha de novo, só para constatar que ainda não enxergava direito. Concluiu, então, ser hora de mudar o grau de seus óculos. Chegando em casa, de imediato ela foi visitar o oculista local, que não descobriu nada de errado em seu caso.

Mas a vista de Faye piorava. Quando ia à igreja, ela não distinguia o rosto dos coristas. Preocupada, marcou uma consulta com um oftalmologista local, especializado em doenças da retina. Ele a examinou e, imediatamente, apresentou-lhe o diagnóstico de degeneração macular. Faye já havia perdido boa parte da visão do olho esquerdo, e o médico a fez saber que a sua era a modalidade úmida de degeneração macular. Ele teria de acompanhá-la de perto, para o caso de ela requerer tratamento a laser.

Expliquei a Faye as pesquisas que fizera no campo da degeneração macular e o modo como diversos de meus pacientes obtinham melhorias de visão tomando suplementos nutricionais. Ela quis, evidentemente, tentar e eu a submeti ao programa suplementar descrito no Capítulo 17.

Em dois meses Faye participou-me que sua vista melhorara bastante e até se aproximava do normal. Ela conseguia enxergar todos os rostos no coral.

Esta história ocorreu há 5 anos, e Faye continua a tomar os suplementos nutricionais. Sua vista permaneceu basicamente estável. Faye continua visitando seu oftalmologista de meses em meses, mas não precisou de nenhuma cirurgia a laser até o momento. Seus médicos lhe dizem que seus olhos estão lindos.

Protegendo Seus Olhos da Catarata e da Degeneração Macular Relacionada à Idade

Compartilhei com você um bocado de informações técnicas. Mas só o fiz para que você conhecesse as evidências médicas necessárias para tomar sua importante decisão quanto aos suplementos nutricionais e à prevenção de doenças oculares. Essas recomendações também se aplicam aos que já possuem catarata ou degeneração macular e desejam retardar o processo. Mas prevejo que você se perguntará: *Como isso tudo funciona na prática?*

Em minha prática clínica sou notadamente agressivo com meus pacientes de degeneração macular, pois quero verificar se podemos reverter parte do dano causado pelo estresse oxidativo. Estive pessoalmente acompanhando mais de uma dúzia de pacientes cujos oftalmologistas documentaram melhorias visuais após a adoção dessas recomendações.

Em primeiro lugar, é fundamental que todos protejamos nossos olhos dos nocivos raios solares de alta energia, que são a causa oculta do estresse oxidativo dos olhos. Em um jovem saudável, a córnea e o cristalino, que protegem a retina, absorvem a maior parte desta luz ultravioleta, mas não bloqueiam nem absorvem a luz azul visível, também de alta energia. Conforme envelhecemos, o cristalino deixa passar cada vez mais a luz ultravioleta, deixando de proteger a retina dessa ameaça.

Quando se trata de proteger os olhos, o inimigo é a luz solar. É muito importante que reduzamos a quantidade de estresse oxidativo que nosso corpo precisa combater. Comprar óculos escuros de alta qualidade, que bloqueiem totalmente a luz ultravioleta e a luz azul visível, será de fato um ótimo investimento. Com isso, você não terá de neutralizar tantos radicais livres.

Estudos clínicos sobre os olhos indicam que, quando o sistema defensivo antioxidante fica sobrecarregado, tudo vem abaixo e dá lugar ao estresse oxidativo. Todos precisamos tomar mais cuidado protegendo nossos olhos e nosso rosto da luz solar direta. Pessoas que trabalham externamente, ou que se envolvem em esportes e atividades durante os quais se expõem à luz solar intensa, devem usar óculos protetores *sempre* que estiverem a descoberto.

A outra metade da equação é, uma vez mais, equipar o sistema de defesa antioxidante de nosso corpo. Diversos estudos demonstraram que podemos fazê-lo pela ingestão de suplementos nutricionais. Em um estudo específico, 192 pacientes com degeneração macular tomaram antioxidantes comparados com 61 pacientes-controle que não tomaram. Passados seis meses, 87,5% dos pacientes da suplementação tinham acuidade visual igual ou melhor do que no início do estudo. Somente 59% do grupo sem suplementação conseguiu obter esse resultado.[22]

Volto a dizer que indicarei, no Capítulo 17, os antioxidantes a serem tomados.

• • •

Dois anos atrás, um dos oftalmologistas da cidade abordou-me no estacionamento de um restaurante. Ele perguntou: "Que coisa nutricional é essa que você recomenda a seus pacientes de degeneração macular? Acabo de ver uma senhora em meu consultório cuja visão melhorou de 20:100 para 20:40 nos dois olhos. Eu nunca tinha visto isso em pacientes de degeneração macular."

Expliquei sucintamente os conceitos apresentados neste capítulo.

Pondo seus óculos de sol, o oftalmologista abriu a porta do carro. Com uma piscada e um sorriso, ele disse: "Pode ajudar quantos pacientes de degeneração macular quiser, mas não ajude os de catarata. Sempre podemos operá-los."

Eu sabia que ele estava somente brincando, e apreciei seu interesse genuíno nos suplementos nutricionais. Como há pouca dúvida de que a causa oculta da catarata e da degeneração macular seja o estresse oxidativo, acredito que devemos ser, sim, agressivos em nosso programa de suplementação. Afinal de contas, não existe nenhum tratamento eficaz para a DMRI, e muitos pacientes podem evitar a necessidade de cirurgia de catarata. Como uma solução tão simples poderia ter resultados melhores?

DEZ | Doenças Auto-Imunes

SENDO O MAIS JOVEM DE SEIS IRMÃOS, MARK TINHA DE SER DURÃO PARA ACOMPAnhar os demais. Era um rapazinho saudável que adorava tudo o que se relacionasse com jogos de bola e uma pitada de competição. Ele praticava diversos esportes, mas o futebol sempre foi seu favorito.

Um dia, quando tinha 12 anos, Mark estava correndo vigorosamente com a bola quando começou a sentir cãibras. Logo estava prostrado com dores no estômago. As cãibras continuaram a agravar-se durante os dias seguintes, acompanhadas de diarréia e vômitos. Como Mark não reagisse a nenhum dos medicamentos indicados pelo balconista da farmácia, seus pais finalmente o levaram para o pronto-socorro, onde ele recebeu o diagnóstico de apendicite. Depois de uma rápida cirurgia e convalescença, Mark recebeu alta do hospital.

Ele não se demorou em casa. Voltou ao hospital em 24 horas, devido a crescentes dores abdominais, diarréia com sangue e vômitos. Mark estava muito mais doente do que antes da operação.

O jovem foi reinternado no hospital; todavia, os médicos locais estavam perplexos. Enviaram Mark ao departamento de gastroenterologia pediátrica no Centro Médico da Universidade de Loma Linda; lá os médicos o internaram de imediato na unidade pediátrica de terapia intensiva. Realizaram uma colonoscopia no dia seguinte e fizeram várias biópsias de seu intestino delgado e de seu cólon.

O que os pais de Mark viram no monitor durante o procedimento os deixou tomados de incredulidade. Mais tarde me contaram que o revestimento do intestino de Mark parecia um pavimento de paralelepípedos. Os médicos de Loma Linda concluíram que Mark tinha uma desordem auto-imune chamada *doença de Crohn*, bem como uma infecção bacteriana secundária por um microorganismo chamado C. *difficile*.

Doenças Auto-Imunes

Mark sentia grande dor e desconforto, como você pode imaginar — uma dura prova para um garoto! Seus médicos prescreveram-lhe imediatamente 200 mg de prednisona, bem como antibióticos e analgésicos narcóticos. Eles consultaram os cirurgiões, e teve início um debate de recorrência diária sobre extrair ou não uma grande parte do intestino de Mark. Mas optaram por esperar e observar o progresso do menino durante as semanas seguintes.

Mark melhorou pouco a pouco, e uma nova colonoscopia mostrou que a infecção se havia sanado. Isso tornou mais visível a típica aparência ulcerosa da doença de Crohn. Os médicos se reuniram com os pais e os informaram de que essa era uma doença auto-imune incurável. Explicaram que, por alguma razão, o sistema imunológico de Mark começara a atacar seu próprio intestino, provocando uma inflamação e uma destruição tremendas. A equipe de médicos queriam submeter Mark a uma droga quimioterapêutica chamada Imuran, muito embora ele viesse tomando doses altíssimas de prednisona e analgésicos narcóticos. Mark começou a tomar o Imuran, e depois de seis semanas de hospitalização recebeu encantado sua alta.

Uma vez mais sua permanência em casa foi breve e, uma semana depois, ele vinha sentindo tamanha dor abdominal que teve de ser reinternado no hospital.

Em geral, os médicos tratam pacientes de doenças auto-imunes com drogas que suprimem o sistema imunológico. Como é o próprio sistema imunológico do corpo que o ataca, é sensato suspender agressivamente sua atividade. Mas um dos maiores efeitos colaterais desses medicamentos poderosos é que eles também sustam a defesa natural antioxidante. A doença de Crohn estava sendo controlada no caso de Mark, mas seu abatido sistema imunológico o deixou vulnerável a todo tipo de infecções. Um resfriado poderia virar uma grave pneumonia, e a *influenza* comum o debilitaria por semanas. E, de fato, durante o primeiro ano após seu ataque inicial no campo de futebol, Mark teve de ser internado sete vezes em resultado de infecções graves. Foi mais ou menos nessa época que comecei a acompanhar o garoto.

O pai de Mark consultou-me em busca de conselhos médicos após um encontro em San Diego no qual eu discursara, e perguntou-me o que eu recomendaria. Eu lhe disse que receitaria a Mark um potente tablete mineral e antioxidante, além de altas doses de extrato de sementes de uva e de CoQ10. Também incentivei seus pais a providenciar quantidades adequadas dos ácidos graxos essenciais em sua dieta, ou suplementá-la com óleo de linhaça ou de peixe. Isso tudo reestimularia o sistema de defesa antioxidante de Mark.

Mark começou lentamente a melhorar, mas ainda sofria com dores abdominais e com os efeitos colaterais das drogas. Gradualmente seus médicos o liberaram da prednisona, mas não do Imuran. A mãe e o pai de Mark voltaram a consultar-me, e recomendei que pedissem uma segunda opinião de um gastroenterologista pediátrico particular.

Depois de constatar que Mark passava bem, apesar dos efeitos colaterais do Imuran, o médico particular sentiu que valeria a pena dispensá-lo de todos os medicamentos, inclusive dos analgésicos e do Imuran. Mark foi liberado gradualmente do Imuran e, com a ajuda de um psicólogo que lhe ensinou técnicas de relaxamento, pôde suspender também os analgésicos. Por fim, o garoto ficou livre de medicamentos, sentindo-se melhor do que nunca desde seu primeiro ataque.

Mark vem progredindo muito e segue uma dieta normal. Fiquei feliz ao revê-lo recentemente, aos 15 anos e muito ativo. Que experiência assustadora e dolorosa ele e seus pais tiveram! Uma doença que para muita gente deixa pouca esperança é controlável no caso de Mark. Ele está livre de dores e, por dois anos e meio, não sofreu nenhum agravamento da doença de Crohn. É desnecessário dizer que todos estamos otimistas quanto a seu futuro.

A questão que fica é: como pôde o sistema imunológico de Mark voltar-se de tal modo contra ele? Nosso sistema imunológico não deveria nos ajudar? Comecemos verificando como esse sistema *deveria* funcionar.

O Sistema Imunológico: Nosso Gande Protetor

Nosso sistema imunológico nos protege de vírus, bactérias, fungos, proteínas estranhas e células cancerígenas anormais. Trata-se de um sofisticado entrelace de vários tipos de células imunológicas. Embora o escopo deste livro não me permita entrar em muitos detalhes quanto ao intrincado funcionamento de tal sistema, creio ser importante que você saiba quais são seus principais agentes. Eis uma breve descrição das funções de cada um.

Os Diversos Agentes de Nosso Sistema Imonológico

Os *macrófagos* (ou fagócitos) são os glóbulos brancos que funcionam como verdadeiros Pac Man[1], atuando na primeira linha de defesa. Eles podem atacar qualquer invasor estranho (vírus ou bactérias) e literalmente engoli-los. Mas, às vezes, os macrófagos não sabem se o agente ao qual eles se ligaram para promover sua destruição é um corpo estranho ou não. Eles não desejam, de forma alguma, destruir algo que faz parte do corpo (como no caso de Mark). É então que pedem ajuda às células T auxiliares.

As *células T auxiliares* integram um grupo de glóbulos brancos chamados de *linfócitos*. Elas acorrem ao local e se unem ao macrófago na tentativa de determinar se a partícula que o macrófago prendeu é amiga ou inimiga. Se a célula T auxiliar determinar que se trata de um inimigo, ela secretará um hormônio chamado citocina (o qual estimula a reação inflamatória), gerando uma reação em cadeia que acarretará na ativação de todo o sistema imunológico. Isso põe em ação as células B e atrai outros macrófagos e células T auxiliares para ajudar.

As *células B* têm a capacidade de eliminar o intruso com enzimas que o destroem, mediante a criação de estresse oxidativo. Algumas das células B voltarão aos gânglios linfáticos para criar anticorpos contra os intrusos. Se o mesmo intruso voltar a aparecer, nosso sistema imunológico estará preparado, graças a esses anticorpos.

As *células citotóxicas naturais*[2] podem destruir qualquer coisa em seu caminho. Elas inundam de toxinas e enzimas destrutivas as células infectadas, o que destrói efetivamente todos os invasores estranhos ou células de crescimento anormal, como as cancerígenas.

As *células T supressoras* são a tropa de choque que aparece logo depois de o invasor estrangeiro ser destruído, para tentar aquietar a tremenda resposta imunológica. Elas são fundamentais para o controle

> de danos colaterais. Se uma resposta altamente reativa como essa não for cerceada, podem ocorrer grandes danos no tecido normal circunvizinho. É isso que torna a reação inflamatória tão perigosa. Embora seja absolutamente necessária para controlar intrusos potencialmente infecciosos, se fugir ao controle, a resposta inflamatória pode causar grandes estragos.

Você já sabe que os suplementos nutricionais podem fortalecer significativamente o sistema natural de defesa antioxidante do corpo. Neste capítulo você também começará a perceber que os mesmos suplementos nutricionais podem contribuir, em muito, para nosso sistema imunológico. O dr. Karlheinz Schmidt afirmou: "O funcionamento otimizado do sistema de defesa do hospedeiro depende de um suprimento adequado de micronutrientes antioxidantes"[3]. É evidente que, para que nosso sistema imunológico consiga proteger-nos de acordo com o que foi planejado por Deus, precisamos ter todos os nutrientes em níveis otimizados.

Os Nutrientes e Nosso Sistema Imunológico

Examinemos, uma vez mais, a literatura médica e vejamos como cada um desses nutrientes afeta, de fato, nossa resposta imunológica.

Vitamina E

Macrófagos deficientes em vitamina E liberam mais radicais livres e vivem menos. Nosso sistema imunológico usa esta produção de radicais livres para destruir os invasores estranhos, valendo-se precisamente da criação de estresse oxidativo. Este é o lado "bom" do estresse oxidativo, desde que fique sob controle. A deficiência de vitamina E também afeta a diferenciação de nossas células T no timo; isso provoca um desequilíbrio entre as células T auxiliares e T supressoras. A baixa produção de células T supressoras é uma das principais razões pelas quais a resposta inflamatória pode fugir ao controle. Lembre-se de que as células T supressoras são a tropa de choque essencial para apaziguar a resposta imunológica e limitar os danos colaterais. Alguns pesquisadores acreditam que o mau funcionamento das células T supressoras esteja no âmago da resposta auto-imune.[4]

Estudos demonstram que a suplementação de vitamina E corrige esta deficiência do sistema imunológico e ajuda a eliminar infecções. Estudos clínicos demonstraram ainda que o efeito pró-imunológico da suplementação de vitamina E é ainda maior em idosos e em indivíduos com síndromes de má absorção.[5] A doença de Mark, por exemplo, envolvia tanto o intestino delgado como o cólon, o que provocava essencialmente uma má absorção desses nutrientes. A suplementação de vitamina E também pode proteger dos efeitos imunossupressores do cortisol, o qual é liberado em grandes quantidades no caso de respostas que envolvem estresse.

Carotenóides

Uma propriedade bem conhecida dos carotenóides é sua capacidade de proteger o tecido normal circunvizinho de danos potenciais provocados pela reação inflamatória do sistema imunológico. A suplementação de carotenóides pode aumentar o número e a eficiência das células T auxiliares e das células citotóxicas naturais, que, como você já aprendeu, constituem uma parte importante de nosso sistema defensivo contra células cancerígenas. Isso melhora, em muito, a detecção de tumores de nosso sistema imunológico.

Vitamina C

O dr. Linus Pauling teve grande influência na conscientização das pessoas quanto à importância da suplementação de vitamina C, bem como de sua capacidade de fortalecer o sistema imunológico. Embora ainda discutamos se doses maciças de vitamina C são boas para o resfriado comum, seus efeitos benéficos para o sistema imunológico estão muito bem estabelecidos. Demonstrou-se que a vitamina C melhora o funcionamento dos macrófagos.[6] Isso fortalece significativamente a primeira linha de defesa contra infecções bacterianas.

É mais prudente tomar boas doses diárias de vitamina C do que tomar doses maciças no momento em que se acredita estar com uma infecção. Em um certo estudo, as pessoas que tomavam um grama diário de vitamina C durante mais de dois meses apresentaram uma melhoria notável em diversos aspectos do sistema imunológico. A vitamina C também tem a capacidade de regenerar a vitamina E e de lidar com os excessivos radicais livres que se encontram no plasma. Ambas as propriedades incrementam a capacidade da vitamina C de aprimorar o sistema imunológico.

Glutationa

A suplementação das matérias-primas da glutationa (a N-acetil L-cisteína, o selênio, a niacina e a vitamina B2) tem trazido melhoras significativas ao sistema imunológico como um todo. Mesmo pacientes infectados pelo HIV experimentaram esse efeito positivo.[7]

Coenzima Q10

Conforme envelhecemos, nossos níveis de CoQ10 declinam e deixam a mitocôndria (o forno da célula) especialmente vulnerável a lesões oxidativas. A CoQ10 é fundamental para o funcionamento otimizado do sistema imunológico, em razão de seu papel considerável na produção de energia nas células desse sistema. Demonstrou-se que a suplementação de CoQ10 reverte esses problemas e fortalece consideravelmente o sistema imunológico.[8]

Zinco

Praticamente todas as funções de nosso sistema imunológico requerem zinco. Sua deficiência prejudica diversos aspectos do sistema: o número de linfócitos se reduz, o funcionamento de muitos glóbulos brancos sofre drasticamente e os níveis do hormônio timoestimulante, que é um forte estimulador do sistema imunológico, caem.

Muita gente recorre a pastilhas de zinco quando contrai um resfriado. Estudos demonstraram que a ingestão dessas pastilhas de duas em duas horas pode reduzir, em muitos dias, a duração de um resfriado. Pesquisadores acreditam que o zinco não somente fortalece o sistema imunológico como inibe a replicação do vírus.[9] Mas cumpre dar um alerta aqui: se a pessoa consumir altas doses de zinco por períodos muito longos, isso poderá, na verdade, suprimir seu sistema imunológico. Não me oponho ao uso de altas doses de zinco ou mesmo de vitamina C por períodos curtos, em caso de resfriados; mas acredito que o uso consistente e em longo prazo de doses otimizadas desses nutrientes como suplementação seja melhor para os sistemas de defesa antioxidante e imunológico.

Quando todos os agentes de nosso sistema imunológico estiverem funcionando no máximo de sua capacidade, nossa saúde, em geral, será a óbvia beneficiária. As crianças conseguem otimizar seu sistema imunológico pela suplementação nutricional no espaço de seis meses. O envelhecimento é geralmente associado à avaria de nossas respostas imunológicas, o que aumenta a freqüência e a gravidade das infecções. As infecções, de fato (e especialmente aquelas do trato respiratório), são a quarta maior causa de mortes entre os idosos.[10]

O *British Lancet* divulgou recentemente um estudo em que pacientes idosos receberam ou níveis otimizados de suplementos nutricionais ou um placebo. Os pacientes que receberam suplementos nutricionais tiveram melhorias significativas em sua resposta imunológica como um todo, e sofreram infecções com menos freqüência e menos gravidade do que os pacientes que receberam o placebo. Foi necessário, pelo menos, um ano de suplementação para que otimizassem seu sistema imunológico, mas, no final, os benefícios foram muito expressivos.[11] Esse estudo, ao lado de diversos outros, confirma o fato de que nosso sistema imunológico depende ao extremo desses micronutrientes, assim como nosso sistema de defesa antioxidante.

A Resposta Inflamatória

Você tem visto ao longo deste livro que a inflamação é um sério inimigo. Sabe que a doença do coração é na verdade uma doença inflamatória e não do colesterol. Os problemas devastadores de Mark resultavam todos da inflamação do intestino. No Capítulo 11 você lerá que milhões de nós estamos desenvolvendo artrite devido ao aumento de inflamação em nossas articulações. E a causa subjacente da asma é, em essência, a inflamação.

Dito de forma simples, a maioria de nós simplesmente tem inflamações demais no organismo. Precisamos restaurar o equilíbrio desse excesso de inflamações, e os suplementos nutricionais são a chave para isso.

A resposta inflamatória é o resultado de uma complicada corrente de eventos envolvendo a resposta imunológica, que libera quantidades enormes de radicais livres, enzimas cáusticas e citocinas inflamatórias. Já estudamos a resposta imunológica básica, mas agora devemos estudar a maneira de lidar com a resposta inflamatória prolongada (a inflamação crônica) que essas citocinas geram.

Os suplementos antioxidantes são nossa melhor ferramenta. Eles melhoram nosso sistema imunológico, ajudam a controlar a resposta inflamatória e fortalecem nossa defesa antioxidante, que, por sua vez, protege nossas células normais do ataque da inflamação. Mas há um outro aspecto importante da resposta inflamatória que devemos considerar: o sistema antiinflamatório natural de nosso organismo. Isso mesmo. Já passou pela sua mente, quando você procura o frasco de Advil[12], que seu corpo gera seus próprios produtos antiinflamatórios?

Vejamos que produtos são esses.

Ácidos Graxos Essenciais

Nem todos os ácidos graxos são ruins. A bem dizer as gorduras essenciais são exatamente isso — essenciais para o corpo. O corpo não pode fabricar tais gorduras, e portanto precisa obtê-las da comida. Ele as utiliza para criar membranas celulares saudáveis, bem como certos hormônios chamados *prostaglandinas*. Os dois ácidos graxos essenciais mais importantes são os do tipo ômega 3, chamados de *ácido alfa-linoleico*, e os do tipo ômega 6, chamados simplesmente de *ácido linoleico*. Nosso corpo converte os ácidos graxos ômega 3 em um tipo de prostaglandina que tem grande atividade antiinflamatória. Já os ácidos graxos ômega 6 são convertidos em um outro tipo de prostaglandina com atividade pró-inflamatória.

A proporção de consumo de ácidos graxos ômega 6 e ômega 3 geralmente aceita como otimizada é de 4:1. Isso significa que devemos ingerir quatro vezes mais ômega 6 do que ômega 3.

Os ácidos graxos ômega 6 são abundantes na dieta ocidental; eles se encontram em nossa carne bovina, produtos laticínios e alimentos processados. Obtemos ácidos graxos ômega 3 a partir de óleos vegetais como o de linhaça, de canola, de abóbora e de soja. Essas gorduras também se encontram em peixes de água fria como a cavala, a sardinha, o salmão e o atum. Como você pode presumir, o norte-americano médio consome mais ácidos graxos ômega 6 do que ômega 3 — muito mais, na verdade. Em média, consumimos em nossa dieta uma proporção de 20:1 ou mesmo de 40:1 dessas gorduras!

Isso faz com que nossos corpos produzam *significativamente* mais produtos inflamatórios do que antiinflamatórios. O desequilíbrio no consumo desses ácidos graxos essenciais é a principal razão do desequilíbrio na produção desses hormônios por nosso corpo. É por isso que muitos indivíduos no mundo industrializado precisam tomar óleo de linhaça e de peixe em suplementação para tentar restaurar tal equilíbrio.

Eis aqui outro fato desconhecido: as gorduras essenciais também têm a capacidade de reduzir nossos níveis totais de colesterol e nossos níveis de colesterol LDL (ou maligno). Isso significa que nem todas as gorduras são iguais. Eu não só estimulo meus pacientes a tomar suplementos de ácidos graxos ômega 3 como também a reduzir seu consumo de gordura saturada. Quando combinamos esses dois esforços, a inflamação do organismo volta rapidamente ao controle, e os níveis de colesterol melhoram.

Diversos estudos indicaram melhoras clínicas significativas em pacientes que, tendo artrite reumatóide, lúpus, doenças do coração, esclerose múltipla e praticamente qualquer moléstia envolvendo inflamações, tomaram essas importantes gorduras essenciais em suplementação.[13] Esse é um dado muito importante para manter sua saúde — ou recuperá-la, caso você a tenha perdido.

Já estudamos uma série de características de nosso sistema imunológico e a forma como ele deveria funcionar. Também falamos dos problemas que ocorrem quando a resposta inflamatória normal foge ao controle. Mas agora temos de considerar a pior situação possível — o que acontece quando nosso sistema imunológico controla um motim e passa a atacar nosso próprio corpo.

Doenças Auto-imunes

Você, decerto, já ouviu o ditado: "A maior força de um homem é também sua maior fraqueza". Nada é mais verdadeiro no que diz respeito ao sistema imunológico. Muitos clínicos acreditam que todas as doenças resultam essencialmente de uma falha desse sistema. Mas, no caso bizarro das doenças auto-imunes, o sistema imunológico torna-se, na verdade, o maior inimigo do corpo, atacando células e tecidos normais. Se ele atacar o espaço das articulações, chamamos isso de artrite reumatóide; se atacar nosso intestino, chamamos de doença de Crohn ou colite ulcerativa; se atacar a bainha de mielina de nossos nervos, chamamos de esclerose múltipla; e, se atacar o tecido conectivo do corpo, chamamos de lúpus ou esclerodema.

Por que e como isso acontece? Aprendi na faculdade de medicina que as doenças auto-imunes são o resultado de um sistema imunológico "superativo" que começa a atacar o "eu" em vez do "não-eu". Mas, para mim, pareceu mais coerente que, no caso das doenças auto-imunes, o sistema imunológico, em vez de superativo, tenha ficado *confuso*, e atacado o corpo em vez de atacar os invasores estranhos, como deveria fazer.

Em um artigo sobre doenças auto-imunes publicado no *New York Journal of Medicine*, os autores observaram que ninguém sabe ao certo *por que* o sistema imunológico se volta literalmente contra o "eu". Mas muitos pesquisadores acreditam não somente que o estresse oxidativo é a causa subjacente de todas as doenças auto-imunes como também que ele pode ser o responsável por fazer com que nosso sistema imunológico nos agrida.[14]

Diversos estudos documentaram o fato de que a causa primordial das doenças auto-imunes é o estresse oxidativo.[15] Como você pode antever, os níveis de antioxidantes em pessoas com artrite reumatóide, lúpus, esclerose múltipla, doença de Crohn e esclerodema são significativamente baixos. Demonstrou-se também que níveis reduzidos de antioxidantes aumentam o risco de desenvolvimento de artrite reumatóide ou lúpus. Os indicadores clínicos do estresse oxidativo são também muito altos nesses pacientes, especialmente durante o período de pico das doenças.[16]

A suplementação de antioxidantes seria, portanto, ideal para pacientes que sofrem dessas doenças auto-imunes. Não somente os antioxidantes podem otimizar o sistema natural de defesa antioxidante do corpo, como podem fortalecer nosso sistema imunológico e controlar a resposta inflamatória. Em outras palavras, eles podem ajudar a restaurar o controle sobre o estresse oxidativo e evitar esse ciclo vicioso.

A História de Matt

Matt é um bem-sucedido advogado da região de Chicago, o que significa basicamente que trabalhou muitas e duras horas para abrir seu escritório, empenhando-se igualmente em respeitar suas prioridades junto à esposa e à família. Sua saúde sempre fora boa e, por isso, ele nunca se preocupou muito com ela, até o outono de 1996.

Matt estava em um casamento quando começou a sentir grande desconforto abdominal. Ele estivera muito ocupado nas semanas precedentes e, por isso, supôs que fosse sofrer um surto de *influenza*. Um ou dois dias depois sentia-se como se houvesse sido "atingido por uma carreta" (para usar sua expressão), tão fatigado estava por dores no corpo.

Quando seus sintomas se agravaram, Matt decidiu ver o médico. A essa altura ele vinha sofrendo surtos de dores abdominais agudas. Ansioso por encontrar alívio, pediu ao médico que removesse o que quer que estivesse lhe causando aquela dor. Submeteu-se a todo tipo de testes, inclusive tomografias computadorizadas, ultra-sonografias, radiografias e numerosos exames de sangue. Assim, pode-se imaginar seu choque ao saber que não havia nenhum diagnóstico aparente. Ele foi dispensado com um mero analgésico.

Matt estivera lendo, havia pouco, sobre suplementação nutricional e decidiu iniciar um agressivo programa suplementar. Mas não melhorou muito. Ainda se sentia péssimo. Tinha dores por todo o corpo e continuou extremamente fatigado. Ele recorreu, finalmente, a um especialista, que lhe pediu um exame de sangue chamado FAN (fator antinuclear). O exame de FAN deu positivo em um nível de 1:640 (o normal é 1:40 ou menos). O especialista lhe disse que ele possuía lúpus eritematoso sistêmico, ou o que as pessoas conhecem simplesmente como lúpus.

O teste de FAN indicou um processo auto-imune fora de controle. O sistema imunológico do corpo de Matt estava, na verdade, atacando a si mesmo. Quando soube disso, Matt aumentou ainda mais seus suplementos e começou a tomar 350 g de extrato de sementes de uva, juntamente com seus antioxidantes e minerais. Ele melhorou pouco a pouco, passando a necessitar cada vez menos de analgésicos, muito embora ainda tivesse surtos intermitentes de dor. Foi um processo longo e difícil para Matt, enquanto combatia a dor e os sintomas que se assemelhavam aos da *influenza*.

Em janeiro Matt sentia-se muito melhor e conseguia compensar o tempo perdido, voltando a trabalhar dez horas por dia. Ele estava muito animado, já que durante quatro meses não havia conseguido trabalhar nada. Ser capaz de sustentar financeiramente sua família era algo que Matt receara não lhe ser mais possível.

Quanto retornou para sua consulta de acompanhamento, vários meses mais tarde, o médico quis submetê-lo a drogas quimioterapêuticas, um tratamento habitual para o lúpus. É desnecessário dizer que Matt afirmou que estava bem e que não sentia problema algum. Quando olhou o novo exame de FAN, o especialista ficou de queixo caído. Ele não conseguia acreditar.

"Matt, seu FAN despencou!", exclamou. "Está em apenas 1:40 e praticamente normal." Ele cumprimentou Matt e o incentivou a continuar tomando quaisquer medicamentos que seu médico lhe houvesse receitado. Quando Matt o informou de que não estava tomando medicamento algum, o especialista replicou: "Não sei o que você está fazendo, mas continue".

Matt continua passando bem. Faz mais de 5 anos que não adoece, e seus exames de FAN ainda dão negativo. A verdade é que ele afirma sentir-se melhor agora do que antes de contrair lúpus. Embora saiba não ser verdade, ele já não se sente como se tivesse a doença. Os sintomas podem ou não retornar. Ninguém pode dizer ao certo. Mas uma coisa é segura: Matt jamais irá descuidar de sua saúde novamente.

• • •

O lado importante da história de Matt é o fato de que ele começou esse tratamento agressivo de suplementação nutricional no início de sua doença. Apresentei diversas histórias clínicas em que os pacientes foram capazes de recuperar sua saúde depois que a doença havia progredido bastante. Espero que mais e mais pessoas comecem a suplementar sua dieta antes mesmo de adoecerem, e tornem-se mais agressivas com os otimizadores tão logo percebam ter uma doença grave. Um programa de suplementação não pode ferir — só pode ajudar. (Para informações detalhadas sobre como começar a suplementação, ver o Capítulo 17.)

ONZE | Artrite e Osteoporose

Até onde vale esse velho ditado: "Podemos contar com duas coisas na vida: a morte e os impostos"? Enquanto escrevo este capítulo, lastimo por lembrar-me da iminente data de pagamento dos impostos. Mas também me lembro de uma terceira coisa que a maioria de nós pode esperar na vida — a artrite. É verdade. Entre 70% e 80% das pessoas acima de 50 anos nos Estados Unidos sofrem, em alguma medida, do tipo mais comum de artrite, chamada *osteoartrite*, também conhecida como *artrite degenerativa*.[1]

Você decerto já conhece bem os sintomas da rigidez matinal, das articulações ligeiramente inchadas e das dores articulares. A osteoartrite é, de longe, a doença degenerativa crônica que mais vejo em meu consultório. Afetando indistintamente homens e mulheres, ela pode envolver todas as articulações do corpo, inclusive o pescoço e a parte inferior das costas. Conforme se agrava, a artrite pode causar desconforto significativo, dor e mesmo incapacitação.

A osteoartrite é, antes de tudo, uma degeneração da cartilagem das articulações. Mas também pode envolver o revestimento sinovial (o envoltório da articulação) e o osso logo abaixo. Conforme começa a deteriorar-se, a cartilagem da articulação submete o osso a um estresse cada vez maior. Em reação a esse estresse intensificado, o osso começa a se tornar mais denso. É muito comum ver, como resultado, esporas ósseas formando-se ao redor da articulação.

Talvez você já tenha ouvido um amigo ou parente dizer que precisa trocar uma articulação por estar com "osso contra osso". O que ele quer dizer na verdade é que a cartilagem (o coxim) de suas articulações se desgastou inteiramente. Como a artrite degenerativa envolve primariamente as articulações que suportam peso (os quadris e os joelhos), o estresse mecânico repetitivo causado por peso, trauma ou atividade excessivos contribui para o desenvolvimento e progressão da doença.

Como as Articulações São Danificadas?

A cartilagem articular reveste as extremidades de nossos ossos, sendo que articulações como as dos joelhos têm ainda uma cartilagem adicional que serve de coxim entre os ossos. A cartilagem é composta sobretudo de fibras de colágeno, glicoproteínas e proteoglicanos. A integridade estrutural da cartilagem humana passa por um ciclo contínuo de formação e ruptura. Em outras palavras, nosso corpo, para ter articulações saudáveis, precisa formar cartilagens na mesma velocidade em que essas se decompõem. O equilíbrio, mais uma vez, é o segredo. Quando uma articulação começa a se desgastar, sabemos que ou a ruptura de cartilagens aumentou ou a produção diminuiu.

É fato bem conhecido que a osteoartrite é uma doença inflamatória. Observando uma pessoa com mãos artríticas você constatará como ficam inflamadas as articulações dos dedos e das mãos. Já se perguntou o que exatamente causa a inflamação e como isso resulta em danos na cartilagem? A resposta é multifacetada, pois há, na verdade, diversas fontes de inflamação das articulações, como se pode verificar no quadro a seguir.

Causas de Inflamação em Nossas Articulações

As *citocinas* são uma das principais causas de inflamação nas articulações. Essas proteínas conduzem mensagens entre as células e regulam a imunidade e a inflamação. Duas das citocinas mais importantes são o fator de necrose tumoral alfa (TNF-α) e a interleucina 1 beta (IL-1β). Elas existem em alta concentração nas articulações de pessoas com osteoartrite.

Já se demonstrou também que as proteases, enzimas que provocam a ruptura de proteínas, geram inflamação nas articulações. As proteases estão sob o controle das citocinas. Algumas têm qualidades antiinflamatórias, e outras pró-inflamatórias (geradoras de inflamação). No caso da artrite, obviamente, as proteases pró-inflamatórias estão prevalecendo.

Os *fagócitos* (neutrófilos) são atraídos para a articulação inflamada na tentativa de desfazer essa reação e evitar danos à cartilagem e ao revestimento sinovial. Mas, como você viu no capítulo precedente, essa resposta inflamatória nem sempre é boa. Os neutrófilos, na verdade, podem causar mais inflamação ainda nas articulações.

O *fenômeno isquemia-reperfusão*, apesar do nome difícil, é um processo simples. Conforme utilizamos uma articulação que suporta peso, como os quadris ou um joelho, a pressão exercida por nosso peso quando andamos ou especialmente quando corremos bloqueia o fluxo de sangue para a cartilagem. Isso é conhecido como *isquemia*, ou falta de suprimento de sangue. Quando aliviamos a articulação de nosso peso, a pressão se reduz e o sangue pode retornar à cartilagem (isso é chamado de *reperfusão*). Esse processo, assim como as fontes de inflamação que acabo de enumerar, causa uma produção excessiva de radicais livres. Esses, por sua vez, sobrecarregam o sistema de defesa antioxidante e provocam estresse oxidativo.

Quando o sistema de defesa antioxidante se sobrecarrega, o estresse oxidativo da articulação provoca danos à cartilagem e ao revestimento sinovial da articulação. Quando o corpo não consegue reconstruir a cartilagem com suficiente prontidão, a articulação começa a se deteriorar.

Outra Artrite: A Reumatóide

A artrite reumatóide é uma doença auto-imune (ver Capítulo 10). Ela se manifesta quando o sistema imunológico começa a atacar a cartilagem e o revestimento sinovial da articulação. Como resultado, um processo inflamatório desequilibrado (ou seja, insalubre) inicia uma destruição significativa de tecidos saudáveis. Essa resposta inflamatória não somente gera excessivos radicais livres, como também atrai citocinas, especialmente o TNF-α.

Estudos mostram que o TNF-α tem altíssima incidência no plasma de pacientes com artrite reumatóide. Esses estudos também indicam que a produção de radicais livres é cinco vezes maior nesses pacientes do que em pessoas com articulações normais.[2] Assim, um enorme estresse oxidativo encontra-se em atividade no caso de pessoas com artrite reumatóide, causando danos a suas articulações.

Se você conhece alguém que sofre dessa doença, sabe bem como ela é dolorosa; ela causa, com freqüência, deformidades, incapacitantes e dor. Embora os pacientes de artrite reumatóide tenham consideravelmente mais estresse oxidativo do que os de osteoartrite, a destruição da cartilagem em ambos os casos decorre do estresse oxidativo. É importante que você compreenda as causas subjacentes dessas doenças ao considerar, agora, os tratamentos tradicionais oferecidos pela medicina.[3]

O Tratamento Tradicional de Artrite

O tratamento tradicional básico tanto da osteoartrite como da artrite reumatóide é o uso de antiinflamatórios não-esteróides (AINEs) e de aspirina. Embora reduzam a inflamação nas articulações, esses medicamentos são também responsáveis pelos freqüentes efeitos adversos das úlceras estomacais e da hemorragia digestiva alta (HDA). Na verdade, mais de 100 mil internações hospitalares e mais de 16 mil mortes por ano nos Estados Unidos resultam de hemorragia digestiva alta causada pelo uso de AINEs.

Em resposta aos perigosos efeitos dos AINEs, as companhias farmacêuticas desenvolveram um novo grupo de antiinflamatórios que bloqueiam somente as enzimas COX-2. Drogas chamadas inibidores de COX-2 chegaram ao mercado com grande alarde, pois tinham bem menos efeitos colaterais de ordem gastrointestinal. Infelizmente, elas também possuem seus efeitos colaterais, que incluem a perfuração dos intestinos e hemorragias digestivas altas, embora com menos freqüência do que a primeira geração de AINEs.

Minha maior preocupação com relação ao uso pesado de AINEs por pacientes de artrite é o fato de que essas drogas só oferecem alívio à dor, sem atacar a causa subjacente da doença — o estresse oxidativo. Pacientes com artrite reumatóide severa também estão sendo tratados com drogas antiinflamatórias mais potentes, como prednisona[4] e sais de ouro ou drogas quimioterapêuticas como o metotrexato ou o Imuran.

Artrite e Osteoporose

A História de Peggie

Peggie é uma senhora atraente que tive o prazer de conhecer no decurso dos últimos anos. Quando a encontrei pela primeira vez, sua perna direita estava curvada para fora, tão degenerado se encontrava seu joelho. Ela sentia desconforto não somente no joelho, mas também no quadril direito, pois tinha de adotar uma postura incorreta para conseguir dar uns passos e caminhar.

Peggie contou-me sobre a intensa artrite degenerativa que se desenvolvera em seu joelho direito após um acidente de esqui, ocorrido em sua adolescência. O acidente danificara a cartilagem do joelho e, pouco tempo depois, ela voltou a machucá-lo. Depois do segundo acidente não lhe coube escolha senão fazer uma operação, e o cirurgião removeu uma grande camada de cartilagem seriamente lesada. Apesar de ter feito todo o possível, o médico a alertou de que ela teria muitos problemas com aquele joelho no futuro.

Seu especialista lhe havia dado uma joelheira para usar de modo a proteger o joelho durante as atividades. A única coisa que recomendou além disso foi que ela mantivesse a dor sob controle pelo uso de AINEs e adiasse o máximo possível a cirurgia de prótese. Peggie sabia que uma prótese só duraria entre 8 e 12 anos, e com sorte. Sendo tão jovem, ela teria quatro ou cinco vezes esse tempo de vida. O que fazer?

Quando conheci Peggie, seus médicos já haviam discutido com ela a alternativa da prótese, e ela vinha pensando seriamente nisso. Quanto mais adiasse essa cirurgia, melhor, mas ela tinha de comparar a dor de sua situação presente com a perspectiva de seu futuro.

Peggie estava decidida a fazer todo o possível para adiar a cirurgia, mas não à custa de sua qualidade de vida. Ela lera muito sobre suplementação, e acreditava que um programa agressivo de suplementos nutricionais poderia proporcionar-lhe maior qualidade de vida. Começou a tomar uma poderosa combinação de antioxidantes e minerais, juntamente com um pouco de extrato de sementes de uva, ácidos graxos essenciais, cálcio e suplementos de magnésio. Também começou a tomar 2.000 mg de sulfato de glicosamina.

Peggie continuou observando as diretrizes de sua terapia física, enquanto seguia uma dieta equilibrada. Poucos meses após iniciar seu programa de suplementos nutricionais, ela já podia sentir e constatar melhoras. Dependia menos dos AINEs e conseguia fazer mais coisas do que lhe fora possível por anos. Tornou-se muito mais ativa e sentia menos dor. De fato, ela superou seus temores e foi esquiar na neve pela primeira vez em anos.

O mais animador para Peggie, contudo, foi retornar a seu médico e tirar novas radiografias do joelho. O médico ficou aturdido ao comparar as radiografias de então com as de 2 anos antes. A comparação revelou que sua perna já não estava tão curvada, e ele pôde notar uma crescente separação dos ossos. Apontando isso a Peggie, ele explicou que a maior separação dos ossos de seu joelho na radiografia indicava que a cartilagem por fim se restabelecera.

Peggie não se surpreendeu muito com as revelações, pois podia sentir a diferença e descobrira tal possibilidade durante suas pesquisas sobre medicina nutricional. As melhorias documentadas por seu médico eram apenas a cobertura do bolo.

Peggie permanece muito ativa, e faz praticamente tudo o que deseja (ela ainda usa uma joelheira para esportes agressivos); e continua tomando suplementos. Ela comemora cada ano que passa como mais um ano de adiamento da prótese.

Por que Peggie vem se saindo tão bem? Vejamos a estratégia que seguiu. Ela determinou primeiro a compreender plenamente a raiz do problema — no nível celular — da artrite degenerativa que se seguira a seus acidentes. Isso ela fez por meio de estudo individual e de comparecimento a eventos científicos. Em segundo lugar, Peggie considerou todas as soluções disponíveis e, em terceiro, pôs seu conhecimento em ação.

Suplementos Antioxidantes

Como Peggie, qualquer pessoa que sofra de artrite degenerativa precisa tomar um poderoso e bem equilibrado suplemento antioxidante e mineral. Há fortes evidências de que os pacientes de artrite são deficientes em diversos antioxidantes e nutrientes de apoio, como a vitamina D, a vitamina C, a vitamina E, o boro (um mineral) e a vitamina B3.[5] Como você tem aprendido ao longo deste livro, é necessário fornecer todos esses antioxidantes ao corpo em níveis otimizados, na tentativa de restaurar o controle sobre o estresse oxidativo.

Peggie vinha tomando em suplementação todos esses nutrientes, além de um outro igualmente importante: o sulfato de glicosamina.

Sulfato de Glicosamina

A glicosamina é um dos nutrientes básicos para a síntese da cartilagem. Um açúcar simples aminado, ela é o elemento primário dos proteoglicanos — as moléculas que dão à cartilagem sua elasticidade. Diversamente dos AINEs e da aspirina, a glicosamina não se limita a cobrir a dor, mas ajuda também a reconstruir a cartilagem danificada. Alguns estudos mais antigos indicaram benefícios em curto prazo do uso do sulfato de glicosamina; de qualquer forma, a maioria dos médicos não ficou impressionada.[6]

Em 1999 um grande estudo clínico trienal do tipo duplo-cego com placebo e amostras randômicas (o tipo de estudo de que os médicos realmente gostam) foi divulgado no Encontro Anual da Faculdade Americana de Reumatologia. Esse estudo mostrou que a glicosamina não somente reduzia a dor e a inflamação da artrite, como também detinha a deterioração da cartilagem. Mais impressionante ainda foi o fato de haver evidências de recuperação real da cartilagem — como no caso de Peggie. Os membros do grupo do placebo, que tomaram os AINEs normalmente, continuaram, então, sofrendo a rápida deterioração das articulações.[7]

Esse estudo, junto a diversos outros, demonstrou os significativos benefícios à saúde para pacientes de artrite que tomarem suplementos de sulfato de glicosamina em doses de 1.500 a 2.000 mg, praticamente sem nenhum efeito colateral. Ainda mais estimulante é o fato de que quando os pacientes do estudo clínico suspenderam a glicosamina, a dor não retornou senão semanas ou meses depois.[8]

Os AINEs, por outro lado, têm efeitos colaterais significativos, como úlceras, hemorragia digestiva alta e talvez lesões hepáticas, como observei anteriormente. Considerando que essas drogas não fazem absolutamente nada para retardar o processo degenerativo e podem na verdade acelerá-lo, devemos nos perguntar por que os AINEs estão entre os remédios mais receitados do mundo. Para o desespero das companhias farmacêuticas, mais e mais médicos vêm recomendando o sulfato de glicosamina a seus pacientes.

Os resultados que testemunhei em minha prática médica são impressionantes. Muito embora eu recomende a glicosamina a meus pacientes, também prescrevo AINEs para o alívio imediato. É estimulante descobrir que os pacientes que decidem tomar glicosamina acabam não precisando muito de seus AINEs. Quando se dispõem a tomar também antioxidantes, minerais, gorduras essenciais e extrato de sementes de uva, eles alcançam resultados ainda melhores.

Não estou sozinho em minhas convicções. Muitos de meus amigos da área de ortopedia também apóiam o uso da glicosamina, pois entendem que a possibilidade de adiar o uso de prótese é do maior interesse para o paciente.

Sulfato de Condroitina

O sulfato de condroitina é, muitas vezes, combinado ao de glicosamina para criar um ataque em dois frontes. A condroitina faz parte dos proteoglicanos e é responsável por atrair água para a cartilagem. Isso torna essa última mais flexível e esponjosa. Sem esse nutriente importante, a cartilagem fica mais seca e mais frágil.

Creio pessoalmente que o nutriente mais importante seja ainda o sulfato de glicosamina. A condroitina oral precisa ser estudada com mais abrangência em um número maior de pacientes, o que renderia evidências mais plausíveis quanto a ela ser ou não um agente efetivo. Também acredito que o MSM (um antiinflamatório natural) precisa ser estudado mais detidamente, mas tive diversos pacientes que apresentaram respostas significativas ao adicioná-lo a seu regime.

O Sulfato de Condroitina

Diversos estudos registram melhorias em pacientes de artrite que tomam condroitina adicional. Mas muitos desses estudos positivos envolveram, na verdade, injeções intravenosas de condroitina, e alguns pesquisadores temem que ela não seja efetivamente absorvida pelo trato gastrointestinal. Alguns dizem que ela é rompida, absorvida, e então reunida à cartilagem da articulação. Creio que estudos mais completos sejam necessários para determinar sua importância geral no tratamento de osteoartrite.[9]

Osteoporose

A osteoporose é uma deficiência nutricional de proporções literalmente epidêmicas nos Estados Unidos. Em uma das nações mais ricas e mais bem alimentadas do mundo, mais de 25 milhões de pessoas convivem com os efeitos prostrantes da osteoporose, ao custo de cerca de US$14 bilhões anuais para a economia norte-americana. Pelo menos 1,2 milhões de fraturas ocorrem, a cada ano, nos Estados Unidos, como resultado direto da osteoporose.[10] Já cheguei a ver pacientes fraturar os quadris meramente caminhando em meu consultório, sem nenhum tipo de queda ou ferimento. Fraturas por compressão espontânea das vértebras e das costas causam imensa dor e sofrimento a meus pacientes de osteoporose.

A osteoporose foi apresentada ao público norte-americano como uma doença que depende meramente de estrógeno e cálcio. Em reação a essa crise nacional, a comunidade de cuidados com a saúde vem tratando mulheres em menopausa com a Terapia de Reposição Hormonal (TRH), em um esforço para evitar quaisquer indícios de osteoporose.

Embora muitos acreditem que a TRH possa retardar o progresso da osteoporose, ela pode causar mais mal do que bem. Em 1997 o *New England Journal of Medicine* examinou diversos estudos feitos com mulheres que vinham se valendo da reposição de estrógeno por períodos de 5 a 10 anos. Os resultados chocaram os examinadores, revelando aumentos de mais de 40% nos casos de câncer de mama. As companhias farmacêuticas reagiram prontamente a esse relatório negativo, tentando convencer os médicos de que os benefícios da TRH compensavam, em muito, os riscos — sempre alardeando que outros exames clínicos demonstravam que pacientes que usavam a TRH reduziam seus riscos de ataques cardíacos, AVCs e mal de Alzheimer.[11]

Dois estudos de grande porte, contudo — o *Heart and Estrogen/Progestin Replacement Study* (HERS — Estudo sobre o Coração e a Reposição de Estrógeno e Progesterona) e o *Women's Health Initiative Study* (Estudo da Iniciativa da Saúde da Mulher) — não apresentaram retardamento algum de doenças do coração. Na verdade, algumas evidências sugeriam que pacientes submetidas à TRH tinham um *aumento* na incidência de ataques cardíacos, especialmente no primeiro ano. O interessante é que esses estudos mostravam que as pacientes que se valiam de TRH tinham uma redução significativa de colesterol LDL (o maligno) e um aumento significativo de colesterol HDL (o benigno). Então por que elas teriam maior risco de doenças do coração?

Parece-me que a resposta veio em outros estudos, que demonstraram que mulheres submetidas à TRH sintética tinham um aumento tremendo em suas proteínas reativas C, que, como você talvez se lembre, são uma medida das inflamações das artérias. Esse é um fator de previsão de futuros ataques cardíacos muito mais seguro do que o colesterol[12] — especialmente em mulheres. Lembre-se, as doenças cardíacas são doenças inflamatórias da artéria, e não doenças do colesterol.

Quando mulheres, querendo evitar a osteoporose, considerarem a Terapia de Reposição Hormonal sintética à luz desses novos estudos clínicos, talvez julguem que o bem não compensa o mal — especialmente quando se leva em conta o bem conhecido aumento de risco que têm as pacientes de TRH de desenvolver coágulos de sangue nas pernas (trombose venosa) e doença da vesícula biliar. Diversos medicamentos novos para osteoporose surgiram no mercado, como o Fosomax, o Actonel, o Evista e a Calcitonina, com a capacidade de realmente aumentar a densidade óssea. Cada vez mais os médicos vêm recomendando esses medicamentos em preferência à TRH, em função, antes de tudo, da crescente preocupação com os efeitos adversos em longo prazo da terapia. Estudos de curto prazo com essas drogas indicaram riscos significativamente reduzidos de fraturas e fraturas recorrentes. (Para uma discussão mais completa sobre esses e outros problemas que as mulheres enfrentam durante a menopausa, recomendo o livro *The Wisdom of Menopause* (A Sabedoria da Menopausa), da dra. Chistiane Northrup.)

Mais do Que Cálcio — os Ossos São Tecidos Vivos

Vocês conhecem o sr. Ossada, o esqueleto que adorna os fundos da sala de biologia em colégios e faculdades? Ele foi protagonista de muitas troças e também a figura mais importante da prova geral. Embora o popular modelo de plástico tenha instruído muitas crianças a respeito dos ossos, pensamos com freqüência em "ossos nus" (como os dele) em vez de pensarmos em ossos como um tecido vivo e ativo, que se remodela continuamente por meio da atividade osteoblástica (a formação de ossos) e osteoclástica (a reabsorção de ossos).

Os ossos não são apenas um amontoado de cristais de cálcio; são antes um tecido vivo, envolvido constantemente em reações bioquímicas que dependem de diversos sistemas enzimáticos e micronutrientes. Assim, como qualquer tecido vivo, os ossos têm diversas necessidades nutricionais.

A dieta norte-americana, com sua alta ingestão de pães brancos, farinha branca, açúcar refinado e gordura, é terrivelmente deficiente em muitos desses nutrientes essenciais. A dieta dos Estados Unidos também contém muitas carnes e bebidas carbonadas, que aumentam a ingestão de fósforo e reduzem nossa absorção de cálcio. A ingestão inadequada de quaisquer nutrientes necessários à saúde dos ossos contribui para a osteoporose.

Outro mito comum que corre junto ao do sr. Ossada é o de que o cálcio é tudo de que precisamos para ter ossos fortes e evitar a osteoporose. Mas a verdade é que um grande número de nutrientes, e não apenas o cálcio, deve estar presente para que consigamos reduzir a incidência de osteoporose.

Para reduzir o risco de fraturas da coluna, dos quadris e dos pulsos, devemos dar atenção a diversos fatores importantes: preservar a massa óssea adequada, evitar a perda da matriz protéica dos ossos e garantir que esses últimos tenham todos os nutrientes necessários para reparar e substituir suas áreas danificadas. A suplementação nutricional desempenha um papel vital em todas as três áreas de preservação e formação dos ossos.

Vamos dar uma olhada em cada nutriente e em como eles ajudam na luta contra a osteoporose.

Cálcio

Não há dúvida alguma de que a deficiência em cálcio pode levar à osteoporose. Mas estudos apresentam redução de cálcio em apenas 25% das mulheres em pós-menopausa. É verdade que os suplementos de cálcio, no caso dessas mulheres, pareceram de fato aumentar a massa óssea, mas não tiveram efeito algum nas outras 75%, que não possuíam tal deficiência. Estudos recentes sobre a suplementação de cálcio e vitamina D apresentam um *retardamento* da osteoporose, mas de modo algum demonstram que a suplementação a *evitou*. Esses estudos também mostraram uma redução em fraturas dos quadris, da coluna e dos pulsos.[13] Em outras palavras, o cálcio é útil, mas não é *a* resposta.

O cálcio é um nutriente essencial na luta contra a osteoporose. Tanto homens como mulheres deviam tomar suplementos diários de 800 a 1.500 mg, dependendo da quantidade de cálcio que ingerem em sua dieta. As pessoas absorvem mais consistentemente o citrato de cálcio do que o carbonato de cálcio; mas, quando ingeridos com a alimentação e com bons níveis de vitamina D, o nível de absorção é bastante similar. Qualquer que seja a forma de cálcio que você ingira, o ideal é consumi-la com outros alimentos para ter uma boa absorção.

Saiba que as crianças também precisam desse nível de suplementação. Na verdade, estudos demonstram que crianças que tomam diariamente de 800 mg a 1.200 mg de cálcio antes da puberdade aumentam a densidade óssea de 5% a 7%. Essa descoberta é significativa porque tal aumento da densidade óssea será mantido conforme elas se tornarem adultos e sua vida avançar.[14]

Magnésio

O magnésio é importante em diversas reações bioquímicas dos ossos. Ele ativa a fosfatase alcalina, que é uma enzima necessária ao processo de formação de novos cristais ósseos. E a vitamina D precisa de magnésio para converter-se em sua modalidade mais ativa. Se houver deficiência de magnésio, esta pode causar uma síndrome de resistência à vitamina D.

Pesquisas sobre dietas mostraram que de 80% a 85% dos norte-americanos seguem uma dieta deficiente em magnésio.[15]

Vitamina D

A vitamina D é necessária para a absorção de cálcio. Ela normalmente se produz na pele, quando esta se encontra exposta à luz do sol. Mas, como você sabe, com a idade, as pessoas tendem a passar menos tempo sob o sol, e a deficiência em vitamina D torna-se muito comum.

Também ingerimos vitamina D oralmente, em alimentos fortificados e no leite, mas ela deve ser convertida em sua modalidade biologicamente ativa, a vitamina D3. Muitas vezes a má conversão de vitamina D em vitamina D3 pode ser um problema mais grave do que a ingestão deficiente. É por isso que recomendo a suplementação de vitamina D já em sua forma ativa, a D3.

O *New England Journal of Medicine* divulgou um estudo em que pesquisadores examinaram os níveis de vitamina D em 290 pacientes internados consecutivamente na área médica do Hospital Geral de Massachusetts. Eram pacientes normalmente ativos e que não provinham de asilos. O pessoal hospitalar verificou seus níveis de vitamina D e descobriu que 93% estavam deficientes. O surpreendente foi saber que os pacientes que tomavam vitaminas múltiplas também apresentaram deficiência em vitamina D em 93% dos casos. Essa descoberta passa a ser fundamental quando nos damos conta de que ninguém absorve cálcio sem vitamina D!

O estudo encerrava-se afirmando que *todo mundo* devia tomar suplementos de vitamina D em níveis significativamente mais altos do que os valores diários referenciais. Na verdade, os pesquisadores concluíram que a suplementação diária de 500 mg a 800 IU de vitamina D é fundamental para que tenhamos algum efeito sobre a epidemia de osteoporose.[16] E lembre-se — você absorverá o cálcio com muito mais eficiência se o ingerir junto com vitamina D e com a alimentação.

Vitamina K

A vitamina K é necessária para sintetizar a osteocalcina, uma proteína presente em grandes quantidades dentro dos ossos. Ela é, portanto, fundamental para a formação, remodelação e reparo dos ossos. Em um estudo clínico, a vitamina K suplementar em pacientes com osteoporose reduziu a perda urinária de cálcio de 18% a 50%. Isso significa que a vitamina K ajuda o corpo a absorver e reter o cálcio, em vez de excretá-lo.[17]

Manganês

O manganês é necessário para a síntese do tecido conjuntivo na cartilagem e nos ossos. Como o magnésio, o manganês se perde na conversão dos grãos inteiros em farinha refinada. Um estudo de mulheres com osteoporose mostrou que seus níveis de manganês eram de apenas 25% do nível das mulheres no grupo de controle.[18] Esse nutriente também deve estar presente em níveis otimizados se você pretende prevenir a osteoporose.

Ácido Fólico, Vitamina B6 e Vitamina B12

Esta combinação soa familiar? Deveria. A homocisteína (ver Capítulo 6) não é prejudicial somente a seus vasos sangüíneos, mas também a seus ossos. Descobriu-se que indivíduos com elevações acentuadas de homocisteína têm igualmente considerável osteoporose.

É interessante que as mulheres *antes* da menopausa têm maior eficiência em romper a metionina, e, com isso, apresentam pouco acúmulo de homocisteína. Isso muda muito após a menopausa. Mulheres em pós-menopausa têm níveis muito superiores de homocisteína. Poderia isso explicar em partes o maior risco de doenças do coração e de osteoporose em mulheres pós-menopáusicas?[19] Permanece o fato de que as mulheres precisam de quantidade maiores de ácido fólico, vitamina B6 e vitamina B12.

Boro

O boro é um nutriente interessante quando se trata do metabolismo dos ossos. Quando pacientes de estudos tomam boro em suplementação, a excreção urinária de cálcio se reduz em aproximadamente 40%. O boro também aumenta as concentrações de magnésio e reduz os níveis de fósforo.[20] A suplementação diária de 3 mg de boro é mais do que adequada.

Silício

O silício é importante em função de sua capacidade de fortalecer a matriz do tecido conjuntivo, o que, por sua vez, fortalece os ossos. Pacientes com osteoporose, nos quais a geração de novo material ósseo é desejável, precisam de quantidades maiores de silício.

Zinco

Este mineral é essencial para o funcionamento normal da vitamina D. Baixos níveis de zinco foram detectados no soro e nos ossos de pacientes com osteoporose.[21]

A Prevenção da Osteoporose

Posso assegurar-lhe: você não desejará ter osteoporose. Tratei diversos pacientes que sofriam de casos graves. É uma doença debilitante e dolorosa. Eles parecem sofrer fraturas recorrentes da coluna e experimentam dores extremas por longos períodos. Como expliquei, a osteoporose não é simplesmente uma doença decorrente da falta de cálcio e estrógeno. Nossos corpos precisam de múltiplos nutrientes para a remodelação dos ossos e a produção de ossos saudáveis.

Também precisamos controlar nosso estresse oxidativo. Estudos recentes demonstram que pessoas com densidade óssea reduzida sofrem aumentos de estresse oxidativo. Portanto, você não só precisa tomar suplementos desses nutrientes importantes, tão necessários à produção dos ossos, como precisa de todos os antioxidantes e nutrientes de apoio para incrementar seu sistema de defesa antioxidante.

Incentivo todos os meus pacientes, tanto homens como mulheres, de preferência antes de atingirem os 40 anos de idade, a começarem a suplementação com tabletes minerais e antioxidantes de alta qualidade, além de quantidades adicionais de cálcio, magnésio, boro e silício. É fundamental que adultos consumam também uma dieta saudável e desenvolvam um modesto programa de exercícios. Exercícios resistidos, também chamados de levantamento de peso ou musculação, devem ser parte do programa, já que são um componente necessário para estimular o corpo a produzir material ósseo. Caminhar pode ajudar as pernas, mas faz muito pouco pelas costas e pelos quadris; exercícios resistidos com a parte superior do corpo, como levantar pesos com a cabeça, são fundamentais para quem estiver tentando proteger-se desta doença devastadora.

Mesmo quando minhas pacientes de menopausa descobrem ter indícios de rarefação dos ossos — a chamada *osteopenia* —, elas constatam ser possível aumentar sua densidade óssea com o mesmo programa. Evito prescrever drogas como o Fosomax, o Actonel, o Evista ou a Calcitonina nessa situação, caso minhas pacientes se disponham a fazer algumas mudanças no estilo de vida: tomar esses suplementos de alta qualidade, consumir uma dieta fortalecida e adotar um programa de exercícios de levantamento de peso.

Acompanho de perto essas pacientes repetindo anualmente seus exames de densitometria óssea, que avaliam a densidade de cálcio nos ossos. Se estiverem estáveis ou melhorando, mantenho o programa e continuo a acompanhá-las de perto. Se sofrerem maior rarefação dos ossos, prescrevo-lhes algumas dessas novas drogas.

• • •

O segredo de evitar tanto a artrite como a osteoporose é a nutrição celular. Apresentei aqui diversos nutrientes individuais para dar-lhe uma idéia do que a literatura médica vem nos dizendo sobre sua importância.

Como você viu, evitar essas condições potencialmente incapacitantes não é apenas uma questão de corrigir a deficiência de cálcio ou de estrógeno. Esse é apenas mais um campo em que os suplementos nutricionais atuam junto com seu corpo para manter a saúde que você possui ou recuperar a saúde que você perdeu.

DOZE | Doenças do Pulmão

A JOVEM MÃE ABRIU SONOLENTAMENTE A PORTA DO QUARTO DE SEU FILHO PARA DAR uma última olhada no pequeno Christian, de 2 anos de idade, antes de ir para a cama. Quando se inclinou para beijar-lhe a testa, foi tomada do mais puro terror: seu filho estava azul e não respirava.

Depois de ligar para o serviço de emergência, ela tentou reanimá-lo. Os paramédicos chegaram e, momentos depois, Christian estava a caminho do pronto-socorro. Eles continuaram a realizar a reanimação cardiopulmonar, pois o coração do menino tinha parado de bater. Mas somente o médico do pronto-socorro conseguiu fazer com que o pulmão e o coração de Christian reagissem.

O garoto, outrora vivaz, foi internado no hospital com o diagnóstico de asma intensa.

Os médicos estabilizaram a condição de Christian e o submeteram a uma droga chamada *teofilina*, que dilata as vias respiratórias. Embora os pais estivessem aliviados com a sobrevivência de Christian, eles estavam horrorizados quanto a seu futuro — não imaginavam que a asma pudesse se manifestar tão repentinamente ou tornar-se tão grave. Dispostos, evidentemente, a assegurar que Christian recebesse toda a medicação necessária, eles levaram o frágil menino de volta para casa.

Uma reserva pulmonar mínima comprometeu a infância de Christian. Ele não podia tomar parte em atividades agitadas com outras crianças, e os médicos continuaram a receitar-lhe mais e mais medicamentos conforme ele crescia, já que seus pulmões não funcionavam nada bem.

Então, quando Christian tinha 15 anos, aconteceu de novo. Ele sofreu outro surto severo de asma. Desfalecendo em casa, parou de respirar. Uma vez mais, em meio a recordações do passado, seus pais chamaram os paramédicos enquanto tentavam reanimá-lo. Seu coração e seus pulmões só reagiram depois de a família chegar ao pronto-socorro. Após sua internação no hospital, Christian foi submetido ao antiinflamatório prednisona, que continuaria a tomar pelos 14 anos seguintes.

Aos 27 anos, com pouca atividade pulmonar restante, Christian estava tomando nove medicamentos diferentes. Os testes de funcionamento pulmonar mostravam que suas vias respiratórias maiores operavam com apenas 17% da capacidade normal, enquanto as menores operavam com meros 8%. Apesar de toda sua medicação, Christian mal conseguia viver a vida. Incapaz de fazer qualquer coisa que exigisse exercícios físicos, ele vivia com o temor íntimo de sofrer outro ataque agudo de asma. Tinha de estar sempre com os inaladores e o estoque de remédios a postos. Sua vida dependia deles.

Foi nessa época que ele decidiu tentar fortalecer seu corpo, tomando um potente tablete mineral e antioxidante junto com cada refeição. Em 90 dias já dizia sentir-se melhor. Em função destes resultados animadores, ele passou a tomar adicionais de vitamina C, cálcio, magnésio e extrato de sementes de uva. Nos vinte meses que se seguiram, seu funcionamento pulmonar melhorou o bastante para que seu médico o liberasse da prednisona. Christian certa vez me disse: "As pessoas só deviam tomar prednisona por 14 dias — e não 14 anos!"

Os novos testes de funcionamento pulmonar de Christian mostraram melhoras consistentes e significativas. Depois de seguir o programa de suplementação por 2 anos, ele descobriu que suas vias respiratórias maiores estavam operando com 87% da capacidade, e as menores, com 56% — nada mal, considerando que durante o mesmo período ele reduzira de nove para três o número de medicamentos que tomava.

Seu inalador Albuterol costumava durar um único mês. Hoje ele dura no mínimo seis meses, e metade do tempo Christian nem sabe onde ele está. Hoje Christian consegue participar comodamente de esportes e exercícios. A asma já não controla mais sua vida.

Os Pulmões e a Poluição do Ar

Quando se consideram as principais causas de estresse oxidativo no corpo, conclui-se que as mais graves e poderosas o adentram pelo trato respiratório. Isso se inicia nas fossas nasais e termina nos tênues alvéolos pulmonares. O ar que respiramos hoje é repleto de ozônio, óxidos de nitrogênio, emissões de combustíveis e fumaça secundária de cigarros. Em suma: inspire e tussa.

Jamais esquecerei minha longa viagem até San Diego para iniciar meu período de residência no Mercy Hospital. Parei no caminho para visitar amigos em Azusa. A nuvem de poluição era inacreditável, especialmente para um rapaz de uma cidadezinha da Dakota do Sul. Na manhã seguinte, meu amigo me levou ao quintal para mostrar-me as magníficas montanhas San Bernardino. Só havia um problema: não conseguíamos vê-las. Nunca esquecerei o momento em que ele respirou profundamente e comentou como era estupendo o ar fresco da manhã.

Respirei fundo e não consegui parar de tossir. Na verdade, joguei uma partida de golfe naquele mesmo dia tossindo toda vez que respirava. Depois do sétimo buraco, tive de parar. Fiquei embaraçado, pois mal podia parar de tossir quando os outros jogadores tentavam dar suas tacadas. Qualquer pessoa que me conheça sabe como gosto de jogar golfe. Para que eu abandone uma partida pela metade, ela deve ser ruim mesmo!

Era curioso ouvir os habitantes de Azusa dizendo que não confiavam em um ar que não podiam ver. Foi assim que conheci o que os jornais noticiaram posteriormente como um dia de poluição *moderada*.

Os poluentes do ar provocam um estresse oxidativo considerável no trato respiratório e, por conseguinte, no organismo. Quando se acresce a isso a mais poderosa causa de estresse oxidativo no corpo — o tabagismo —, suas vias respiratórias e seus pulmões ficam literalmente sob ataque.

Todavia, Deus não nos deixou indefesos. Ele criou um sofisticado e elaborado sistema de defesa contra esse ataque ao sistema respiratório.

A Proteção Natural do Pulmão

A primeira linha de defesa contra estes venenosos pró-oxidantes é chamada de *fluidos do revestimento epitelial* (ELFs, em inglês). Desde seu nariz até a extremidade de seus pulmões, as células são cobertas por um espesso revestimento mucoso. As células epiteliais, por si, possuem cílios, os quais formam uma perfeita borda de escova. Essa borda varre para fora as partículas estranhas, as bactérias e os vírus inalados. O espesso revestimento mucoso contém muitos antioxidantes que, em seguida, neutralizam os poluentes inalados, como o ozônio, o dióxido de nitrogênio e as emissões de combustíveis. Eles proporcionam uma camada de proteção tão eficiente que, na maior parte das vezes, tais poluentes nem chegam a fazer contato com as células epiteliais subjacentes.

Tendo os ELFs como primeira linha de defesa, o muco, os cílios e a resposta imunológica formam uma equipe extraordinariamente eficaz para evitar infecções do trato respiratório. As células epiteliais subjacentes produzem e segregam diversos antioxidantes na barreira mucosa, incluindo a vitamina C, a vitamina E e a glutationa — todas as quais trabalham intensamente para neutralizar os poluentes que inalamos e, com isso, proteger o tecido subjacente dos pulmões e a operação pulmonar. A vitamina C é o antioxidante mais proeminente nesse revestimento fluido de proteção. Além de ser um importante antioxidante, nesse muco protetor, ela tem a propriedade de regenerar a vitamina E e a glutationa.

Todavia, as infecções do trato respiratório ou a exposição a poluentes do ar podem sobrepujar os sistemas de combate a bactérias, vírus e oxidantes encontrados nos fluidos do revestimento epitelial (ELFs). Quando isso ocorre, sobrevém uma forte resposta imunológica e inflamatória. Os fluidos no revestimento dos pulmões ficam muito espessos, uma vez que a resposta imunológica atrai grande quantidade de glóbulos brancos, que agridem literalmente os poluentes ou organismos invasores.

Como você já sabe, nossa resposta imunológica pode causar inflamações exageradas. Se os invasores forem rapidamente expelidos, tudo volta ao normal. Mas a incapacidade de sustar ou controlar a resposta inflamatória pode resultar em avarias nas células epiteliais subjacentes. Isso, por sua vez, pode ocasionar uma inflamação crônica que inflige danos acentuados ao tecido dos pulmões, comprometendo seu funcionamento.

A Asma

Essa inflamação crônica dos pulmões causa grande fadiga e deixa o sistema imunológico depauperado. Independentemente de o sistema imunológico estar combatendo uma infecção crônica ou poluentes do ar, as inflamações crônicas se fazem sentir duramente nos asmáticos, sobretudo em idade infantil. Crianças com asma parecem enfrentar infecções sucessivas e seu nível de energia fica muito aquém do nível de crianças com vias respiratórias saudáveis.

Quando abri meu consultório particular, em princípios da década de 1970, os médicos acreditavam que o problema original da asma era o broncospasmo. Essa é uma condição em que os músculos circulares ao redor de nossos tubos respiratórios entram em espasmo e estreitam nossas vias pulmonares, provocando uma sensação de aperto no peito, falta de ar e respiração ruidosa (usualmente alta o bastante para ser ouvida sem estetoscópio). Nossa primeira linha terapêutica, na época, era usar drogas como a teofilina ou o Albuterol, que funcionam, antes de tudo, aliviando o broncospasmo. Se a pessoa estivesse em estado grave ou precisasse sofrer internação, adicionávamos um poderoso medicamento antiinflamatório chamado prednisona.

Passados alguns anos da abertura de meu consultório, porém, pesquisas começaram a revelar que o problema original da asma era uma resposta inflamatória crônica. Nossas terapias mudaram consideravelmente, e engavetamos drogas como a teofilina em favor de antiinflamatórios (esteróides ou Intal) como terapia de primeira linha. Pesquisas realizadas ao longo da última década têm concluído que a causa subjacente da asma e da maioria das doenças pulmonares crônicas é o estresse oxidativo.[2]

A professora de educação física de meus filhos me disse que, quando começou a lecionar, há 20 anos, costumava pedir aos alunos que corressem uma milha. Não era grande coisa. Agora a história é bem outra. Quando pede aos alunos que corram uma milha, ela acaba com os bolsos cheios de inaladores. A asma é literalmente uma epidemia nas crianças dos Estados Unidos e do mundo industrializado.

Quando palestrei em Londres e na Holanda, a maior preocupação dos espectadores era a gravidade da asma de seus filhos. Descobri que a atual geração de crianças no mundo todo se encontra exposta a mais poluentes do ar do que qualquer geração anterior. Vejo crianças que nem chegaram aos 2 anos de idade sofrendo de asma severa. A quantidade de drogas que essas crianças ingerem somente para poder respirar é estarrecedora.

A maioria dos medicamentos atuais destina-se a reduzir essa resposta inflamatória e relaxar o broncospasmo que a acompanha. Todavia, a raiz subjacente do problema, o estresse oxidativo, continua sem ser tratado.

Li diversos estudos clínicos em que pacientes de asma demonstravam possuir quantidades significativamente reduzidas de antioxidantes no revestimento fluido extracelular dos pulmões. A vitamina C, a vitamina E e o betacaroteno foram encontrados em níveis diminutos, mesmo quando as crianças não vinham sofrendo acessos agudos. Elas também tinham níveis notavelmente elevados de subprodutos do estresse oxidativo, o que gerava inflamação crônica e hiperatividade das vias respiratórias.[3]

A História de Adam

Adam desenvolveu um grave caso de asma brônquica aos 3 anos. Foi difícil para seus pais vê-lo lutando meramente para respirar. O garoto, em consequência, tomava diversos medicamentos e usava um nebulizador (uma máquina respiratória que mistura medicamentos à salina normal) para receber seu tratamento de Albuterol. Mas ele não tolerava bem sua medicação. Como essa possuía caráter estimulante, Adam tinha dificuldades para dormir e sofria palpitações do coração. Mais desalentador era o fato de que, mesmo com a medicação, ele era incapaz de correr, jogar bola ou participar das atividades mais simples. Ele contraía resfriados freqüentes e ia muitas vezes ao pronto-socorro com dificuldades de respirar.

A época mais assustadora coincidiu com o quarto aniversário de Adam. Ele contraíra um resfriado e, em pouco tempo, ficou muito doente. Sua temperatura chegou a 40,5°C, e uma radiografia no pronto-socorro revelou um sério caso de pneumonia e asma descontrolada. Atualmente poucos de nós imaginam os filhos morrendo de pneumonia, mas essa possibilidade ameaçadora passou decerto pela cabeça dos pais de Adam. O aniversariante teve sorte e sobreviveu a sua grave enfermidade, mas ela o deixou ainda mais debilitado e sua asma permaneceu um grande problema.

Adam continuou tendo problemas para tolerar a medicação receitada pelos médicos, embora esses estivessem fazendo tudo o que era medicamente possível. Sua reação não era boa. Seu pai começou a investigar novas terapias que pudessem ajudá-lo. Ao relatar-me a história de Adam, ele se lembrou de a mudança ter sido no início de um verão quando resolveram experimentar uma multivitamina mastigável e ver se ela ajudaria. Ele se recordava distintamente de que naquele verão Adam ficara junto à borda da piscina, mal ousando entrar na água. Mas, no fim da estação, seu filho nadava por toda a extensão da piscina. No prazo de 60 dias, Adam deixou de ser um garoto que não podia fazer quase nada fisicamente e converteu-se em outro capaz de acompanhar o ritmo das demais crianças. Ele começou a jogar beisebol e até mesmo futebol. De fato, qualificou-se para uma equipe itinerante de futebol para os 4 anos seguintes.

Adam não só conseguia jogar, como destacava-se no esporte. (Como médico, devo dizer que o futebol é provavelmente o esporte mais difícil de praticar para os asmáticos.) Ele pôde suspender a maioria de seus medicamentos, precisando de seu inalador só ocasionalmente. Adam tem hoje 13 anos e continua muito ativo nos esportes. Ele escolheu o beisebol em preferência ao futebol, e leva uma vida que nem ele nem seus pais julgavam um dia ser possível.

Esse jovem atleta continua tomando uma potente multivitamina, tendo acrescentado a seu programa de suplementação uma dose de extrato de sementes de uva e vitamina C.

Deve ser surpreendente para os pais ver seu filho deixando de ser basicamente inválido para tornar-se normalmente ativo. E eles, decerto, não sentem falta das visitas ao pronto-socorro! Quão simples e, todavia, quão profundo é o efeito potencialmente renovador da suplementação nutricional!

A Asma e a Nutrição

Hoje sei que quando uma criança entra em meu consultório com asma alérgica aguda ou febre do feno, ela tem os sistemas imunológico e de defesa antioxidante seriamente abalados. No momento em que me visita, já vem enfrentando inflamações crônicas nas fossas nasais e nos pulmões por algum tempo. Como resultado, essas crianças parecem ter alergia de praticamente tudo. Elas têm círculos escuros à volta dos olhos, sentem fadiga e tomam muitos medicamentos.

Submeto-as a um potente suplemento mineral e antioxidante e incluo, além disso, alguns ácidos graxos essenciais na forma de óleo de linhaça extraído por prensa fria ou, por vezes, óleo de peixe. Como discutimos no Capítulo 10, as gorduras essenciais são importantes para a produção de certos produtos antiinflamatórios naturais pelo corpo, o que ajuda a restabelecer controle sobre a inflamação.

O extrato de sementes de uva, além de ser um grande antioxidante, parece ter ainda efeitos antialérgicos. É um forte suplemento adicional para crianças com asma. Costumo recomendar aos pais que dêem a seus filhos 1 a 2 mg de extrato de sementes de uva por cada quilo de seu peso. Também lhes ministro cálcio adicional e suplementos de magnésio. O magnésio ajuda a relaxar os broncospasmos dos músculos pulmonares. Como os espasmos desses músculos é que estreitam as vias respiratórias, isso ajuda a alargá-las.

Sempre digo aos pais que são necessários seis meses para recompor os sistemas antioxidante e imunológico de uma criança, por isso eles não devem ficar muito ansiosos. Se eu os vir na primavera, digo-lhes que a criança estará bem melhor no outono. *Todos* os meus pacientes mirins com asma ou febre do feno melhoraram usando esse programa de suplementação nutricional. Algumas histórias são dramáticas, como a de Adam, e outras refletem apenas melhorias modestas, mas todas apresentam bons resultados.

Queira lembrar-se: jamais peço a crianças asmáticas que suspendam sua medicação, uma vez que, como já observei, os suplementos nutricionais não são uma medicina alternativa — mas uma medicina complementar.

Tive prazer em tratar crianças com alergias severas, pois elas reagem magnificamente à suplementação nutricional. Lembro-me da história que uma mãe me relatou pouco depois de iniciar com sua filha o uso dos suplementos que recomendei. A menina, de 5 anos de idade, estava andando de trenó na neve. Como de costume, a mãe aguardava pacientemente à porta com o inalador da filha. Durante 2 anos a menina não pudera desempenhar nenhuma atividade, especialmente fora de casa e em dias frios, sem a ajuda do inalador. Qual não foi a surpresa da mãe ao ver que sua filhinha podia passear pela neve a manhã inteira sem precisar nenhuma vez de seu inalador!

Lembro-me também de quando nossa família se reuniu em Sioux City, em Iowa. Minha filha e minha sobrinha começaram a correr durante nossa caminhada às margens do rio Missouri. Como todos os bons tios, incentivei as garotas, provocando bastante minha sobrinha depois que minha filha a venceu. Minha sobrinha replicou que estava animadíssima somente por *poder* correr. Até então ela não tinha sido capaz disso, devido à asma esforço-induzida. Eu havia me esquecido de que lhe havia receitado suplementos nutricionais poucos meses antes.

Adultos com asma também têm muito a ganhar. Na época em que minha esposa sofria de fadiga crônica e fibromialgia (ver Capítulo1), entre seus principais problemas estavam a asma e a febre do feno agudas. Ela não conseguia nem mesmo entrar no galpão sem uma daquelas máscaras enormes que as pessoas usam para lidar com materiais perigosos. Minha esposa adora seus cavalos, e faria o que fosse necessário para estar junto deles!

Liz tomava cerca de cinco medicamentos diferentes, incluindo injeções antialérgicas, na tentativa de controlar a asma e as alergias. Mas, assim que deu início a seu programa intensivo de suplementação, a asma e a febre do feno melhoraram sensivelmente. Quando seu corpo começou a reforçar suas defesas, Liz parou de usar a máscara e suspendeu todos os medicamentos. Por vezes, ela ainda tem problemas com alergia e toma seus remédios; todavia, hoje isso só ocorre duas ou três vezes por ano.

Não preciso dizer que nossos filhos e um grande número de adultos encontram-se literalmente sob o ataque do meio ambiente. Esse os vem consumindo, e eles precisam do apoio dos suplementos nutricionais. Como nos casos de Christian e Adam, a medicina não possui todas as respostas, e as pessoas, quando estão no fim da linha, começam a procurar outras opções. Mas lembre-se de que não estou sugerindo uma medicina alternativa; estou, sim, recomendando com firmeza a medicina complementar dos suplementos nutricionais.

A pergunta é: por que estou sozinho nisso? Por que os médicos relutam tanto em recomendar que seus pacientes de asma e alergias tomem suplementos nutricionais? Isso para mim é um mistério.

A Poluição do Ar e a Doenças Pulmonores Obstrutivas Crônicas

Não há nada mais difícil do que observar pacientes, sejam jovens ou idosos, sofrendo a cada aspiração, precisando muitas vezes de oxigênio por via nasal vinte e quatro horas por dia. Esse é o caso das pessoas com doenças pulmonares obstrutivas crônicas (DPOCs), as quais incluem o enfisema, a bronquite crônica e a bronquiolite. Esses pacientes mal conseguem se exercitar e acham que a deficiência pulmonar compromete, em muito, sua alegria de viver.

Nem todo mundo pode tomar a decisão deliberada de viver em um ambiente saudável, mas a prevenção tem um grande peso em minha mente. Nesse ponto, volto a constatar que o que vale não são os anos de vida, mas a qualidade da vida que temos nesses anos. Precisamos fazer tudo o que pudermos agora para fortalecer nossa saúde ou reestimulá-la se ela estiver debilitada.

A poluição do ar é um elemento importante. Há evidências consideráveis de que a inalação da fumaça de cigarros e de poluentes do ar provoca o aumento de estresse oxidativo que está na origem das DPOCs.[4] A inflamação crônica que resulta nas vias respiratórias das pessoas gera ainda mais estresse oxidativo, o que leva à avaria do delicado tecido pulmonar. Isso acaba por limitar o funcionamento do pulmão, comprometendo a passagem do oxigênio através das membranas danificadas até o sangue.

Estudos Mostram Que o Estresse Oxidativo É a Causa das DPOCs

W. MacNee declarou no jornal médico *Chest* e no Simpósio da Fundação Novartis que a seu ver havia evidências científicas consideráveis de que o estresse oxidativo é a causa das DPOCs. Ele descobriu que muitos pacientes com DPOCs tinham poucos antioxidantes no tecido pulmonar, em função do aumento de estresse oxidativo e possivelmente de uma dieta pobre em antioxidantes. Ele declarou que antioxidantes com boa "biodisponibilidade" (que são facilmente usados no pulmão) podem constituir, dessa forma, terapias potenciais, que não somente protegeriam dos efeitos diretamente nocivos dos oxidantes, como também poderiam alterar favoravelmente os eventos que têm papel central no desenvolvimento das DPOCs.[5]

O avanço das DPOCs tem relativa resistência aos tratamentos médicos tradicionais, sobretudo ao uso de esteróides. Obviamente, a primeira tarefa do médico costuma ser incentivar pacientes que fumam a abandonar este hábito. Não é uma tarefa fácil. Acho mais difícil conseguir que meus pacientes abandonem o cigarro do que o álcool, ou mesmo do que certos medicamentos narcóticos. Ainda assim, o benefício para o paciente é imenso. *Por isso mesmo, tento praticamente de tudo para ajudar meus pacientes a pararem de fumar.*

(Um princípio que você encontrará a todo momento neste livro é o de que cumpre-lhe fazer todo o possível para reduzir sua exposição aos elementos capazes de gerar estresse oxidativo. Saúde não é meramente uma questão de reforçar o sistema de defesa antioxidante de seu corpo.)

Se você estiver desenvolvendo uma DPOC sem nunca ter fumado ou sem estar fumando no momento, a suplementação nutricional pode ser a melhor maneira de retardar a progressão da doença. Os princípios básicos se aplicam a essas doenças pulmonares crônicas da mesma maneira que à asma: quanto antes você der início a um programa agressivo de suplementação, maiores suas chances de impedir o avanço da doença. Quando o pulmão já estiver seriamente lesado, como muitos fumantes já descobriram, há pouca chance de melhorar significativamente seu funcionamento.

A Fibrose Cística

A fibrose cística (FC) é uma doença hereditária letal caracterizada sobretudo pela má absorção digestiva (o corpo não absorve prontamente os nutrientes da dieta), bem como por infecções pulmonares crônicas. A síndrome de má absorção dos pacientes de fibrose cística deve-se primariamente à deficiência de enzimas pancreáticas. Além disso, as células epiteliais das vias respiratórias dos pulmões tampouco funcionam bem, o que promove maior acúmulo de muco e novas infecções bacterianas. O dano infligido aos pulmões característico dessa doença deve-se, uma vez mais, ao tremendo estresse oxidativo que acaba ocorrendo no revestimento pulmonar.

Diversos estudos clínicos demonstraram que pacientes de fibrose cística são muito deficientes em vitamina E, selênio, betacaroteno e no importante antioxidante glutationa, encontrado tanto nas células epiteliais como no revestimento de fluido epitelial dos pulmões.[6] Esse processo inflamatório contínuo reduz a quantidade dos antioxidantes essenciais necessários à proteção dos pulmões, e, em razão do problema de má absorção, é impossível para o paciente repor nutrientes de maneira adequada.

A fibrose cística é um exemplo ideal do que ocorre quando nossos sistemas naturais antioxidante e imunológico não conseguem funcionar devidamente. O dano oxidativo ao tecido pulmonar acumula-se em ritmo muito acelerado, e a maioria das pessoas morre antes de atingir a idade adulta.

Estudos recentes apresentaram resultados animadores; ou seja, a possibilidade de retardar a progressão dessa doença pelo uso de suplementos nutricionais. Combinando suplementos de enzimas pancreáticas com uma intensa suplementação antioxidante em pacientes de fibrose cística, pesquisadores conseguiram restaurar quase ao normal os níveis de vitamina E e betacaroteno.[7] Ensaios clínicos indicam ainda que, quando os pacientes tomam esses importantes nutrientes antioxidantes, o estresse oxidativo volta a ficar sob controle e os abalados sistemas imunológicos também se recuperam, de modo a conseguir combater melhor as infecções crônicas.

Tais estudos clínicos dão aos médicos uma forte razão para receitar a seus pacientes de fibrose cística suplementos nutricionais potentes e enzimas pancreáticas. A suplementação não pode senão ajudar a melhorar a condição do paciente e, espera-se, com entusiasmo, retardar o avanço de sua doença.

A História de Sharlie

Sharlie é uma bela jovem. É vibrante e cheia de energia — a própria imagem da saúde. Você jamais imaginaria que ela luta diariamente por sua vida. Saiba que Sharlie nasceu com fibrose cística. Hoje ela tem 23 anos e já é uma privilegiada, se considerarmos que apenas 30% desses pacientes chegam à idade adulta.[8]

Ninguém sabe melhor disso do que Sharlie e sua mãe, Collette. A irmã de Sharlie morreu há muitos anos, após um transplante bilateral dos pulmões por razão de fibrose cística. As duas meninas eram inseparáveis. Como ambas tinham essa doença crônica, elas possuíam um elo que a maioria das crianças jamais experimentará. Na verdade, ver sua irmã sofrer e morrer após um transplante de pulmão criou em Sharlie o desejo profundo de fazer todo o possível para proteger seus próprios pulmões e ajudar ao máximo na luta contra seu inimigo comum.

Sharlie tinha 15 anos quando sua irmã, Lexi, morreu. A mágoa foi para ela um grande fardo, mas Sharlie também carregava o fardo de sua própria luta — pulmões que a maior parte do tempo só funcionavam com 35% da capacidade. Seu médico quis incluí-la igualmente na lista para transplante pulmonar.

Depois da desilusão com a experiência da irmã, Sharlie se opôs a essa decisão, preferindo antes tentar combater sua doença com o uso de poderosos suplementos nutricionais. Lexi lhe despertara essa esperança. Sharlie vira Lexi reagir bem aos suplementos depois do transplante de pulmão. Os médicos achavam que perderiam Lexi pouco depois da cirurgia, mas ela era uma lutadora, e, com a ajuda de nutrientes, recuperou-se de maneira notável.

Embora Lexi só vivesse uns poucos meses depois disso, Sharlie convenceu-se de que sua melhor opção era tentar fortalecer seu próprio corpo por meio da suplementação. Ela começou a tomar um poderoso suplemento mineral e antioxidante, juntamente com adicionais de vitamina C, cálcio, magnésio e extrato de sementes de uva. Ela teve resultados impressionantes. Meses mais tarde, o funcionamento de seus pulmões estavam acima de 50%. Os médicos estavam atônitos.

Sharlie começou a tomar parte em atividades de educação física e, mesmo, em esportes menores. Ela sempre acreditara que quanto mais ativa pudesse ser, tanto melhor, muito embora continuasse a sofrer infecções e tivesse de ser hospitalizada de tempos em tempos para receber antibióticos intravenosos. Apesar dessas pequenas recaídas, Sharlie viu sua vida e suas atividades cotidianas alcançarem quase a normalidade.

Sua decisão de não entrar na lista de transplante do pulmão e de iniciar um agressivo programa de suplementação foi a melhor de sua jovem vida. Sharlie tornou-se um símbolo de esperança para muitas outras crianças com fibrose cística.

Infelizmente, a luta de Sharlie continua. Há 3 anos ela desenvolveu uma aguda falta de ar. Foi mais difícil do que qualquer coisa que já houvesse experimentado. Depois de examiná-la, o médico teve de dizer à mãe de Sharlie que um dos pulmões da filha sofrera colapso e já não funcionava — uma condição conhecida como *pneumotórax*.

Isso, sem dúvida, deprimiu Sharlie — a princípio. Mas ela, com grande determinação, superou esse abalo e acabou retornando a uma vida quase normal, contando somente com o pulmão avariado que lhe restava. Ela continua sua luta por ar e por sua vitória sobre a infecção. Após um acesso de pneumonia que reduziu sua capacidade respiratória para quase 15%, ela recuperou seu estilo de vida ativo e surpreendeu seus médicos. De fato, sua capacidade respiratória voltou a 35%.

A história de sucesso de Sharlie é uma história de força e coragem inabaláveis, complementadas pelo que há de melhor em atenção médica e suplementos nutricionais. Sharlie aprendeu a viver um dia por vez. Isso certamente faz de cada um de seus dias uma dádiva mais do que preciosa.

Conheço Sharlie já há mais de 7 anos, e ela tem sido um pilar de incentivo para mim.

• • •

Nossos pulmões ficam provavelmente vulneráveis ao máximo no mundo tóxico em que nos vemos obrigados a viver. Embora nosso corpo possua uma excelente defesa natural, ele ainda pode ser sobrepujado. É indispensável que deixemos tais defesas naturais em seu nível máximo.

As histórias que compartilhei com você neste capítulo são dramáticas, e são verdadeiras. Não é impressionante a melhora que experimentam pacientes com asma, alergia e fibrose cística quando aprendem a sustentar com suplementos nutricionais os sistemas naturais imunológico e antioxidante de seus pulmões? É esse o milagre que você vinha procurando?

TREZE | Doenças Neurodegenerativas

CARL MOHNER FEZ 80 ANOS EM AGOSTO DE 2001. AMANTES DA ARTE DE TODO O mundo celebraram seu aniversário, mas especialmente os de McAllen, no Texas.

Carl, que se tornaria uma lenda, iniciou sua carreira de ator em Salzburgo, na Áustria, em 1941. Depois que a Segunda Guerra Mundial interrompeu temporariamente suas atividades, ele voltou a filmar e, em 1951, estrelou em *Vagabunden der Liebe* (Vagabundos do Amor), o primeiro de mais de sessenta filmes. Entre os mais notáveis estão *A Última Ponte*, que ganhou a Palma de Ouro no Festival de Cinema de Cannes de 1953, bem como a produção francesa *Rififi*, do ano seguinte, hoje considerada um clássico. O público americano se lembrará melhor de Carl como o Capitão Lindeman de *Sink the Bismark* (Afundem o Bismark) ou como Peter, o cozinheiro de peixes em *The Kitchen* (A Cozinha).

Apesar de seu sucesso no cinema, a primeira paixão de Carl foi a pintura.

Texturas e profundidades eram para ele tão fascinantes como os personagens de um filme e, a seu ver, as cores articulavam as falas do drama da vida. As telas se tornavam o palco em que o artista expressava suas paixões.

Um dia Carl reconheceu essa mesma paixão no coração de outra pintora, Wilma Langhamer, que se tornou sua esposa em 1978. Eles trocaram a Europa pela América, a terra da oportunidade. Tiveram grandes sonhos e se mudaram para o coração do Texas. A vida era boa, e ambos os artistas produziram uma quantidade impressionante de obras até 1988, quando a vida de Carl mudou para sempre.

Carl recebeu o diagnóstico de mal de Parkinson. A doença surgiu sombria no horizonte de seu futuro com Wilma, ameaçando tirar-lhes tudo pelo que haviam lutado. Mas para Carl as mudanças nunca foram sinônimo de insucesso. Como se previa, falar foi se tornando mais difícil para ele, e sua habilidade para andar declinou dramaticamente. Mas a cor e o drama ainda dançavam ante seus olhos, levando-o de volta às telas dias após dia. Em que pesasse ao futuro incerto, Carl pintaria até quando pudesse.

Às vezes, ele se sentia como se nadasse em areia movediça. Seu corpo tornou-se o maior obstáculo em sua vida. Mas os desafios não eram novidade. Ao rememorar seus anos passados, o pintor lembrava-se da rigidez (um sintoma característico do mal de Parkinson) que já se manifestava muito antes de seu diagnóstico. A força de vontade de Carl tinha de superar os limites de seu corpo. Ele foi em frente e continuou a pintar em um ritmo frenético, produzindo mais de 1.500 quadros entre 1990 e 1995.

Embora os medicamentos tradicionais ajudassem a princípio, em meados da década de 1990 o artista estava essencialmente preso à cadeira de rodas, sem todavia parar de pintar. No verão de 1999, Carl me consultou para saber se a nutrição poderia ajudá-lo de alguma forma. Seguindo minhas recomendações, ele começou a tomar um poderoso tablete mineral e antioxidante, acompanhado também de uma alta dose de extrato de sementes de uva e Coenzima Q10.

Passados cerca de seis meses, Carl notou certo restabelecimento no movimento de sua língua, e conseguia levantar-se e andar por curtas distâncias. Decidi aumentar a dose do extrato de sementes de uva. Ele me contou então que já conseguia levantar-se e sentar-se, e caminhar cerca de vinte minutos por dia. Sua terapia física também ajudou, e sua força como um todo começou a aumentar. O mais animador para Carl era o fato de que ele podia continuar pintando. Enquanto pintava, podia esquecer o mal de Parkinson, ao menos por alguns meros instantes.

A maioria das pessoas consideraria o mal de Parkinson como o pior inimigo de um pintor, pois ele afeta significativamente o movimento muscular. Mas Carl continua a exibir seu trabalho em algumas das exposições mais concorridas do país. Em setembro de 2000 ele conquistou o primeiro lugar em Meios Mistos Bidimensionais na prestigiada Plaza Art Fair, em Kansas City, Missouri. Em março de 2001, no Bayou City Art Festival, em Houston, ele voltou a conquistar o primeiro prêmio em Meios Mistos Bidimensionais.

Em atenção ao octogésimo aniversário de Carl, Vernon Weckbacher, curador de coleções no McAllen International Museum, escreveu: "Carl, você enxerga o que há de belo e instigador nas coisas comuns, e, por meio de suas obras, compartilha sua visão especial com as pessoas ao seu redor".

Como ser humano, fico assombrado com a beleza que Carl transmite por intermédio da arte. Como médico, fico atônito pelo fato de ele ainda ser capaz de pintar — quanto mais de comunicar-se pelo meio artístico e competir nos mais altos níveis de seu ofício.

"As pessoas ficam muito tocadas com a arte dele", diz a esposa de Carl, Wilma. "É para isso que ele vive. Quando está absorto em seu trabalho, o mal de Parkinson deixa momentaneamente de existir. Só existem ele e a pintura."[1]

A vida de Carl não é apenas um tributo a seu caráter; ela demonstra os resultados fortalecedores da medicina nutricional. A lenda de Carl Mohner ainda está viva.

O Estresse Oxidativo e Cérebro

Você já pensou em sua capacidade de pensar? Pense no pensamento (o que é uma idéia e tanto!). Quando recorre a seus bancos de memória e recorda uma experiência vívida da infância ou aquele momento especial com sua família, você já se perguntou como é que consegue se lembrar até dos mínimos detalhes? Pare de ler por um momento e olhe pela janela. Já havia parado para maravilhar-se com sua visão em cores, grande-angular e binocular? Tudo isso só é possível graças à fabulosa criação de Deus que é o cérebro.

O cérebro é nosso órgão mais precioso, já que, sem o seu funcionamento pleno, nós, seres humanos, meramente existiríamos, incapazes de nos relacionar com o mundo ao nosso redor. Minha mãe morreu de um grave tumor cerebral que afetava sua capacidade de entender conversas e falar. Foi a época mais frustrante de minha vida, pois ela não conseguia entender o que dizíamos. Quando lhe dizíamos que a amávamos, tudo o que ganhávamos em troca era um olhar vazio. Suas palavras eram desordenadas e não faziam o menor sentido. Não é necessário dizer que proteger meu cérebro tornou-se uma prioridade.

A essa altura, não será surpresa nenhuma para você que nem mesmo o cérebro (o sistema nervoso central) ou nossos nervos (o sistema nervoso periférico) estejam a salvo do estresse oxidativo. Esse inimigo comum foi gravemente relacionado a uma variedade de doenças que infligem danos devastadores ao cérebro e aos nervos, conhecidas como *doenças neurodegenerativas*.[2] Elas incluem o mal de Alzheimer, o mal de Parkinson, a ALS[3] (ou mal de Lou Gehrig), a esclerose múltipla e a coréia de Huntington. Na verdade, há várias razões para que o cérebro e os nervos sejam *especialmente vulneráveis* ao estresse oxidativo:

- Em proporção a seu tamanho, o cérebro sofre uma atividade oxidativa crescente, o que gera um número considerável de radicais livres.
- A atividade normal promovida por diversas substâncias químicas com a finalidade de estabelecer a condução neural é uma grande produtora de radicais livres.
- O cérebro e o tecido dos nervos contêm níveis relativamente baixos de antioxidantes.
- Milhões de células *não replicáveis* compõem o sistema nervoso central. Isso significa que, uma vez danificadas, elas provavelmente continuarão assim pelo resto da vida.
- O cérebro e o sistema nervoso são facilmente abalados. Um dano ligeiro em uma região crítica pode causar graves problemas.

O cérebro é o órgão mais importante de nosso corpo. Nossos pensamentos e emoções, nossa capacidade de raciocinar e nos comunicar com o mundo externo estão em perigo se algo danificar nosso cérebro. Qual a melhor forma de defender esse precioso patrimônio? Não é apenas uma questão de tentar evitar a devastação das doenças degenerativas; antes de tudo, porém, é uma questão de proteger nossa capacidade de pensar e raciocinar.

O Envelhecimento do Cérebro

O estresse oxidativo é a principal causa do processo de envelhecimento. Em parte alguma as evidências disso são mais fortes do que quando estudamos o envelhecimento do cérebro. Diversos estudos científicos detectaram estresse oxidativo na mitocôndria (o forno da célula) e no DNA das células cerebrais. Isso pode provocar o mau funcionamento ou mesmo a morte dessas células delicadíssimas.[4] Como observei, as células do cérebro não têm a capacidade de se regenerar. Assim, conforme perdemos mais e mais células cerebrais ao longo de nossas vidas em razão do estresse oxidativo, o cérebro simplesmente vai deixando de funcionar com a eficiência de quando éramos mais jovens. Em termos médicos isso provoca o que se chama *perda da cognição*. Em termos leigos, é uma redução em nossa capacidade de pensar ou raciocinar. Portanto, o estresse oxidativo em nossas delicadas células cerebrais é o maior inimigo do funcionamento do cérebro.

O envelhecimento do cérebro é essencialmente o primeiro estádio de degeneração dessas importantíssimas células de nosso corpo. Assim como não contraímos outras doenças degenerativas do nada, as pessoas não acordam simplesmente de manhã com o mal de Alzheimer ou o mal de Parkinson. Essas doenças representam os estádios finais do dano oxidativo ao cérebro. Elas são apenas parte de uma progressão que tem início com o envelhecimento do cérebro. Quando um número suficiente de células cerebrais se encontra danificado, a doença se manifesta.

Quando um paciente recebe o diagnóstico de mal de Parkinson, mais de 80% das células de uma região particular do cérebro chamada de *substantia nigra*[5] já foram destruídas. O mesmo vale para as pessoas com mal de Alzheimer. Essas doenças degenerativas, na verdade, se desenvolvem durante períodos de 10 a 20 anos.[6]

Vejamos algumas delas individualmente.

Mal de Alzheimer

O mal de Alzheimer afeta mais de 2 milhões de norte-americanos e é a principal causa de internação em asilos.[7] Os pacientes de Alzheimer não se limitam a ignorar a data corrente: eles não reconhecem nem mesmo suas famílias.

Nada é mais devastador do que perder a capacidade de pensar. Qualquer pessoa que tenha de lidar com o mal de Alzheimer dentro de sua família sabe como isso é trágico. Se você tem um ente querido que sofre de Alzheimer, sabe que é a qualidade e não a quantidade de vida que deve importar para a maioria de nós.

Tratei centenas de pacientes de Alzheimer ao longo de minha carreira. Eu pude vê-los vivendo de 10 a 15 anos de suas vidas isolados mentalmente de sua família e seus amigos. Enquanto escrevo este capítulo, o ex-presidente Ronald Reagan "comemora" seu nonagésimo primeiro aniversário. Tristemente, os meios de comunicação noticiaram que há mais de 10 anos ele não faz um discurso em público. A passagem de mais um aniversário torna-se um evento vazio e doloroso para os pacientes do mal de Alzheimer e suas famílias.

Numerosos estudos apresentaram evidências que demonstram claramente ser o dano por radicais livres a causa do mal de Alzheimer. Descobertas recentes feitas por pesquisadores da Case Western Reserve University concluíram que o aumento de estresse oxidativo com o avanço da idade é provavelmente responsável por todos os aspectos do mal de Alzheimer. Há fortes evidências de que pacientes com esse mal têm níveis significativamente reduzidos de antioxidantes no cérebro, bem como altos níveis de estresse oxidativo.[8]

Há hoje muito interesse nos benefícios terapêuticos que os pacientes do mal de Alzheimer podem extrair dos antioxidantes. O *New England Journal of Medicine* divulgou em abril de 1997 um estudo mostrando que altas doses de vitamina E podem reduzir significativamente o avanço do mal de Alzheimer. Pacientes com a doença em estado moderado que ingeriram 2.000 IU de vitamina E em suplementação conseguiram permanecer em casa 2 ou 3 anos a mais do que os membros do grupo de controle, que receberam apenas um placebo.[9]

Não é difícil imaginar a economia de gastos (para não dizer a paz de espírito) que cada família teria ao adiar, em qualquer medida, os serviços de asilos. Outros estudos clínicos em que pacientes do mal de Alzheimer usaram antioxidantes como a vitamina C, a vitamina A, a vitamina E, o zinco, o selênio e a rutina (um flavonóide antioxidante) também se mostraram bem promissores.

Mal de Parkinson

A postura curvada, movimentos voluntários lentos, rigidez e um tremor de "enrolar pílulas", que faz com que as mãos se movam para trás e para a frente em uma ação de "enrolamento", caracterizam o mal de Parkinson. As aparições em público de Mohammed Ali nos deu uma boa idéia dos efeitos dessa doença debilitante. Esses obstáculos são a razão para que a história de Carl seja tão profunda. Inacreditavelmente, a doença de Carl é muito mais grave do que a de Ali e, todavia, ele ainda é capaz de pintar.

Uma vasta gama de estudos sustenta o papel dos radicais livres como causa subjacente do mal de Parkinson.[10] A morte real de células (de aproximadamente 80%) na área do cérebro chamada de *substantia nigra* reduz a produção de dopamina, uma substância que permite ao cérebro funcionar normalmente.

Estudos indicam que pacientes com indícios de mal de Parkinson que tomaram altas doses de vitamina C e E conseguiram retardar o avanço da doença. Eles evitaram tomar qualquer medicamento para sua doença por aproximadamente 2 anos a mais do que o grupo de controle. A glutationa e a N-acetil L-cisteína (ambas antioxidantes) também se mostraram bastante eficazes em proteger os nervos da *substantia nigra* de novos ataques do estresse oxidativo.[11]

Esclerose Múltipla

A esclerose múltipla afeta cerca de 250 mil norte-americanos e é duas vezes mais comum em mulheres do que em homens.[12] Diversamente do mal de Alzheimer e do mal de Parkinson, em que as células cerebrais são efetivamente danificadas, essa desordem afeta a bainha de mielina (camada que reveste o nervo). Essa ruptura da mielina, chamada de *desmielinação,* resulta em mau funcionamento do nervo. É como um fio elétrico que gera curto-cirtuito devido a estragos no isolamento que o envolve. A desmielinação é responsável pelos sintomas clínicos da esclerose múltipla.

O dr. S. M. LeVine sugeriu, em 1992, que os radicais livres de hidroxila encontrados em excesso na bainha de mielina causam a esclerose múltipla.[13] Outros investigadores documentaram o fato de que o estresse oxidativo é significativamente maior em pacientes com esclerose múltipla no ápice do que em pacientes da mesma doença em situação estável.[14]

A esclerose múltipla difere das outras doenças degenerativas pelo fato de que o mecanismo que agride o sistema nervoso central e os nervos periféricos é o sistema imunológico, e não toxinas externas. Quando o próprio sistema imunológico ataca a bainha de mielina, gera-se um estresse oxidativo que, em seguida, danifica os nervos.

A esclerose múltipla responde notavelmente bem à nutrição celular. Não há para mim dúvida alguma de que, diversamente do mal de Alzheimer e do mal de Parkinson, em que danos irreversíveis são infligidos às células do cérebro, o corpo *tem* o potencial de reparar os danos à bainha de mielina. É fundamental submeter os pacientes de esclerose múltipla ao uso de poderosos antioxidantes.

Na tentativa de retardar ou mesmo reverter o mal de Parkinson, a esclerose múltipla ou o mal de Alzheimer, ainda não usamos os antioxidantes em seu pleno potencial. E isso por uma série de razões importantes. Em primeiro lugar, como eu já disse, no momento em que o médico consegue diagnosticar o mal de Alzheimer ou o mal de Parkinson, um número significativo de células cerebrais já foi destruído. Nós simplesmente não iniciamos o tratamento cedo o bastante. Em segundo lugar, para que tenhamos algum sucesso em reduzir o risco ou retardar o avanço de doenças neurodegenerativas, devemos pesquisar os efeitos *de antioxidantes que adentrem o cérebro facilmente*. Em terceiro lugar, no caso de pacientes com uma doença como a esclerose múltipla, precisamos também recorrer a antioxidantes que entrem com mais eficácia tanto no cérebro como nos nervos. Os pesquisadores ainda não estão estudando antioxidantes que consigam atravessar facilmente o que é chamado de *barreira hemato-encefálica*.

A Barreira Hemato-Encefálica

O cérebro precisa de uma barreira que o separe do sangue e possibilite a complexa sinalização dos nervos. A barreira hemato-encefálica é um espesso revestimento de células epiteliais presente nas pequenas artérias que correm pelo cérebro. Esse revestimento possui articulações muito apertadas, o que dificulta bastante a passagem dos nutrientes para as células cerebrais.

Nutrientes importantes necessários ao cérebro conseguiram especializar-se em transportar as proteínas disponíveis, permitindo-lhes cruzar essa barreira. Ao mesmo tempo, substâncias tóxicas, organismos infecciosos *e a maioria dos outros nutrientes* têm dificuldade em atravessar essa barreira. Isso mantém o cérebro isolado, permitindo que apenas os nutrientes mais essenciais o adentrem. Como um castelo medieval circundado por um fosso e uma muralha, com acesso por ponte levadiça, nosso cérebro possui uma proteção considerável dos perigos do mundo exterior. Deus criou essa barreira defensiva notável para a proteção dessa delicadíssima parte de nosso corpo.

Você então se perguntaria: *O que houve de errado no caso do envelhecimento do cérebro e das doenças neurológicas?*

O departamento de neurologia no Centro Médico Rabino, de Tel Aviv, concluiu que, em função do meio ambiente de hoje, o cérebro está exposto a uma quantidade significativamente maior de toxinas (como os metais pesados) e, conseqüentemente, de estresse oxidativo. O sistema de defesa antioxidante já não é totalmente eficaz para proteger esse órgão vital. Eles acreditam que antioxidantes adicionais, que devem ser tomados especificamente como suplementação, tenham o potencial de diminuir ou talvez mesmo prevenir o dano causado pelo aumento de estresse oxidativo. Alertam, contudo, que os antioxidantes devem ser capazes de cruzar facilmente a barreira hemato-encefálica.[15]

Vamos dar uma olhada em cada um dos importantes antioxidantes necessários à proteção das sensíveis células do cérebro, e também na maneira como eles atravessam a barreira hemato-encefálica.

Os Antioxidantes Adequados para o Cérebro

Vitamina E

A vitamina E é um antioxidante solúvel em gordura, muito importante para a proteção das células do cérebro e dos nervos periféricos. Ela consegue atravessar a barreira hemato-encefálica, mas encontra certa dificuldade. Os pesquisadores têm de usar altas doses de vitamina E em suplementação para aumentar sua incidência nessa região do corpo. Portanto, a vitamina E é um antioxidante importante para a proteção das células cerebrais, mas talvez não seja o melhor nesse caso.

Vitamina C

A vitamina C pode concentrar-se no tecido e no fluido ao redor do cérebro e dos nervos. Ela consegue atravessar a barreira hemato-encefálica e, de fato, seus níveis são dez vezes maiores nesse tecido do que no plasma.[16] Uma vez que a vitamina C, além de ser um ótimo antioxidante, possui ainda a capacidade de regenerar a vitamina E e a glutationa, ela é um nutriente importantíssimo para proteger as células do cérebro e dos nervos.

O dr. M. C. Morris publicou um estudo demonstrando que as vitaminas C e E, quando ministradas em suplementação a pacientes normais com idades acima de 65 anos, reduziram efetivamente o risco de desenvolvimento do mal de Alzheimer. Esse foi um estudo modesto, e ainda ser devem feitos estudos mais intensivos e abrangentes.[17]

Glutationa

A glutationa é o mais importante antioxidante no cérebro e nas células nervosas. Mas esse é um nutriente dificilmente absorvido a partir de suplementos orais, e sua habilidade para cruzar a barreira hemato-encefálica ainda não está muito clara. Alguns estudos utilizando glutationa intravenosa demonstraram melhorias significativas em pacientes de mal de Parkinson; todavia, esses estudos envolveram somente uns poucos pacientes.[18] A melhor estratégia nessas condições é suplementar os nutrientes de que o corpo precisa para produzir sua própria glutationa (a N-acetil L-cisteína, a niacina, o selênio e a vitamina B2). Você também precisa ter disponíveis os antioxidantes que regeneram a glutationa, de modo que ela possa ser usada por repetidas vezes (vitamina C, ácido alfalipóico e CoQ10).

Ácido Alfalipóico

A comunidade médica está reconhecendo cada vez mais o ácido alfalipóico como um antioxidante importante.[19] Ele não somente é solúvel em água e gordura como tem ainda a capacidade de atravessar prontamente a barreira hemato-encefálica. Ele pode regenerar a vitamina C, a vitamina E, a glutationa intracelular e a CoQ10.

Outro aspecto importante do ácido alfalipóico é o fato de que ele pode aderir a metais tóxicos no cérebro e ajudar a eliminá-los do corpo. Metais pesados como mercúrio, alumínio, cádmio e chumbo foram relacionados ao aumento do risco de desenvolvimento de doenças neurodegenerativas. Esses metais tendem a depositar-se no tecido do cérebro, devido à grande quantidade de gordura concentrada nessa área do corpo.[20] Eles podem provocar um aumento considerável de estresse oxidativo, sendo extremamente difíceis de serem removidos do sistema nervoso central uma vez lá instalados. Antioxidantes que, além de serem potentes, possuem a habilidade de ajudar a remover esses metais pesados tóxicos serão cada vez mais importantes na prevenção e no tratamento dessas doenças.

Como um comentário à parte, creio ser prudente evitar o uso de produtos que, a exemplo dos desodorantes e utensílios de cozinha, contêm alumínio. Sabendo-se que os metais pesados aumentam efetivamente a quantidade de estresse oxidativo no corpo, e sobretudo no cérebro, é interessante que você reduza sua exposição a eles.

Prevejo que nos próximos anos ouviremos falar mais e mais da toxidade do mercúrio e do modo como também ela pode causar danos significativos ao cérebro. Eu incentivaria todas as pessoas, mas especialmente as que têm filhos pequenos, a evitar obturações de amálgamas de mercúrio em seus dentes. Se você consultar seu dentista sobre alguma alternativa às amálgamas de mercúrio, ele terá várias opções mais seguras. (Mas não saia correndo para extrair suas obturações. Se isso não for bem-feito, elas poderão causar mais dano do que sendo deixadas de lado.)

Coenzima Q10

A Coenzima Q10, como você deve estar lembrado, é um antioxidante muito poderoso, bem como um dos nutrientes mais importantes para a produção de energia dentro da célula. Estudos clínicos demonstraram que danos oxidativos na mitocôndria (que é onde a CoQ10 funciona) são um aspecto importante no desenvolvimento de doenças neurodegenerativas.[21]

Conforme envelhecemos, o nível de CoQ10 em nossos cérebros e células nervosas reduz-se significativamente. A CoQ10 pode ser um elo perdido na prevenção de doenças como o mal de Alzheimer e o mal de Parkinson; todavia, devem-se fazer ainda novos estudos clínicos em seres humanos. A eficácia com que a CoQ10 atravessa a barreira hematoencefálica ainda não foi totalmente avaliada.

Extrato de Sementes de Uva

Estudos demonstraram que o extrato de sementes de uva atravessa a barreira hematoencefálica com razoável facilidade. É um antioxidante excepcionalmente poderoso, e o mero fato de que altas concentrações dele podem ser encontradas no fluido e nas células cerebrais e do tecido nervoso o torna um antioxidante ideal para o cérebro. Minha experiência me diz que esse nutriente é um agente de primeira importância nos admiráveis resultados que observei entre pacientes de doenças neurodegenerativas. Creio que ele seja, de longe, o mais importante otimizador no caso dessas doenças. É, sem dúvida, um dos antioxidantes que os pesquisadores deviam utilizar mais em estudos sobre tais doenças.

Protegendo Nosso Bem Mais Precioso

Todo mundo deseja preservar e proteger sua capacidade de raciocinar e pensar. De fato, perder essa habilidade é provavelmente o medo número um da maioria de meus pacientes. Quando um paciente esquece onde pôs as chaves ou não consegue lembrar o nome do vizinho, ele com freqüência vem a meu consultório com receios de haver desenvolvido o mal de Alzheimer.

Conforme envelhecemos, acabamos tendo essa preocupação, uma hora ou outra. Eu não tenho medo de morrer, graças a minha fé em Cristo: estar ausente do corpo é estar presente em Deus.[22] Mas, depois de praticar a medicina ao longo de três décadas e de ver tantos pacientes incapacitados, vivo, sim, com um receio importuno de ficar aprisionado em meu corpo. Tenho pacientes com mal de Alzheimer que não reconhecem seu parceiro ou filhos há mais de uma década, e todavia sua saúde física geral ainda é boa. Dê uma volta por um asilo e você descobrirá por que estou tão preocupado.

O princípio de otimizar nosso sistema natural de defesa antioxidante é imperativo quando se trata de proteger as células do cérebro contra nosso inimigo comum, o estresse oxidativo. Lembre-se, devemos nos concentrar na *prevenção* e na *proteção*, pois, uma vez destruídas, as células cerebrais não são facilmente repostas.

Há dois conceitos fundamentais que cumpre ter em mente para reduzir com sucesso a incidência dessas doenças tão incapacitadoras: primeiro, devemos usar uma combinação de antioxidantes que funcionem em sinergia e ao mesmo tempo atravessem de imediato a barreira hemato-encefálica; segundo, precisamos evitar toda exposição excessiva aos metais pesados que mencionei e a outras toxinas de nosso meio ambiente. O equilíbrio é o segredo, e devemos procurar reduzir nossa exposição a tóxicos, bem como fortalecer as defesa naturais de nosso organismo.

Acredito que o programa de nutrição celular que apresento no Capítulo 17 ajude o indivíduo saudável a atingir suas metas de saúde cerebral e preservação. Se você já estiver preocupado com um declínio em sua habilidade de recordar coisas, ou tiver um histórico considerável de mal de Alzheimer em sua família, talvez deseje acrescentar alguns nutrientes adicionais que chamo de *otimizadores*. Trata-se daqueles antioxidantes que se sabe cruzarem facilmente a barreira hemato-encefálica, como o extrato de sementes de uva. Veja o Capítulo 17 para mais detalhes ou, se você estiver especialmente interessado, consulte-me em meu site Web: www.nutritional-medicine.net.

A História de Ross

Ross é um caubói que parece saído diretamente de um velho filme de faroeste. Seu amor por cavalos anda de mãos dadas com seu amor pelo esporte do laço. E ele é bom. Seus concorrentes do oeste se encolhem quando o vêem entrando na arena — sabem que ele é um páreo duro.

Por anos, Ross foi um dos melhores. Ele fazia a limpa nos torneios da Dakota do Sul. Mas há alguns anos Ross começou a sentir dormência nas pernas. A princípio, ele não ficou muito preocupado, mas a dormência alastrou-se em seguida por seus quadris e pela área inferior de suas costas. O caubói finalmente marcou uma consulta com seu médico e, depois de muitos, muitos testes, recebeu o diagnóstico de esclerose múltipla.

Ross ficou devastado. Eu não sei se caubóis choram, mas não há dúvida de que podem ser muito obstinados. Esse laçador não pretendia desistir. Ele simplesmente montava em seu cavalo, sem sentir a metade inferior do corpo, e participava de eventos coletivos de laço. Hoje Ross admite que essa não era a coisa mais prudente a fazer, já que seu equilíbrio na sela ficava bastante comprometido, mas ele tinha de continuar vivendo, e o laço era há muito a sua vida.

Foi por volta dessa época que Ross começou a procurar terapias adicionais para sua esclerose múltipla. Ele me ouviu palestrar em um encontro local e, logo em seguida, deu início ao programa de suplementação que recomendo a meus pacientes de esclerose múltipla. Em alguns meses, começou a se sentir melhor. A dormência e a fraqueza em suas pernas começaram a regredir.

Doenças Neurodegenerativas

Hoje, cerca de 3 anos depois, Ross acredita estar plenamente recuperado. A força em suas pernas está de volta ao normal, e ele não sente absolutamente nenhuma dormência, seja nas pernas, nos pés ou no dorso. Voltou ao laço e sente-se outra vez seguro na sela. Seus concorrentes, sem dúvida, voltaram a se encolher quando ele chega às maiores e mais disputadas arenas de rodeio.

• • •

Testemunhei várias recuperações quase milagrosas de esclerose múltipla. Acompanhei pessoalmente diversos pacientes da doença que deixaram de estar presos à cadeira de rodas para caminhar, e vi muitos outros que estabilizaram a doença com o uso de suplementos nutricionais.

É fato que a esclerose múltipla é mais do que uma doença neurodegenerativa; é também uma doença auto-imune, que os médicos têm conseguido tratar, aprimorando o sistema imunológico. Com efeito, eles vêm utilizando Betaserona e Avonex (ambos interferon-beta 1A), medicamentos conhecidos por aprimorar a resposta imunológica. A suplementação nutricional com poderosos antioxidantes, minerais, CoQ10, extrato de sementes de uva e gorduras essenciais faz basicamente o mesmo; mas ela não tem os efeitos colaterais adversos. Volto a dizer que sempre incentivo meus pacientes a continuar tomando todos os medicamentos receitados além dos suplementos. Alguns pacientes de esclerose múltipla melhoram a tal ponto que discutem com seus médicos a real possibilidade de suspender toda a medicação.

É bastante óbvio que o funcionamento adequado de nosso cérebro e de nossos nervos é um aspecto essencial de nossa saúde, e hoje percebemos que o principal inimigo dessa parte central de nosso corpo é o estresse oxidativo. Como o cérebro e as células nervosas têm grande dificuldade de se regenerar, é fundamental que os protejamos de danos antes de qualquer coisa.

Serão anos de estudo antes que consigamos provar, para além de dúvidas, que a suplementação de nossa dieta com poderosos antioxidantes, que atravessem facilmente a barreira hemato-encefálica, é capaz efetivamente de nos proteger dessas doenças horríveis. Mas acredito que as evidências disponíveis na literatura médica já sejam fortes o bastante para que eu aconselhe a meus pacientes a suplementação de uma dieta saudável com antioxidantes em níveis otimizados. Um regime desses só pode ajudar!

QUATORZE | **Diabetes**

Atenção! Não pule este capítulo — mesmo que você nunca tenha tido o *diagnóstico de diabetes.*

O diabetes melito tornou-se uma das doenças mais comuns nos dias de hoje. Ao longo dos últimos 35 anos, o mundo industrializado testemunhou o número de casos de diabetes aumentar em cinco vezes. Só nos Estados Unidos, aproximadamente US$150 bilhões são gastos anualmente no tratamento de diabetes e de complicações relacionadas a ele. Estima-se que 16 milhões de pessoas nos Estados Unidos tenham diabetes, *mas o fato perturbador é que aproximadamente metade desses indivíduos não sabem que são diabéticos.* É por isso que mesmo os "não-diabéticos" devem ler este capítulo.[1]

Muito embora o diabetes em si já seja um grande problema de saúde, seus efeitos colaterais são igualmente funestos. Por exemplo, um terço dos novos casos de doença renal em fase terminal deve-se ao diabetes. Quatro de cada cinco pacientes diabéticos morrerão — não do diabetes em si, mas de doenças cardiovasculares (ataques cardíacos, AVCs ou doenças vasculares periféricas) provocadas por esse mal. Você sabia que o diabetes é a principal causa de amputações e uma das principais causas de cegueira nos idosos?[2]

O diabetes melito atingiu proporções epidêmicas. Com mais de 90% dos casos sendo do *diabetes tipo 2* (antigamente conhecido como diabetes de adultos), devemos considerar seriamente o que está havendo de errado! O diabetes tipo 1 costumava chamar-se diabetes juvenil. Essa variedade da doença manifesta-se usualmente em crianças, e resulta de um ataque auto-imune contra o pâncreas. Isso deixa a criança desprovida de insulina e, como resultado, ela precisa tomar insulina para sobreviver. Todavia, concentrarei minha atenção neste capítulo ao diabetes melito tipo 2, pois é esse o tipo de diabetes que vem atingindo proporções epidêmicas. Por que houve um aumento tão grande no número de pessoas desenvolvendo essa doença? Há alguma maneira de você reduzir pessoalmente o risco de desenvolver diabetes?

Sem dúvida.

Conheça Joe

Joe tinha 41 anos quando entrou em meu consultório para um exame anual de rotina. Ele se sentia muito bem e não tinha nenhuma reclamação. Só achou necessário fazer um *check-up* geral porque não o fazia há muitos anos. Durante o exame de rotina, ele cedeu uma amostra de sangue.

Como Joe se sentia tão bem, fiquei surpreso e preocupado quando meu técnico de laboratório me apresentou a amostra. Ela estava rosada em vez de vermelha. Depois que o técnico centrifugou o sangue, a parte superior da amostra ficou parecendo creme (o que quer dizer que estava repleta de gordura). O relatório laboratorial indicou que Joe tinha um colesterol de 250 e um colesterol HDL de 31, e que seu nível de triglicérides estava anormalmente alto, em 1.208.

Os níveis de triglicérides devem ser inferiores a 150, e a proporção entre triglicérides e colesterol HDL deve ser inferior a 2. A proporção de Joe era de quase 40! Embora seu nível de açúcar no sangue em estado de jejum estivesse normal, logo ficou claro que Joe tinha desenvolvido a Síndrome X[3] — uma precursora do diabetes melito.

Estará a Síndrome X Matando Você?

Como Joe, a maioria das pessoas nunca ouviu falar da Síndrome X, mas certamente deveria. O dr. Gerald Reavens, médico e professor da Universidade de Stanford, adotou esse termo para designar uma constelação de problemas com uma causa comum: a resistência à insulina. Baseando-se em pesquisas médicas, o dr. Reavens estimou que mais de 80 milhões de norte-americanos adultos tenham a Síndrome X.[4]

Estudemos por um momento a causa comum da Síndrome X, a resistência que o corpo desenvolve contra a insulina.

O Que É a Resistência à Insulina?

Os norte-americanos são fascinados por dietas com alto teor de carboidratos e baixo teor de gorduras, mas, na verdade, a maioria ingere uma dieta com alto teor de carboidratos *e* de gorduras. Ao longo dos anos essa dieta veio cobrando seu preço e, como resultado, muitos de nós se tornaram menos sensíveis à própria insulina. A insulina é basicamente um hormônio de armazenamento, e conduz o açúcar até as células onde esse será utilizado ou armazenado como gordura. O corpo deseja controlar os açúcares de nosso sangue. Portanto, quando fica menos sensível a sua própria insulina, ele compensa isso fabricando mais insulina. Em outras palavras, nosso corpo reage ao aumento do nível de açúcares no sangue obrigando as células beta do pâncreas a produzirem mais insulina, como meio de controlar tais açúcares.

Indivíduos com resistência à insulina precisam, com o passar dos anos, de quantidades cada vez maiores de insulina para manter normal seu nível de açúcar no sangue. Embora esses níveis elevados de insulina (hiperinsulinemia) sejam eficazes para controlar o açúcar no sangue, eles também podem ocasionar sérios problemas de saúde. Logo a seguir está uma lista dos efeitos nocivos que os níveis elevados de insulina ocasionam. Esses são os problemas que constituem o que o dr. Gerald Reavens denominou Síndrome X:

- inflamação considerável das artérias, podendo causar ataque cardíaco ou AVC;
- pressão sangüínea elevada (hipertensão);
- nível elevado de triglicérides — a outra gordura do sangue além do colesterol;
- redução do colesterol HDL (benigno);
- aumento do colesterol LDL (maligno);
- maior propensão a formar coágulos sangüíneos; e
- ganho de peso "descontrolado" — usualmente na zona média do corpo (a chamada *obesidade central*).

Quando combinados todos os fatores da Síndrome X, nosso risco de desenvolver doenças cardíacas aumenta *vinte vezes*.[5] Considerando o fato de que as doenças cardíacas são as assassinas número um no mundo industrializado de hoje, não podemos ignorar o aumento do risco de desenvolvê-las!

Depois que os pacientes têm a Síndrome X por vários anos (talvez até de 10 a 20 anos), as células beta do pâncreas simplesmente se desgastam e não conseguem mais produzir níveis tão altos de insulina. Nesse ponto, os níveis de insulina começam a cair e os açúcares no sangue começam a subir.

A princípio talvez ocorram apenas ligeiras elevações do açúcar no sangue, conhecidas como *intolerância à glicose* (ou *diabetes pré-clínico*). Mais de 24 milhões de pessoas nos Estados Unidos se encontram nessa fase de intolerância à glicose.[6] Então, se não ocorrer nenhuma mudança no estilo de vida, usualmente dentro de 2 anos sobrevém o diabetes melito plenamente desenvolvido. O envelhecimento das artérias acelera-se agora ainda mais, conforme os açúcares no sangue começam a aumentar em ritmo sustentado.

Qual a Causa da Resistência à Insulina?

Diversas teorias sugerem razões para que tenhamos menos e menos sensibilidade à insulina com o passar dos anos. Mas acredito realmente que a resistência à insulina seja um resultado da dieta ocidental. Embora nos empenhemos muito em cortar o consumo de gorduras, nosso caso de amor com os carboidratos continua. O que muitos norte-americanos não compreendem totalmente é que os carboidratos são apenas longas cadeias de açúcar que o corpo absorve em ritmos variados. Você sabia que o pão branco, a farinha branca, as massas, o arroz e as batatas liberam açúcares na corrente sangüínea ainda mais rápido do que o açúcar doméstico? É um fato. É por isso que todos dizem que tais alimentos têm *alto índice glicêmico*.

De outro lado, alimentos como vagens, couve-de-bruxelas, tomates, maçãs e laranjas liberam seus açúcares na corrente sangüínea muito mais lentamente, sendo considerados portanto alimentos de *baixo índice glicêmico*.

Os Estados Unidos tendem a consumir em demasia alimentos de alto índice glicêmico, que, por sua vez, fazem com que o nível de açúcares no sangue suba muito rapidamente e estimule a liberação de insulina. Quando nosso açúcar sangüíneo cai, sentimos fome. Assim, fazemos um lanche ou uma refeição completa, e o processo tem início uma vez mais. Depois de certo tempo, a liberação de insulina já foi superestimulada com tanta freqüência que nosso corpo se torna simplesmente menos sensível a ela. Para que o corpo controle os níveis de açúcar no sangue, o pâncreas deve produzir níveis maiores de insulina. São esses níveis elevados de insulina que causam as destrutivas mudanças metabólicas associadas à Síndrome X.

Como Saber Se Você Tem a Síndrome X?

A maioria dos médicos não costuma pedir a seus pacientes exames de insulina no sangue. Mas existe uma forma simples (embora indireta) de descobrir se você pode estar desenvolvendo a Síndrome X, ou resistência à insulina. Quando seu sangue é examinado, você recebe rotineiramente um perfil de lipídeos, que inclui os níveis do colesterol total, do colesterol HDL (benigno), do colesterol LDL (maligno) e dos triglicérides (a outra gordura do sangue). Quase todo mundo conhece a proporção que se obtém dividindo-se o colesterol total pelo colesterol HDL. Mas se você dividir o nível de triglicérides pelo do colesterol HDL, a proporção obtida será um indicador do desenvolvimento ou não da síndrome. Se essa proporção for maior do que dois, você pode estar começando a desenvolver a Síndrome X. Além disso, se você notar que sua pressão sangüínea ou sua cintura estão aumentando, é ainda mais provável que esteja desenvolvendo um grave caso de Síndrome X.

Eis aqui um exemplo de como fazer esse teste simples. Digamos que seu nível de triglicérides seja de 210 e seu nível de colesterol HDL seja de 30. Dividindo 210 por 30, chegamos a uma proporção de 7. Como esta é uma proporção definitivamente maior do que 2, você concluiria que tem indícios de resistência à insulina, ou Síndrome X.

Logo que uma pessoa começa a desenvolver resistência à insulina, seu médico deve recomendar e apoiar mudanças de estilo de vida, uma vez que, como já observei, é então que os danos cardiovasculares realmente começam. Portanto, os médicos precisam saber imediatamente dos primeiros sinais de desenvolvimento de resistência à insulina, por meio da proporção entre triglicérides e colesterol HDL. A resistência à insulina é totalmente reversível neste ponto. Jamais devemos nos dar ao luxo de esperar que a pessoa fique plenamente diabética antes de tratá-la.

Quando um paciente trata de sua resistência à insulina com mudanças simples mas eficientes de estilo de vida, ele não só evita danos acelerados às artérias, como também o próprio diabetes. Essa é a verdadeira medicina preventiva. Um estilo de vida mais saudável, e não as drogas que prescrevemos, é que fará a diferença.

Creio, sem dúvida, que os médicos têm dependido demais de medicamentos para tratar o diabetes. A maioria dos médicos concordará em que dietas e exercícios podem ajudar pacientes de diabetes, mas simplesmente não investimos tempo suficiente para ajudá-los a entender que mudar esses mesmos hábitos é *a melhor* ofensiva contra as complicações devastadoras da doença.

Sei que é muito mais fácil preencher uma receita do que educar e motivar os pacientes a fazer mudanças essenciais em exercícios e nutrição. Mas o diabetes seria muito melhor controlado se não dependêssemos tanto de medicamentos. Mesmo os representantes das companhas farmacêuticas que visitam meu consultório concordam em que uma dieta com alto teor de fibras, com alimentos de baixo nível glicêmico, é muito eficaz. Mas eles sempre afirmam que os pacientes não farão tais mudanças na dieta e, por isso, precisarão dos medicamentos cada vez mais.

Não é isso o que vejo. Em minha prática clínica, a maioria dos pacientes prefere fazer mudanças no estilo de vida a tomar mais medicamentos, embora isso dependa muito da atitude e do método do médico. Quando reservo o tempo para explicar tudo isso ao paciente e lhe pergunto o que ele gostaria de fazer, mais de 90% respondem que preferem tentar primeiro as adaptações no estilo de vida.

Joe pode nos mostrar como isso funciona.

Como Joe Superou a Síndrome X

Joe ficou muito preocupado com os resultados do laboratório e sentiu-se motivado a mudar imediatamente de estilo de vida. Nós o submetemos a um modesto programa de exercícios, uma dieta de baixo nível glicêmico e um regime de suplementação com antioxidantes e minerais. Repeti o exame de sangue de Joe doze semanas depois e documentei melhorias admiráveis: seu nível de colesterol baixara de 250 para 150, seu colesterol HDL aumentou em 10 pontos, chegando a 41, e seu nível de triglicérides desabou de 1.208 para 102. Sua proporção entre triglicérides e HDL caiu de 40 para 2,5. Joe conseguiu tudo isso sem nenhum medicamento e em apenas doze semanas. Tanto ele como eu ficamos entusiasmados e bastante motivados a continuar.

Se você tiver um dilema de saúde como o de Joe, poderá atingir resultados similares assumindo o mesmo compromisso com ajustes no estilo de vida e na dieta. A Síndrome X e suas mortíferas ramificações podem ser superadas.

Agora voltemos nossa atenção ao desenvolvimento avançado do diabetes e ao modo de reverter seus efeitos devastadores em nosso corpo.

Diagnose e Monitoramento do Diabetes Melito

A técnica mais comum de detecção do diabetes é um teste de açúcar no sangue em jejum como o que pedi a Joe. Os médicos recorrem ainda a um exame de glicemia, em que o indivíduo recebe uma carga de açúcar (uma bebida similar a um refrigerante, carregada de açúcar) e faz um teste de nível de açúcar no sangue duas horas depois.

A maioria dos médicos acredita que um nível de açúcar sangüíneo que após duas horas estiver acima de 190 (e sobretudo acima de 200) basta para diagnosticar o diabetes. Um nível normal de açúcar no sangue passadas duas horas deve ser inferior a 110, e de forma alguma passar de 130. (Pacientes com um nível de açúcar ligeiramente elevado quando em jejum, e entre 130 e 190 passadas duas horas da refeição, são classificados como tendo intolerância à glicose — o diabetes pré-clínico —, e não o verdadeiro diabetes.)

Como a mensuração do açúcar no sangue só indica como está o paciente em um dado momento, outro teste útil é o da hemoglobina A1C[7], que revela a quantidade de açúcar encontrada em um glóbulo vermelho. (Prefiro que meus pacientes com diabetes ou com tendências diabéticas realizem esse teste a cada quatro ou seis meses.) Como nossos glóbulos vermelhos permanecem no corpo por aproximadamente 140 dias, esse teste é um grande indicador de como o paciente está realmente controlando seu diabetes. A faixa normal de um teste de hemoglobina A1C, na maioria dos laboratórios, é de 3,5 a 5,7.

A meta do diabético é manter-se sob um controle estrito, de modo que a hemoglobina A1C permaneça abaixo de 6,5%. Quando o paciente consegue fazer isso, seu risco de desenvolver uma complicação secundária é de menos de 3%. Mas se ele mantiver uma hemoglobina A1C acima de 9%, seu risco de desenvolver complicações secundárias ligadas ao diabetes sobe para 60%. Essa é uma revelação chocante, especialmente à luz do fato de que a média dos diabéticos *tratados* nos Estados Unidos têm uma hemoglobina A1C de 9,2%. É desnecessário dizer que essa não é uma grande recomendação de nosso sistema de saúde quando se trata de diabetes.

Mais preocupante é o fato de que no momento em que o diabetes é efetivamente diagnosticado pelo médico, a maioria (mais de 60%) dos pacientes já tem alguma grave doença cardiovascular.[8] Isso deixa o paciente em desvantagem antes mesmo de começar o tratamento. Note que, quando a resistência à insulina tem início, o processo de aterosclerose (obstrução das artérias) se acelera dramaticamente. Por isso é fundamental que os médicos identifiquem a Síndrome X em seus pacientes quanto antes possível e recomendem mudanças no estilo de vida que possam corrigir o problema. Um paciente pode ter Síndrome X por muitos anos antes de se tornar realmente diabético. A essa altura, os tratamentos para reverter os danos chegarão tarde demais.

Obesidade

Todos nós já ouvimos a mídia e os médicos proclamarem que o motivo para o diabetes estar se tornando epidêmico nos Estados Unidos e no mundo industrializado é o grande número de pessoas desenvolvendo obesidade. Esse definitivamente não é o caso. A mídia pôs o carro à frente dos bois, por assim dizer. A resistência à insulina (a Síndrome X) causa obesidade *central*, e não o contrário. Na verdade, a obesidade é um dos principais aspectos dessa síndrome.

O que quero dizer com *obesidade central*? Ela se refere à maneira como seu peso está distribuído pelo corpo. Se ele se distribuir regularmente por todas as partes, ou se você for pesado na base (o formato de pêra), talvez seja necessário perder algum peso, mas tudo estará bem no que toca à Síndrome X. Porém, se houver acumulado um peso considerável na região da cintura (o formato de maçã), você pode estar com problemas.

Muitos pacientes no fim da casa dos 20 ou início dos 30 vieram a meu consultório queixar-se de que vinham ganhando muito peso. O que os incomodava era o fato de que seus hábitos alimentares e seus níveis de atividade não haviam mudado e, todavia, eles tinham acumulado de quinze a vinte quilos nos últimos 2 ou 3 anos. Por que engordavam tanto? Tipicamente, porque desenvolveram resistência à insulina. Esses pacientes iniciavam vários programas de dieta, mas não conseguiam perder muito peso. Tais dietas têm essencialmente alto teor de carboidratos e baixo teor de gorduras; isso só agrava a resistência à insulina. Se essas pessoas não corrigirem o problema subjacente do ganho de peso — a resistência à insulina —, não perderão peso. Como deve ser frustrante estar sempre voltando ao grupo de apoio, mas nunca conseguir perder o peso que os outros parecem perder mais facilmente!

Incentivo todos os meus pacientes a começarem a equilibrar sua dieta consumindo carboidratos de baixo nível glicêmico com *boas proteínas* e *boas gorduras* (as quais explicarei mais adiante neste capítulo). Quando essa dieta se combina com um modesto programa de exercícios e nutrição celular (Capítulo 17), a resistência à insulina pode ser corrigida. O peso começa então a desaparecer tão misteriosamente quanto apareceu. Meus pacientes ficam espantados com a maneira como perdem peso sem nem mesmo tentar. Eles se sentem bem, e seu nível de energia é notável.

Queira perceber que quando digo *dieta*, não me refiro aos modismos das dietas. Os modismos são algo que você inicia com a intenção de abandonar algum dia (e quanto antes, melhor!). Estou falando, sim, de um estilo de vida saudável que tem o efeito colateral do emagrecimento. Trabalho intensamente com meus pacientes por cerca de doze semanas, para que eles saibam exatamente como aplicar esses princípios ao modo como preferem comer. Perder peso não é a resposta. O segredo está em corrigir a resistência à insulina.

Tratando o Diabetes

Todos os médicos estão de acordo em que devemos primeiro dar a nossos pacientes a chance de melhorarem o diabetes fazendo mudanças efetivas no estilo de vida. Mas, como observei, muitos médicos falam disso da boca para fora e apostam pesadamente em medicamentos para controlar a doença.

Para que tenhamos um sucesso significativo em reduzir o número de diabéticos, bem como em ajudar os atuais diabéticos a melhorar o controle sobre suas doenças, duas coisas devem acontecer. Primeiro, devemos prestar mais atenção à resistência à insulina, o problema subjacente na suprema maioria dos casos de diabetes melito tipo 2, em vez de simplesmente nos concentrarmos em tratar os níveis de açúcar no sangue (ver quadro). Em segundo lugar, devemos incentivar enfaticamente mudanças de estilo de vida que aumentem a sensibilidade à insulina. Creio firmemente que, no caso do diabetes melito tipo 2, os médicos só devem contar com medicamentos como último recurso.

> ## Os Médicos Estão Tratando a Coisa Errada
>
> Em um ensaio escrito para a Clínica Mayo, o dr. James O'Keefe afirmou: "Os esforços terapêuticos no caso de pacientes de diabetes se concentraram predominantemente em normalizar os níveis excessivos de açúcar no sangue, ignorando com freqüência muitos dos outros riscos alteráveis causados pela resistência à insulina"[9].
>
> Isso explica, em parte, o fato de 80% dos diabéticos ainda morrerem de doenças cardiovasculares.[10] Sustento que o tratamento da causa subjacente da maioria dos casos de diabetes, a resistência à insulina, é um meio muito melhor de combater e controlar a doença.

Especificando as Mudanças no Estilo de Vida

O que muitas pessoas não percebem é quão *simples* são as mudanças no estilo de vida necessárias a tratar do problema subjacente tanto do diabetes melito como da resistência à insulina. Estamos falando de exercícios modestos, de comer sem elevar o nível de açúcar no sangue e de tomar alguns suplementos nutricionais básicos para melhorar a sensibilidade pessoal à insulina. Quando combinamos todas essas três mudanças, como vimos no caso de Joe, os resultados são fenomenais.

Vejamos cada um desses ingredientes em uma resposta bastante saudável à resistência à insulina.

Dieta

Em minha opinião, um número muito grande de médicos comete erros graves na dieta que recomenda a seus pacientes diabéticos. Como o maior risco para esses pacientes são as doenças cardiovasculares, a American Diabetes Association (Associação Americana de Diabetes) se preocupou antes de tudo com a quantidade de gordura presente na alimentação das pessoas. Portanto, a dieta que a ADA e muitos nutrólogos e nutricionistas defendem tem alto teor de carboidratos e baixo teor de gorduras.

Os diabéticos seguiram religiosamente as recomendações da ADA pelos últimos 35 anos. Em meados da década de 1970, 80% dos diabéticos morriam de doenças cardiovasculares. E, conforme adentramos o novo milênio, 80% ainda morrem de tais doenças.[11] Isso não deveria fazer com que reconsiderássemos nossa estratégia?

Quando compreendemos ser necessário tratar a resistência subjacente à insulina, admitimos que os carboidratos são o principal problema. Isso vai de encontro à crença de certos nutrólogos e nutricionistas de que "carboidratos são carboidratos", e a fonte não importa. Tal raciocínio ignora completamente o índice glicêmico (o ritmo em que o corpo absorve os diversos carboidratos e os converte em açúcares simples).

Numerosos estudos demonstram que certos carboidratos liberam seus açúcares mais rapidamente do que outros.[12] Os carboidratos mais complexos (os que possuem muita fibra), como o feijão, couves-flores, couves-de-bruxelas e maçãs, liberam açúcar lentamente. Quando esses carboidratos de baixo nível glicêmico são combinados com boas proteínas e boas gorduras em uma refeição equilibrada, o nível de açúcar no sangue não se eleva. Isso é fundamental para controlar o diabetes. Se o nível de açúcar no sangue não subir significativamente após uma refeição — um fator essencial para o controle do diabetes —, não haverá problema a corrigir pelo uso de drogas.

O dr. Walter C. Willett, diretor de nutrição e medicina preventiva na Faculdade de Medicina de Harvard, sugeriu em seu livro *Coma, Beba e Seja Saudável* que devemos repensar a pirâmide alimentar recomendada pelo USDA[13]. A base deveria ser composta por carboidratos de baixo nível glicêmico, enquanto os alimentos de alto nível glicêmico (pão branco, farinha branca, massas, arroz e batatas) deveriam pertencer ao topo da pirâmide, junto com os doces.[14]

Todo mundo sabe como os doces fazem mal aos diabéticos. Mas poucos sabem que alimentos de alto nível glicêmico elevam o açúcar sangüíneo muito mais rápido do que a ingestão de doces. Quando finalmente convenço meus pacientes diabéticos a consumir carboidratos de baixo nível glicêmico combinados com boas proteínas e boas gorduras, seu controle sobre o diabetes aumenta sensivelmente, e seus corpos se tornam mais sensíveis à própria insulina.

Instruções Básicas de Dieta

A seguir estão alguns *bons* carboidratos, gorduras e proteínas. Se você os combinar a cada refeição ou lanche, seu açúcar no sangue não atingirá níveis perigosos que exijam controle.

As melhores proteínas e gorduras vêm de vegetais e óleos de origem vegetal. Abacates, óleo de oliva, nozes, feijão, soja e outros são grandes fontes de proteína e contêm gorduras que, na verdade, reduzem o colesterol.

Os melhores carboidratos vêm de frutas e vegetais frescos. Evite todos os alimentos processados. Maçã é melhor do que suco de maçã. Grãos inteiros são essenciais, e evitar grãos processados é fundamental ao desenvolvimento de uma dieta saudável para qualquer pessoa, especialmente os diabéticos.

Depois dessas, as melhores proteínas e gorduras vêm dos peixes. Peixes de água fria, como a cavala, o atum, o salmão e as sardinhas, contêm as gorduras discutidas no Capítulo 10: os ácidos graxos ômega 3. Essas gorduras reduzem não somente os níveis do colesterol, como também a inflamação total de nosso corpo.

Em seguida, as melhores proteínas vêm das aves, pois a gordura dos pássaros é externa, não se entrelaçando com a carne. Embora se trate de gordura saturada, basta remover a pele da carne e você terá uma enxuta refeição com proteínas.

continua...

> ...continua
>
> As piores gorduras e proteínas vêm obviamente das carnes vermelhas, dos produtos de laticínio e dos ovos. Se for para comer carne vermelha, coma ao menos as fatias mais magras que puder. Você deve evitar produtos de laticínio, exceto o queijo rural de baixa gordura, o leite e a clara dos ovos. Se quiser comer ovos, tente encontrar ovos de galinha caipira, que contêm ácidos graxos ômega 3.
>
> Entre as piores gorduras que você pode consumir estão os ácidos graxos trans. Eles são chamados de *gorduras rançosas* de tão nocivos que são ao organismo. Habitue-se a consultar rótulos, e sempre que vir qualquer coisa "parcialmente hidrogenada", não compre.
>
> Estas são as instruções básicas de dieta que compartilho com meus pacientes de diabetes e com aqueles que desenvolveram a Síndrome X, como Joe. O enfoque deste livro não me permite entrar nos detalhes da dieta que recomendo a meus pacientes. Para os que têm curiosidade sobre dietas e Síndrome X, recomendo dois livros: *40-30-30 Fat Burning Nutrition* (Nutrição 40-30-30 para a Queima de Gorduras), de Gene e Joyce Daoust, e *A Week in the Zone* (Uma Semana em Dieta), de Barry Sears. Esses livros claros e diretos recomendam o balanço dos 40-30-30: 40% de carboidratos, 30% de proteínas e 30% de gordura — que é a proporção recomendada de tais nutrientes a cada refeição. Costumo usar em seu lugar a proporção de 50-25-25 em meu consultório, mas os princípios são os mesmos.
>
> Esse não é um programa de refeições ricas em proteína, como a dieta de Adkin. É uma dieta saudável que você pode manter para o resto da vida. Se todos se alimentassem dessa maneira, se exercitassem e ingerissem alguns micronutrientes básicos, a epidemia de diabetes não existiria.
>
> Quando se come dessa forma, em vez de se estimular a liberação de insulina estimula-se a do hormônio oposto, chamado *glucagon*. O glucagon utiliza a gordura, reduz a pressão sangüínea, diminui o nível de triglicérides e colesterol LDL e eleva o do colesterol HDL. Isso é comer para o controle hormonal, e não para o controle das calorias. Digo a meus pacientes que eles estão consumindo uma dieta saudável com o efeito colateral do emagrecimento.

Exercícios

Exercícios modestos trazem imensos benefícios à saúde. E são fundamentais sobretudo para pacientes com Síndrome X ou diabetes melito. Por quê? Estudos demonstram que os exercícios aumentam significativamente a sensibilidade dos pacientes à insulina, sendo, portanto, uma parte fundamental das mudanças de estilo de vida necessárias aos diabéticos e a outras pessoas com resistência à insulina.

O programa deve incluir uma combinação de exercícios aeróbios e de musculação, a serem praticados no mínimo três e no máximo cinco ou seis vezes por semana. É importante que as pessoas adotem um programa de exercícios que apreciem. Ninguém precisa virar maratonista. Mesmo uma caminhada ritmada de trinta ou quarenta minutos, três vezes por semana, faz uma grande diferença.

Suplementos Nutricionais

Diversos estudos clínicos indicaram que indivíduos com diabetes pré-clínico ou má tolerância à glicose têm níveis significativamente elevados de estresse oxidativo. Muitas vezes essas mesmas pessoas têm sistemas de defesa antioxidante debilitados. Outros estudos revelaram que o estresse oxidativo é mais significativo em pessoas com complicações secundárias do diabetes, como a retinopatia (dano causado pelo diabetes aos vasos sangüíneos do fundo dos olhos, capaz de levar à cegueira) ou as doenças cardiovasculares. Os pesquisadores que realizaram esses estudos concluíram que suplementos antioxidantes devem ser acrescentados aos tratamentos tradicionais de diabetes, como forma de ajudar a reduzir essas complicações.[15]

Diversos estudos demonstraram que todos os antioxidantes são capazes de melhorar a resistência à insulina. É importante que os diabéticos tomem uma boa combinação de antioxidantes como suplementação, em níveis otimizados — e não nos valores diários referenciais (ver Capítulo 17). Em minhas pesquisas e em minha experiência médica descobri diversos micronutrientes que costumam ser escassos em pacientes com diabetes pré-clínico e diabetes pleno:

- O *crômio* é fundamental para o metabolismo da glicose e a ação da insulina, mas estudos indicam que 90% da população norte-americana tem deficiência desse mineral. Demonstrou-se que o crômio aumenta, em muito, a sensibilidade à insulina, especialmente em pessoas que o possuem em níveis deficientes.[16] Pacientes de diabetes e de Síndrome X precisam de 300 mg de crômio em suplementação.
- A *vitamina E*, além de melhorar as defesas antioxidantes, parece também ajudar o corpo com o problema da resistência à insulina. Pesquisas revelam que níveis deficientes de vitamina E são um forte indício de desenvolvimento do diabetes de adultos. Indivíduos com níveis reduzidos de vitamina E têm um risco cinco vezes maior de desenvolver diabetes do que aqueles com níveis normais.
- O déficit de *magnésio* foi associado ao diabetes tanto do tipo 1 como do tipo 2, bem como ao maior risco de retinopatia em pacientes diabéticos. Estudos demonstram que, quando essa deficiência é corrigida nos idosos, o funcionamento da insulina melhora de forma considerável.[17]

Infelizmente, diagnosticar a deficiência de magnésio é muito difícil. Tipicamente, os níveis de magnésio no soro são testados apenas quando se localiza uma quantidade residual do magnésio total do corpo. Os níveis celulares de magnésio são muito mais delicados e acurados; todavia, eles só podem ser testados em laboratórios de pesquisa, e não em hospitais. Por isso a deficiência de magnésio é tão pouco diagnosticada.

Todos precisamos, no mínimo, de 400 a 500 mg de magnésio como suplementação.

- O *vanádio* não é um mineral muito conhecido, mas é muito importante para os diabéticos. Demonstrou-se que ele aumenta significativamente a sensibilidade à insulina quando tomado em suplementação. Os diabéticos precisam tomar de 50 a 100 µg diários de vanádio em suplementação.

Fiquei surpreso com o que pode ser feito com pacientes dispostos a mudar de dieta, a iniciar um programa de exercícios e a tomar suplementos nutricionais juntamente com minerais-chave e antioxidantes que aumentem a sensibilidade do corpo à insulina. Nesse contexto, eis aqui uma história que adoro contar.

A História de Matt

Matt, cujo sonho de longa data fora unir-se ao Peace Corps[18], visitou-me para o exame médico solicitado pela organização. Durante o exame, ele se queixou de que sentia muita sede e urinava com muita freqüência. Como só tinha 23 anos, não entendia por que precisava ir ao banheiro tantas vezes por noite.

Fiz com Matt um exame de açúcar no sangue, e o resultado foi 590 mg/dl, nível tão perigosamente alto que o internei no hospital e iniciei infusões imediatas de insulina intravenosa. Como seu açúcar no sangue não respondesse bem ao tratamento, consultei um endocrinologista. Esse médico também teve dificuldades para controlar o diabetes de Matt, e acabou ministrando-lhe doses de insulina mais altas do que jamais dera a qualquer paciente. Em um dado momento, Matt estava tomando noventa unidades de insulina duas vezes por dia (a dose normal é de aproximadamente dez).

Quando Matt finalmente se estabilizou e deixou o hospital, sugeri que ele fizesse mudanças em seu estilo de vida e continuasse tomando insulina. Ele concordou e começou a empenhar-se, consumindo alimentos que não elevariam em muito seus açúcares no sangue e tomando tabletes minerais e antioxidantes. Matt se esforçou e conseguiu manter seu programa. Seu peso começou a cair, e pouco a pouco ele conseguiu reduzir a quantidade de insulina prescrita. Ele melhorava mês após mês.

Quatro meses após sua visita para o exame médico, Matt veio a meu consultório e me informou que seus níveis de açúcar no sangue estavam normais e que ele já não tomava mais insulina. Conhecendo seu histórico, não acreditei nele. Então examinei seu nível de açúcar no sangue em estado de jejum. O resultado foi 84 mg/dl. Desafiei-o com uma carga de açúcar e verifiquei seu açúcar no sangue duas horas depois. O nível foi de 88 mg/dl — dentro dos limites normais. Sua hemoglobina A1C estava em 5,4, o que também é normal. Matt já não era mais diabético.

Tive então a difícil tarefa de escrever uma carta para a Peace Corps, explicando que Matt fora outrora um diabético dependente de insulina, mas agora não era nem mesmo diabético. Temi que o relatório incomum pudesse desqualificar Matt e encerrar seus sonhos de serviço. Mas a Peace Corps repetiu seu exame de sangue e concluiu que ele já não era mais diabético.

Matt ingressou na Peace Corps e passou dois anos na África. A organização, na verdade, o arrancava das florestas a cada seis meses e o mandava fazer testes em um hospital, para verificar se seus níveis de açúcar no sangue continuavam normais. Ele disse que preservar a dieta balanceada que eu lhe recomendara era um desafio, mas que consumindo os grãos não processados disponíveis ele se saía muito bem.

Tive o privilégio de rever Matt em meu consultório há pouco tempo. Ele encerrou suas viagens pela Peace Corps e ainda mantém níveis normais de açúcar no sangue. Também me informou que manteve o programa que lhe sugeri a princípio, e que seu peso caiu de 143 para 93 quilos. Disse-me que o peso sumiu sem que ele nem mesmo tentasse perdê-lo, logo que seus níveis de açúcar no sangue retornaram ao normal e sua resistência à insulina foi finalmente corrigida.

• • •

Acredito que muitas outras pessoas que se encontram no limite ou que já são diabéticas podem experimentar mudanças similares em sua saúde física. Caso esteja lutando com o diabetes, você estará disposto a fazer as mudanças de estilo de vida necessárias para se libertar da dependência dos medicamentos e levar uma vida mais saudável? Lembre-se, você tem de controlar seu diabetes e manter um nível de hemoglobina A1C inferior a 6,5. Isso é muito difícil de conseguir somente com a medicação. Aplicar esses princípios em sua própria vida melhorará em muito seu controle sobre o diabetes. Você deve acompanhar de perto seus níveis de açúcar no sangue quando der início a esses ajustes no estilo de vida; se eles caírem demais, deve consultar seu médico para que ele ajuste sua medicação.

Como disse antes, o diabetes melito vem alcançando proporções epidêmicas. A despeito dos milhões de dólares gastos com essa doença, estamos perdendo a batalha. Médicos e leigos devem rever suas atitudes e atacar a resistência à insulina em vez de os níveis elevados de açúcar no sangue. Quando detectamos níveis elevados de triglicérides junto com níveis reduzidos de colesterol HDL, ou, ainda, hipertensão ou ganhos incomuns de peso, temos de admitir a possibilidade de que a Síndrome X e os danos cardiovasculares acelerados já tenham começado a se desenvolver.

Em vez de simplesmente tratar as doenças causadas pela resistência à insulina, precisamos tratar agressivamente a própria resistência à insulina. Não é impressionante que mudanças tão simples de estilo de vida possam promover quase um milagre — o desaparecimento do diabetes?

QUINZE | Fadiga Crônica e Fibromialgia

"Fico tão cansado o tempo todo. Acho tão difícil me concentrar. Nem me lembro da última vez que me senti bem. A verdade é que tenho a maior dificuldade em me lembrar das coisas. Sei que há algo de errado comigo. Não tenho força para nada e parece que pego qualquer doença que aparece. Preciso de ajuda, mas não sei por onde começar. Talvez seja minha tireóide — minha família tem muitos casos de problemas de tireóide."

Você já disse coisas desse tipo? Impossível precisar o número de pacientes que consultam minha página na Internet em busca de ajuda ou que aparecem em meu consultório com esse tipo de reclamação. São pessoas frustradas e desanimadas com a situação em que se encontram. Devo dizer que em meus 30 anos de clínica médica essas estão entre as queixas mais comuns que tenho ouvido.

Durante a consulta, o médico costuma perguntar: "Sente dor em alguma parte? Tem algum outro sintoma?" Então faz toda uma lista de queixas potenciais, tentando descobrir se o paciente possui sintomas que vão desde dores de cabeça, passando por desconforto no peito, até a diarréia. Muitas vezes, os pacientes respondem de forma negativa a todas as perguntas específicas, e então lamentam: "Só estou cansado e sem força para nada".

Quando se depara com essa situação, o médico costuma recomendar um exame físico completo, com um perfil químico abrangente. Na consulta seguinte, ele considera, uma vez mais, as queixas do paciente e investiga o histórico de saúde da família. Efetua um novo exame e, depois que a avaliação estiver completa, analisa minuciosamente os dados do laboratório. Por vezes, ele descobre indícios de hipotiroidismo, diabetes, anemia ou alguma outra enfermidade causando os sintomas de fadiga. Mas, na grande maioria das vezes, não descobre nada que explique satisfatoriamente por que o paciente se sente tão cansado e tão abatido.

Nesse ponto, a maior parte dos médicos começa a interrogar o paciente sobre possíveis indícios de aumento de estresse ou sintomas de depressão. Se essa linha de raciocínio não revelar nenhuma explicação aparente, a tensão começará a tomar conta da atmosfera. O paciente começa a perceber que o médico não está conseguindo achar nada de errado. E o médico pode mesmo insinuar que o problema está apenas na cabeça do paciente. Claro, esse não é um diálogo verbal, mas a realidade tácita se comunica decerto por meio de tons abruptos e da linguagem corporal. (Se já esteve em uma situação dessas, você sabe bem do que estou falando.)

O que aconteceu? Os médicos querem ajudar os pacientes e, na maior parte dos casos, sentem que a única maneira de fazê-lo é descobrindo um processo de enfermidade e começando a tratá-lo com receitas. Quando não conseguem encontrar nada de errado ou não podem preencher uma receita, ficam incomodados com a pressão crescente por explicações e medidas que ajudem o paciente a sentir-se melhor. Podem encerrar a consulta levantando-se e dizendo: "Bem, você tem uma saúde excelente — não descobri nada que explicasse seus sintomas. Dê um tempo e veja se você se sente melhor."

Se você já passou por algo similar, sabe que não lhe resta nada a fazer senão dar as costas e, frustrado, deixar o consultório do médico. Antes de mais nada, você sabe que já havia "dado tempo" o suficiente antes de consultar o médico! Não há dúvidas de que você não se sente bem, mas como o médico não conseguiu encontrar nada de errado, até você começa a se perguntar se a coisa não seria meramente psicossomática.

Mas a frustração está apenas começando. Você pode resolver seguir o conselho do médico e deixar passar mais algum tempo, enquanto tenta fazer todo o possível para cuidar melhor de si mesmo. Em vez de melhorar, entretanto, você continua igual ou até piora. Aonde ir então? Procurar uma segunda opinião? Se consultar de fato um outro médico, há grandes possibilidades de que ele tampouco encontre algo de errado. A ansiedade e o desapontamento com o sistema de saúde vão chegando ao ápice.

De um lado, você fica feliz por ninguém ter encontrado nada de grave; mas, de outro, fica irritado por ninguém lhe dar respostas. A verdade é que você começa a sentir um certo desconforto e fica com receio de voltar ao médico. É então que um amigo próximo ou mesmo um membro da família lhe fala de um clínico alternativo que conseguiu ajudá-lo com o mesmo problema.

A Medicina Alternativa

Sua jornada continua conforme você desiste da comunidade médica em busca de uma solução. Você resolve procurar uma rota mais natural, a medicina alternativa, já que a medicina tradicional não ajudou (pelo contrário, provavelmente fez com que você se sentisse pior!). Para sua surpresa, o clínico alternativo diagnostica um problema logo de cara. Ele pode afirmar que você tem "micose sistêmica", "síndrome de hiperabsorção intestinal" ou "hipotiroidismo subclínico" como causa de seus sintomas.

Os clínicos alternativos costumam fazer análises dos cabelos ou dos olhos e exames de sangue, de urina ou dos músculos para determinar o que exatamente você tem. Então, costumam recomendar certas ervas, laxantes, mudanças de dieta e suplementos nutricionais para resolver o problema diagnosticado.

O alívio e a esperança aumentam, pois alguém *finalmente o está ouvindo* e pode oferecer uma explicação para sua exaustão, mesmo que o diagnóstico não esteja totalmente correto. Muito embora sua saúde e sua sensação de bem-estar possam melhorar em função das mudanças no estilo de vida, você começa a se dar conta de que devia sentir-se ainda melhor e que ainda não é "você mesmo". Eis por quê: os praticantes de medicina alternativa se concentram em determinar que deficiências nutricionais você possui para em seguida tentar corrigi-las. Mas não corrigem o problema subjacente, que é o estresse oxidativo. É muito provável que você continue frustrado e tenha de continuar lendo e fazendo o que for possível para encontrar ajuda.

Depressão Imunológica

Você já ficou "cansado e doente de tanto ficar cansado e doente"? Muitas pessoas com fadiga deixam o consultório médico com uma receita de medicamentos antidepressivos. Quando não consegue encontrar nada de errado, o médico presume que o paciente está deprimido. Mas descobri que, quando os pacientes não se sentem bem e não têm força para cumprir com seus deveres, ficam desalentados e começam a duvidar de si mesmos. Perguntam-se se algum dia terão a energia para recuperar o moral. Conforme o tempo passa, eles declinam de fato — e ficam deprimidos. Mas essa é uma depressão muito diferente da que se vê em um paciente emocionalmente deprimido. É por isso que digo que tais pacientes estão "deprimidos imunologicamente".

O aumento de estresse oxidativo que as pessoas experimentam não só gera fadiga, mas também debilita o sistema imunológico. Quando os pacientes usam suplementos nutricionais para restabelecer o controle sobre o estresse oxidativo, eles não apenas se sentem melhor como voltam a trabalhar normalmente, o que faz com que se sintam melhor ainda. Sempre fico feliz quando um paciente me diz durante a consulta: "Não estou mais deprimido. Posso suspender os antidepressivos que o outro médico receitou? Eles nunca me ajudaram, mesmo."

As gravíssimas doenças que discuti neste livro são apenas o resultado final da exposição prolongada ao estresse oxidativo no interior do corpo. As pessoas não percebem que a fadiga duradoura está no mesmo escalão das moléstias severas. Embora muitas não desenvolvam uma doença grave a princípio, quando estão sob o ataque prolongado do estresse oxidativo, seus corpos declinam até que tal doença acabe por se manifestar.

Se eu tivesse de fazer um estudo sobre as pessoas que caminham por uma calçada qualquer para determinar quantas não se sentem tão bem como deviam (em função de níveis consideráveis de fadiga residual), creio que o resultado seria chocante. Permita-me contar o que aprendi durante os 7 anos em que pratiquei a medicina nutricional.

Não se acorda de um dia para outro com síndrome de fadiga crônica ou fibromialgia. Os pacientes que aparecem com mal-estar, queixando-se de fadiga, infecções freqüentes, falta de sono, ansiedade e depressão também estão sofrendo dos estádios iniciais de degeneração ocasionados pelo aumento de estresse oxidativo. Eu quase posso dizer, olhando para o rosto de uma pessoa, se ela tem excesso de estresse oxidativo. Sua face é contraída e acinzentada, e não se mostra vibrante nem saudável. Se não lidarmos de fato com o problema subjacente, esses pacientes provavelmente desenvolverão fadiga crônica, fibromialgia ou mesmo doenças degenerativas mais graves.

Já não mando meus pacientes embora com o comentário "Não descobri nada de errado com você". Sei que isso causa depressão imunológica e pode suscitar condições mais sérias. Hoje incentivo as pessoas a investigar seus estilos de vida e seus ambientes em busca de possíveis indícios de aumento de estresse ou de exposição a tóxicos. Elas têm de eliminar as causas do aumento de estresse oxidativo (ver Capítulo 3) até onde for humanamente possível. É importante que reflitam sobre seus estilos de vida e seus níveis de estresse. Elas estão se expondo a toxinas excessivas, como fumaça de cigarros, herbicidas, pesticidas e poluentes do ar? Incentivo-as a ter um repouso suficiente, iniciar exercícios regulares e dar início a uma dieta saudável. Então prescrevo-lhes um potente tablete mineral e antioxidante e um pouco de extrato de sementes de uva, e peço-lhes que retornem a meu consultório no prazo de quatro a seis semanas.

Diversamente dos clínicos alternativos, procuro a causa original dos sintomas. Não preciso fazer os testes dispendiosos que eles fazem (a maioria acaba se mostrando imprecisa, de qualquer forma), pois não estou tentando corrigir nenhuma deficiência nutricional em particular — mas, sim, a ameaça subjacente do estresse oxidativo. De minha parte, tento proporcionar à célula *todos* os micronutrientes em níveis otimizados. A célula decidirá de quais precisa e de quais não.

Seguindo a literatura médica, descobri que restabelecer o controle sobre o estresse oxidativo por meio da nutrição celular é o meio mais eficaz de redimir a saúde. Com essa estratégia, a maioria absoluta de meus pacientes conseguiu voltar a ter uma vida normal.

O acompanhamento é também muito importante. É impressionante o número de pacientes que reaparecem sentindo-se normais novamente. Sua melhora é muitas vezes impressionante, o que se evidencia pelo rosto e pela cor. E pensar que durante anos costumei mandar tais pacientes para casa sem esperança nem conselho! O tratamento correto estava, o tempo todo, bem à vista.

Uma História de Fadiga Crônica e Fibromialgia

A experiência de Judie com a fibromialgia teve início em novembro de 1990. Ela era uma pessoa que raramente adoecia, mas naquele ano ficou muito doente, com sintomas similares aos da *influenza*, que faziam seu corpo doer tanto que, a todo momento, ela imaginava que seria carregada até o pronto-socorro. Levou quase duas semanas para que ela se recuperasse desse vírus.

Ela passou um dia de primavera em 1991 fora de casa, trabalhando no quintal. Essa não era uma tarefa incomum no seu caso, mas, quando acordou no dia seguinte, ela sentiu como se houvesse carregado mudança por três dias. Achou que tinha exagerado na véspera. Mal sabia que esse era apenas o começo.

O problema que enfrentou a seguir foi um distúrbio do sono. Embora tentasse diversas soluções, como medicamentos, menos café e mais leite quente, nada parecia ajudar. Ela continuou a sofrer com padrões de sono erráticos pelos *4 anos seguintes*. Também sentia confusão, perda de memória e distúrbios visuais. Logo começou a notar dores nas articulações, nós nos ombros, dores de cabeça e garganta dolorida — os primeiros sintomas eram mais aparentes pela manhã; mas a garganta ruim e as dores de cabeça eram um problema constante. Ela concluiu que algo muito sério estava afetando a qualidade de sua vida.

Quando começou a sentir dureza para caminhar de manhã, ela soube que era hora de procurar ajuda médica. A essa altura vinha dormindo apenas três ou quatro horas por noite, e essas poucas horas não eram repousantes. Seus nervos estavam abalados, e qualquer ruído ou movimento a perturbava.

O medicamento que lhe receitei possibilitou que seus padrões de sono mudassem um pouco, mas, depois de usá-lo por um ano, ela começou a experimentar efeitos colaterais. Esse medicamento, em particular, fazia seu coração disparar, além de causar-lhe variações extremas de humor e pesadelos terríveis. Ela concluiu que o medicamento lhe causava mais mal do que bem e, por isso, resolveu parar de tomá-lo.

Chegou o momento de Judie fazer um *check-up* comigo. Ela me disse mais tarde que estava com medo de contar-me que dispensara o remédio que eu lhe havia prescrito e que decidira adotar em seu lugar uma terapia de vitaminas. Eu sempre lhe dissera que as pessoas, se comessem devidamente, conseguiriam obter todos os nutrientes de que o corpo precisava. Para sua surpresa, havia pouco tempo, eu tinha aberto minha mente para os efeitos dos antioxidantes no processo de cura. Cheguei mesmo a submetê-la a um programa intensivo de suplementação nutricional.

Em setembro de 1995 Judie iniciou esse programa de suplementos nutricionais. Os efeitos foram impressionantes! Em três semanas ela sentiu um ganho significativo de energia. Já não precisava ir para a cama às 8h30 da noite para agüentar o dia seguinte. E, pouco depois de sentir mais energia, percebeu que os dolorosos nós em suas escápulas haviam desaparecido. Em novembro, as dores nas articulações e nos músculos começaram a diminuir. Em dezembro ela passou por uma breve cirurgia e, pouco depois, alguns dos sintomas retornaram. Mas Judie aumentou sua ingestão de antioxidantes e, passadas duas semanas, tais sintomas já não eram mais problema.

Em março de 1996 ela dormiu sua primeira noite de oito horas. Ficou encantada ao perceber que seus padrões de sono voltavam a ser normais. Seus nervos já não estavam abalados, e ela percebia que uma penetrante sensação de bem-estar lhe retornava. A confusão se desvaneceu e seu raciocínio começou a progredir. Seis anos se passaram e ela continua muito bem.

A Causa Primitiva

A fadiga crônica e a fibromialgia são duas moléstias devastadoras e incapacitantes, que a comunidade médica considera como expressões diferentes da mesma doença. Os pacientes de fadiga crônica sentem intensa fadiga, mas, acima de tudo, têm a garganta dolorida, as glândulas inchadas e febres; os pacientes de fibromialgia sofrem de fadiga acentuada e dores por todo o corpo. Como disse, creio que ambas partilhem de uma causa comum — o estresse oxidativo.

Não há tratamento específico para nenhuma dessas doenças. Como resultado, a fibromialgia costumava ser chamada de *reumatismo psicossomático*. De fato, muitos médicos ainda acreditam que essa doença só existe na cabeça dos pacientes. Não há dúvida de que sejam enfermidades frustrantes tanto para o médico como para o paciente. Infelizmente, a medicina tradicional só oferece medicamentos sintomáticos: antiinflamatórios não-esteróides, relaxantes musculares, antidepressivos e remédios para dormir. Os médicos também encaminham o paciente para grupos de apoio e lhe dizem que ele precisa aprender a conviver com a doença.

Vejamos essas doenças de modo mais detalhado e os melhores tratamentos disponíveis para elas.

Fibromialgia/Fadiga Crônica

Aproximadamente 8 milhões de pacientes, apenas nos Estados Unidos, podem estar sofrendo de fibromialgia — e 8 em cada 9 são mulheres. Você talvez se pergunte: a personalidade determina, de algum modo, quem pode ou não estar propenso à doença? Talvez. As estatísticas parecem indicar que tais mulheres são perfeccionistas e especialmente sensíveis.

Com freqüência, esses pacientes vivem com dores por todo o corpo, são extremamente fatigados e sofrem de falta de sono. Saem da cama sentindo rigidez, sofrem de confusão mental e muitos possuem intestino irritável e síndrome da ATM[1] — a qual faz com que o indivíduo passe a ter o maxilar dolorido, além de dores de cabeça.

A maioria dos pacientes de fibromialgia entra em meu consultório com uma pilha de relatórios vindos de muitos médicos diferentes — pois um diagnóstico de fibromialgia leva, em média, de 7 a 8 anos para ser obtido! Não falávamos de frustração? Essas pessoas foram examinadas dos pés à cabeça sem que se descobrisse absolutamente nada de anormal. A única maneira de determinar realmente se um paciente tem fibromialgia é fazer exames específicos de pontos sensíveis em dezoito áreas predeterminadas. Se onze ou mais dessas áreas se mostrarem sensíveis quando uma pressão ligeira for exercida, o paciente estará, então, com fibromialgia.

A maioria dos pacientes desenvolve fibromialgia após alguma doença grave, um grande ferimento (especialmente no pescoço) ou um período especialmente estressante em suas vidas. Como você já aprendeu, todas essas situações aumentam, em muito, a quantidade de radicais livres que nossos corpos produzem. Uma vez que tiver início, a doença parece não dar mais sossego. Pode-se ter um dia bom de vez em quando, mas com pouca ou nenhuma reserva de energia. E depois de fazer coisas demais em um único dia, o que inclui exercícios, a pessoa pode ficar muito estressada ou doente, e uma fadiga acentuada se manifesta pelas duas ou três semanas seguintes.

Tratamentos: Capturando a Doença

Depois de chegar ao diagnóstico de fibromialgia ou síndrome de fadiga crônica, concentro-me em restabelecer o controle sobre o estresse oxidativo. O melhor método para isso é, sem dúvida, a nutrição celular, que explico em detalhes no Capítulo 17. Também recomendo, com grande ênfase, uma dieta saudável. Além disso, reforço a necessidade de um programa de exercícios de baixo impacto. Também alerto contra exercícios em dias consecutivos e recomendo um programa suave de exercícios aeróbicos, com uma atividade física resistida (musculação) com baixas cargas.

Lembre-se de que essa é uma doença crônica e vitalícia, e por isso leva tempo até que a saúde da pessoa se recomponha. É sempre animador ver alguém reagindo de forma rápida e notável, mas não é esse o caso típico. Sempre incentivo meus pacientes a dedicar pelo menos seis meses para melhorar sua condição. Eles talvez não cheguem onde gostariam de estar nesse prazo, mas sabem que estão no caminho certo.

Logo que começam a notar melhorias, é como se as lâmpadas tivessem sido acesas. Geralmente incrédulos a princípio, meus pacientes ficam animados quando passa a não haver dúvidas de que sua saúde está melhorando. Chamo isso de "capturar" a doença — eles estão efetivamente restabelecendo o controle sobre o estresse oxidativo.

A primeira vitória de que o paciente se dá conta é o fato de já não sentir aquele "nevoeiro mental". Fica mais fácil pensar e concentrar-se na tarefa à mão. Em seguida, os padrões de sono melhoram. Pode-se voltar a ter um sono mais repousante e nota-se um aumento considerável de energia. A última coisa que costuma melhorar é a dor. Isso mesmo: *a dor finalmente começa a diminuir.*

Seguindo esse protocolo, meus pacientes de fibromialgia têm resultados de bons a excelentes em 70% a 75% dos casos. Centenas de pacientes de fibromialgia ao longo dos últimos 7 anos melhoraram sensivelmente seguindo o programa de suplementação nutricional que expus em detalhes em meu site Web, no endereço *www.nutritional-medicine.net.*

Creio que, quando o paciente não reage bem, isso ocorre por não termos conseguido restabelecer o controle sobre seu estresse oxidativo apenas pela suplementação por via oral. É então que recomendo que ele procure um centro médico especializado em suplementação nutricional intravenosa. A terapia intravenosa é necessária para que ele "capture" sua doença e comece finalmente a melhorar. A terapia oral o ajudará a preservar sua condição.

Tenha em mente que essas pessoas ainda sofrem de fibromialgia ou fadiga crônica. Não estou oferecendo uma cura. Em vez disso, estou possibilitando aos pacientes controlar sua doença em vez de serem por ela controlados. Ao longo dos anos, vi muitíssimas pessoas melhorando e aumentando sua reserva de energia. Leva tempo, mas sua esperança e determinação são bem recompensadas.

A História de Mariano

Mariano se apresentou a mim na Filadélfia, onde estive palestrando. Ele dirigira trezentos quilômetros na esperança de conseguir falar comigo. Naquele dia ele me relatou sua história, e ela tocou meu coração.

Mariano sofria de uma fibromialgia tão severa que consumia mais de trezentos tabletes de Advil por mês para controlar a dor. Ele tinha de deixar seu consultório de psiquiatria às 3h30 todos os dias e ia para a cama às sete da noite, ou mesmo antes, em função de uma avassaladora fadiga.

Foi nesse ponto que ele deu início ao programa nutricional que eu usava com todos os meus pacientes. Dentro de poucas semanas, Mariano começou a notar uma diferença substancial. Ficou mais atento e sua fadiga começou a diminuir. Ele conseguia trabalhar o dia todo e ia para a cama cada vez mais tarde. Em seguida, começou a notar melhoras em sua dor. Passado um mês ou tanto, sua dor diminuiu de tal maneira que ele já não precisava mais do Advil.

Mariano recuperou sua vida. Ele consegue praticar a psiquiatria mais uma vez em tempo integral, e ganhou entre quatro e cinco horas em seu dia. Faz muitos anos desde que o vi pela primeira vez, e ele continua muito bem. Seu trabalho envolve, com freqüência, o tratamento dos problemas mentais de pacientes sofrendo de doenças degenerativas crônicas, e ele possui um entendimento muito exato de como tais doenças podem de fato afetar a vida das pessoas.

• • •

A procura crescente pela medicina alternativa devia servir de alerta para a comunidade médica. As pessoas estão ficando cada vez mais frustradas com o sistema oferecido por seus planos de saúde. Assim, recorrem com freqüência a métodos de auto-ajuda e a cuidados alternativos em busca de resposta, mesmo tendo de pagar a conta. Para dizer de forma simples, as pessoas estão cansadas e doentes de estarem cansadas e doentes. Apesar de os médicos estarem receitando antidepressivos em quantidades jamais vistas, a medicina alternativa vem florescendo nos Estados Unidos e em todo o mundo.

Por quê? Talvez os pacientes procurem a medicina alternativa como resultado de experiências como as que apresentei no início do capítulo, mas também acredito que muito tenha a ver com o fato de que eles não têm o caso de amor com remédios que a maioria dos médicos presume que tenham. Os pacientes querem opções além daquela de tomar novos remédios a cada dia.

Nós, médicos, precisamos nos dar conta de que somos os principais responsáveis pelo grande número de pacientes que deixa os serviços médicos pelos provedores de cuidados alternativos. Afinal de contas, a esmagadora maioria dos pacientes consulta seus médicos primeiro. A maior parte dos médicos hoje conhece os benefícios de uma dieta saudável e de um programa modesto de exercícios, mas sem apreciar ou compreender devidamente as conseqüências do estresse oxidativo. Se as compreendessem, incentivariam firmemente seus pacientes a tomar suplementos nutricionais potentes e de alta qualidade — em vez de inibi-los. Não somente haveria grandes melhorias nos sintomas de seus pacientes, como os médicos testemunhariam um declínio considerável no número de pacientes que acaba recorrendo à medicina alternativa.

PARTE III

MEDICINA NUTRICIONAL

DEZESSEIS | A Posição dos Médicos contra os Suplementos Nutricionais

Conforme relembro meus primeiros anos de prática médica, lembro-me claramente de minha própria posição contra a suplementação nutricional. Assim, não preciso ir além de mim mesmo para compreender o preconceito básico que os médicos têm. Estou certo de que minhas impressões anteriores não são muito diversas das da maioria dos médicos praticantes hoje em dia.

Lembro-me de dizer a meus pacientes que eles poderiam obter tudo de que necessitassem a partir dos alimentos, se praticassem uma dieta saudável. "Basta ir até a quitanda e comprar o tipo certo de comida, e você não precisará tomar nenhum desses suplementos", eu insistia. "Tomar vitaminas é uma perda de dinheiro."

Se isso não os convencesse, eu lhes mostrava um estudo ou dois em que se provava que uma data vitamina era nociva. Lembro-me de que os estudos negativos eram, na verdade, os únicos que eu conhecia sobre vitaminas. Afinal de contas, quando estudos negativos eram publicados na mídia leiga ou nos jornais médicos, eu comentava comigo mesmo: "Viu só, você tinha razão sobre essas vitaminas. É uma vergonha que esses charlatães preguem tamanhas peças em meus pacientes."

Uma das razões por que mudei de opinião quanto às vitaminas é a qualidade de nossa dieta.

A Típica Dieta Norte-Americana

Tenho uma confissão a fazer aqui e agora: já saí para comer em restaurantes de *fast-food*. E, se você quiser saber os detalhes escabrosos, comi um Big Mac com batatas fritas, bebi uma coca-cola tamanho grande — gigante, na verdade — e comi uma torta de maçã quente. Mas cabe-lhe saber também que isso ocorreu há muitos anos. Aprendi um pouco sobre alimentação desde então.

Você já se flagrou rindo ante a idéia de alguém confessar algo que todos nós fazemos com mais freqüência do que admitimos? Apesar de sabermos que o *fast-food* é a pior desculpa para combustível que podemos ingerir, fazemos fila em frente aos caixas, esperando para investir o dinheiro tão duramente conquistado na depauperação de nossa saúde futura. Amigos, *falar* e *fazer* são duas coisas diferentes. Apesar de falarmos tanto da boca para fora de perder peso e ingerir alimentos saudáveis, não é isso o que ocorre na realidade.

Aproximadamente 40% das calorias em uma dieta norte-americana típica vem de gordura e, na maioria dos casos, de gordura saturada (a maligna). A edição de setembro de 1997 do jornal médico *Pediatrics* relatou que apenas 1% das crianças nos Estados Unidos obtém em suas dietas os nutrientes essenciais nos valores diários de referência.[1] Além de não estarem obtendo uma nutrição adequada para seus corpos em crescimento, as crianças estão desenvolvendo, na infância, hábitos alimentares negativos que persistirão na idade adulta. Assustou-me o número de adolescentes que já possuem resistência à insulina plenamente desenvolvida.

O NHANES-II[2] avaliou 12 mil americanos adultos e seus hábitos alimentares. Aqui estão algumas de suas descobertas:

- 17% da população não consome vegetais de nenhum tipo.
- Excluindo-se batatas e saladas, 50% não consome vegetais. Em outras palavras, somente metade da população consome vegetais de horta.
- Apenas 41% consome frutas ou sucos de fruta.
- Apenas 10% da população atende à orientação do Departamento de Agricultura de consumir no mínimo cinco doses diárias de vegetais e frutas. Entre os afro-americanos, apenas 5% consomem as quantidades recomendadas.[3]

Muito embora médicos e nutricionistas registrados recomendem a ingestão diária de múltiplas doses de frutas e vegetais, nossa sociedade está passando muito longe disso. Esse estudo mostra que, se excluirmos batatas fritas e assadas, mais de metade da população não consome *vegetal algum*. Pior ainda: quase 60% da população não consome frutas. A verdade é que os norte-americanos não seguem uma dieta saudável, ainda que tenham ciência dela.

Impressiona que mais de 50% dos norte-americanos sejam considerados hoje como estando *muito acima do peso*? Quando combinamos esses maus hábitos alimentares com os alimentos de alto nível glicêmico discutidos no Capítulo 14, não surpreende em nada que tenhamos nos Estados Unidos uma epidemia de resistência à insulina e de diabetes. Se eu o desafiasse a sair de casa e não comer pão branco, farinha branca, massas, arroz e batatas por duas semanas, você logo perceberia por que tanta gente (mais de 80 milhões de norte-americanos) desenvolveram a resistência à insulina conhecida como Síndrome X.

A Qualidade dos Alimentos nos Estados Unidos

Nenhum outro país na face da terra produziu a abundância de alimentos que os Estados Unidos produziram no último meio século. Mas, quando analisamos a qualidade desses alimentos do ponto de vista da saúde, surgem preocupações bem definidas. Os processos atualmente usados para produzir e preservar nossos alimentos tiveram um efeito muito sério na qualidade desse grande suprimento de comida. Rex Beach escreveu em seu relatório ao senado americano:

> Sabiam que a maioria de nós hoje sofre de alguma perigosa deficiência dietética, que não poderá ser remediada enquanto os solos exauridos de que provém nossa alimentação não tiverem seu equilíbrio mineral devidamente restaurado? O fato alarmante é que os alimentos — frutas, vegetais e grãos — hoje cultivados em milhões de acres de terra que já não possuem certos minerais em quantidades suficientes estão nos matando de fome, por mais que comamos.[4]

Beach fez essa declaração em 1936. E nos quase 70 anos que se passaram desde seu apelo ao senado, pouco foi feito para melhorar o solo exaurido dos Estados Unidos; na verdade, a situação hoje é muito pior do que em qualquer momento da história.[5] Cinco grandes minerais (cálcio, magnésio, clorito, fósforo e potássio) e pelo menos dezesseis minerais residuais são essenciais para uma saúde perfeita. As plantas não conseguem criar minerais. Elas devem extraí-los do solo. E se o solo não possui tais minerais, as plantas tampouco os terão.

E de fato não os têm. Por quê? Fertilizantes orgânicos que contêm tais minerais são caros e difíceis de obter. Os fazendeiros norte-americanos administram seus custos empregando fertilizantes que recompõem o solo somente com nitrogênio, fósforo e potássio (os chamados NPK). Com fertilizantes NPK, os fazendeiros conseguem cultivar grãos e outros itens de boa aparência, apesar de as safras continuarem pobres em todos os outros minerais necessários. Infelizmente, a economia é a força motriz por trás da agricultura norte-americana, o que leva os fazendeiros a se preocuparem mais com o número de sacas colhidas por acre do que com o conteúdo nutricional do alimento que cultivam.

Poucos poriam em dúvida a qualidade dos alimentos americanos e seu declínio comparado aos de uma ou duas gerações atrás. Grãos, vegetais e frutos híbridos ganharam maior popularidade. Essas sementes híbridas passam por gerar produtos maçudos e suculentos, mais resistentes a doenças. O conteúdo de nutrientes dos híbridos, contudo, é significativamente inferior ao de suas contrapartidas naturais. O fazendeiro é pago de acordo com o número de sacas por acre — e não pela qualidade de seus produtos. Além disso, a agricultura tornou-se um mercado exigente e de grande pressão política. Apesar de nossa necessidade de nutrição, o objetivo final dos fazendeiros é ganhar a vida, e os produtos híbridos tornam isso possível.

O mercado americano de alimentos, em função dos transportes especiais e das técnicas de armazenamento, conseguiu disponibilizar uma grande variedade de frutos e vegetais por todo o país e o ano todo. Variedade é bom. Mas ela existe em função de um sacrifício. Colheita verde significa colher frutos e vegetais antes que estejam maduros. Transportar alimentos por longas distâncias requer armazenamento refrigerado e outros métodos de preservação que provocam a perda de nutrientes vitais. A comida norte-americana é ainda altamente processada. Por exemplo, o processo de refinamento da farinha para criar o pão branco elimina mais de vinte e três nutrientes essenciais, sendo o magnésio um dos mais importantes. A indústria alimentícia restitui posteriormente ao pão cerca de oito desses nutrientes, e o chama de pão "enriquecido".

Você sabia:

- Que no processo de produção de farinha branca a remoção do gérmen da parte externa dos grãos elimina mais de 80% do magnésio presente?
- Que o processamento da carne americana elimina de 50% a 70% da vitamina B6?
- Que o armazenamento refrigerado elimina até 50% da vitamina C das tangerinas?
- Que aspargos armazenados por apenas uma semana perdem 90% de sua vitamina C?[6]

É fato que os alimentos americanos são muito deficientes nos nutrientes vitais, mesmo no momento em que os compramos; todavia, a maneira como os preparamos é ainda mais importante. Cozer demais, congelar a comida e demorar para preparar alimentos frescos são alguns dos fatores que reduzem seu valor nutricional. Por exemplo:

- Saladas frescas, bem como vegetais e frutas cortados, perdem de 40% a 50% de seu valor se ficarem expostos por mais de três horas.
- A vitamina C é vulnerável tanto ao calor como ao frio, e o armazenamento prolongado a destrói.
- O preparo dos alimentos reduz significativamente o ácido fólico.
- Congelar carnes pode destruir mais de 50% de sua vitamina B.[7]

Começamos com a destruição dos nutrientes do solo, agravada pelos fertilizantes NPK. Em seguida vieram os grãos híbridos, que geram alimentos pobres em nutrientes. O processamento e o armazenamento modernos provocam maior empobrecimento da qualidade da comida. Então levamos os alimentos para casa e os empobrecemos ainda mais pela armazenagem e pelo preparo. Tudo isso nos proporciona razões boas e sólidas para que suplementemos nossa dieta com suplementos nutricionais de alta qualidade.

Você precisa saber, porém, que não são essas minhas razões primárias para recomendar o uso de suplementos nutricionais. Embora tais condições tenham se mostrado danosas à saúde, a idéia que temos de nutrição foi tão ou mais nociva. Devemos repensar o significado dos VD Ref. — os valores diários de referência.

Níveis Otimizados *versus* Níveis dos VD Ref.

Em primeiro lugar, você precisa entender como os valores diários de referência foram desenvolvidos. Eles surgiram entre as décadas de 1920 e de 1930, estabelecendo os níveis mínimos de dez nutrientes essenciais que poderiam nos ajudar a evitar moléstias decorrentes de deficiências agudas. Eram doenças como o escorbuto (deficiência de vitamina C), o

A Posição dos Médicos contra os Suplementos Nutricionais

raquitismo (deficiência de vitamina D) e a pelagra (deficiência de niacina). Em outras palavras, se você ingerisse vitamina C, vitamina D e niacina nos valores diários de referência, não desenvolveria nenhuma dessas doenças.

É fato que os valores diários de referência cumpriram sua missão. Em minhas três décadas de prática clínica, nunca vi nenhuma dessas doenças. Elas ainda ocorrem, mas são raras. Na verdade, o Centro para Controle de Doenças já não as rastreia mais.

A lista de nutrientes incluídos nos valores diários de referência cresceu ao longo das duas décadas seguintes, e, no início dos anos 50, a definição desses valores passou a incluir as quantidades de nutrientes necessárias ao crescimento e desenvolvimento normais.

Apesar de os valores diários de referência terem se mostrado úteis, a maioria dos médicos e leigos tende a atribuir-lhes mais significado do que deveria. Isso se deve, em parte, ao fato de o governo dos Estados Unidos requerer que os rótulos de todos os alimentos e suplementos registrem seu percentual com relação aos valores diários de referência. Contudo, após ter passado os últimos anos estudando bastante a suplementação nutricional e seus efeitos nas doenças degenerativas crônicas, convenci-me da avassaladora verdade: os valores diários de referência não têm absolutamente *nada* a ver com doenças degenerativas crônicas.

Creio que essa simples verdade seja causa de mais confusões sobre os benefícios que os suplementos nutricionais trazem à saúde do que qualquer outro fato. Os médicos são treinados para acreditar que os valores diários de referência são os níveis de nutrientes necessários para que o corpo tenha uma excelente saúde. Esse falso pressuposto é, segundo creio, a principal razão por que médicos, nutrólogos registrados, nutricionistas e a comunidade de serviços à saúde em geral demonstram tal resistência à suplementação nutricional.

Quando se pesquisa a literatura médica sobre estresse oxidativo e a quantidade de nutrientes necessária para preveni-lo, descobre-se que o nível da suplementação nutricional é consideravelmente maior do que o dos valores diários de referência. Um bom exemplo disso é a vitamina E. O valor diário de referência da vitamina E é 10 IU, e, em algumas tabelas, chega a até 30 IU. A dieta norte-americana média contém de 8 IU a 10 IU. De acordo com a literatura médica, não se começa a perceber nenhum benefício à saúde senão com a ingestão de *100 IU* de vitamina E em suplementação. Esse benefício à saúde parece ser progressivamente maior, até chegar-se a 400 IU ou até mais. (A maioria dos médicos que entende de suplementação concordaria que é preciso consumir diariamente pelo menos 400 IU de vitamina E.)

O valor diário de referência da vitamina C é de 60 mg, muito embora discussões havidas nos últimos anos sugiram que ele deve ser aumentado para 200 mg diários. A literatura médica, por outro lado, indica que nossos corpos precisam de pelo menos *1.000 mg* de vitamina C antes de haver benefícios à saúde. Esse benefício é sempre maior conforme nos aproximamos de 2.000 mg.

Eu poderia citar todos os principais nutrientes e enumerar os níveis otimizados que a literatura médica diz proporcionarem benefícios à saúde. Em nenhum caso existe correspondência com os valores diários de referência. Volto a dizer que esses valores nada têm a ver com doenças degenerativas crônicas. Para ter uma idéia da quantidade de alimentos que precisaríamos consumir para atingir esses níveis otimizados de nutrientes, veja a Tabela 16.1.

Tabela 16.1 — Quantidade de Alimentos Necessária a Atingir Níveis Otimizados dos Nutrientes[8]

Vitamina E (450 IU)
- 33 brotos de espinafre
- 12 quilos de manteiga
- 80 abacates médios
- 80 mangas
- 1 quilo de sementes de girassol
- 23 xícaras de gérmen de trigo
- 1,6 litro de óleo de milho

Vitamina D (600 IU)
- 22 gemas grandes de ovos
- 6 xícaras de leite fortificado
- 30 colheres de sopa de margarina
- 400 g de camarão

Vitamina C (1.300 mg)
- 17 kiwis médios
- 16 laranjas médias
- 160 maçãs médias (incluindo a casca)
- 10,5 xícaras de suco de laranja fresco
- 16 xícaras de brócolis cru picado

Folato (1 mg)
- 3,8 xícaras de aspargos cozidos
- 4 xícaras de feijão preto
- 20 laranjas médias
- 10 xícaras de couve-de-bruxelas
- 3,8 xícaras de espinafre cozido

Vitamina B6 (27 mg)
- 41 bananas médias
- 38 batatas cozidas médias, com a casca
- 77 xícaras de lentilha
- 7 quilos de peito de frango
- 18 xícaras de gérmen de trigo

Riboflavina (27 mg)
- 600 g de bifes de fígado
- 16 xícaras de iogurte de baixa gordura
- 9 dúzias de ovos
- 3,25 galões de leite desnatado
- 64 xícaras de espinafre cozido

Tiamina (27 mg)
- 135 xícaras de arroz integral
- 1 quilo de presunto
- 1,5 quilo de sementes de girassol
- 64 xícaras de ervilhas
- 12 xícaras de gérmen de trigo

Simplesmente não existe como alcançar esses níveis otimizados de nutrientes pela alimentação. Se quiser reduzir seus riscos de desenvolver doenças degenerativas crônicas, você *deve* suplementar sua dieta.

Talvez você esteja soltando um suspiro de alívio e pensando: *Que bom! Estou protegido, pois tomo uma multivitamina.* Não relaxe tão cedo. Tomar uma multivitamina diária tampouco o protegerá de doenças degenerativas. Multivitaminas baseiam-se antes de tudo nos valores diários de referência. É raro encontrar na literatura médica qualquer ocorrência de benefícios à saúde entre pacientes que tomam apenas multivitaminas. Você deve tomar quantidades *significativas* de antioxidantes e minerais de alta qualidade se pretende evitar ou retardar as doenças degenerativas crônicas descritas neste livro.

A pergunta seguinte seria, obviamente: É seguro tomar esses suplementos em níveis otimizados? Como um médico que nem sempre acreditou que tomar suplementos seria uma boa idéia, discuti freqüentemente seus riscos com meus pacientes. Estou certo de que seu médico pode citar uns poucos estudos denunciando o perigo da ingestão de suplementos. Há riscos? Certamente que sim. Precisamos discuti-los em detalhe.

O Risco e a Segurança dos Suplementos Nutricionais

Ao longo de todo este livro apresentei evidências médicas que demonstram a eficiência dos suplementos nutricionais em evitar e/ou retardar o avanço das doenças degenerativas. Para que esses suplementos tenham tal eficiência, devemos tomá-los durante toda a vida. Temos de usá-los em níveis muito superiores aos valores diários de referência e, como já somos uma população de má saúde, é fundamental que esses nutrientes sejam virtualmente isentos de efeitos tóxicos e possam ser usados sem risco em altas doses.

Os antioxidantes são decerto seguros quando tomados corretamente. Suplementos nutricionais nada mais são do que os nutrientes que tiramos dos alimentos, salvo que em doses mais altas do que seria possível obter pela alimentação regular. Por outro lado, drogas farmacêuticas podem ter *alguns* benefícios na prevenção de *algumas* doenças crônicas, mas geram um risco inerente para o paciente.

Sempre que um médico prescreve um medicamento, especialmente para o tratamento de moléstias crônicas, ele deve explicar o perigo potencial de seu uso. "Os medicamentos que prescrevemos", disse o dr. Bruce Pomeranz na edição de 15 de abril de 1998 do *Journal of the American Medical Association*, "causam mais de 100 mil mortes por ano." Ele também afirma que outros 2,1 milhões de pacientes têm sérias complicações devido aos medicamentos.[9] Os nutrientes não oferecem esses riscos.

Em meu livro intitulado *Death by Prescription* (Morte por Prescrição), lançado nos Estados Unidos em 2003, explico os riscos inerentes de todos os medicamentos e as armadilhas em determinar seus possíveis efeitos colaterais. Nele você encontrará diretrizes práticas e simples para evitar o sofrimento e talvez a morte por reações adversas a alguma droga.

Uma vez que medicamentos devidamente receitados e administrados são a quarta maior causa de mortes nos Estados Unidos, é hora de os médicos e os prestadores de serviços de saúde começarem a encarar essa terrível crise da saúde.[10] Os profissionais médicos esbravejam e lutam por reduzir os riscos de doenças do coração, AVCs e câncer. Mas por que não falamos de ajudar os pacientes a reduzir seu risco de sofrer ou morrer devido aos medicamentos que prescrevemos?

Enquanto nossa profissão essencialmente ignora essa significativa causa de mortes, acho terrivelmente irônico que os médicos continuem a dissuadir seus pacientes de tomar suplementos, na suposição de que eles podem ser perigosos para a saúde!

Registraram-se somente umas poucas mortes nos últimos anos relacionadas a suplementos nutricionais. E foram casos em que indivíduos tomaram *muitas vezes* as quantidades recomendadas neste livro para nutrientes como a niacina. Outros relatórios envolveram superdoses acidentais de suplementos em crianças.

Ainda assim, devemos ter ciência do fato de que os suplementos nutricionais podem ser tóxicos se tomados em quantidades excessivas. Vejamos os principais efeitos tóxicos desses nutrientes, cada um por sua vez.

Vitamina A

De todos os suplementos nutricionais, a vitamina A pura causa a maior preocupação. Sua toxicidade pode ocorrer em adultos que tomarem mais de 50 mil IU por dia durante períodos prolongados. Uma dose menor pode também ser tóxica se o paciente tiver doenças do fígado. Os indícios de toxicidade de vitamina A incluem pele seca, unhas quebradiças, perda de cabelos, gengivite, anorexia, náusea, fadiga e irritabilidade.

A ingestão acidental de uma grande dose isolada de vitamina A por crianças (de 100 mil a 300 mil IU) pode causar toxicidade aguda. Ela pode se manifestar em dores de cabeça, vômito e estupor, devido ao aumento na pressão intracranial.[11] Um estudo divulgado na edição de 2 de janeiro de 2002 do *Journal of the American Medical Association* indica que a vitamina A pode ser nociva para o funcionamento normal dos ossos, causando um aumento de fraturas nos quadris.

As mulheres devem evitar a suplementação de vitamina A durante a gravidez. Acredita-se que mesmo doses reduzidas, de 5 mil a 10 mil IU, podem causar problemas ao feto.[12]

Nunca recomendo a suplementação direta de vitamina A. Podemos atender às necessidades de vitamina A do corpo simplesmente pela ingestão de betacaroteno e dos carotenóides mistos. Eles são bastante seguros, e o corpo consegue converter o betacaroteno em vitamina A quando necessário, sem riscos de toxicidade.

Betacaroteno

O betacaroteno tem sido usado em altas doses já há vários anos, sem nenhum registro de efeitos adversos. Alguns indivíduos desenvolvem um amarelecimento da pele chamado de *carotenodermia*, mas é algo totalmente benigno, e se reverte totalmente uma vez que o betacaroteno for reduzido ou suspenso.

Vitamina E

Embora a vitamina E seja solúvel em gordura, ela tem um fantástico histórico de segurança. Ensaios clínicos de suplementação vitamínica com doses de até 3.200 IU por dia não apresentaram nenhum efeito adverso. Além disso, estudos demonstraram que a vitamina E inibe a agregação de plaquetas e reduz o risco de coágulos sangüíneos, similarmente ao que faz a aspirina. Essa propriedade da vitamina E ajuda a reduzir as doenças do coração. Pesquisadores acreditam que a vitamina E aumenta a eficácia da aspirina em pacientes com doenças cardíacas.[13]

Vitamina C

A vitamina C é segura até mesmo em doses muito altas, embora algumas pessoas possam sofrer inchaços abdominais, gases ou diarréia. Houve uma época em que se receou que a suplementação de vitamina C pudesse aumentar o risco de cálculo renal. Todavia, isso ocorreu em apenas um estudo clínico, e os quatro últimos estudos do tipo não sustentaram tal receio.[14]

Vitamina D

A vitamina D tem grande potencial para a toxicidade. Doses superiores a 1.500 IU não são recomendadas. Na maioria dos casos não recomendo a suplementação de vitamina D em doses maiores do que 800 IU por dia. A toxicidade da vitamina D pode aumentar os níveis de cálcio no sangue, causar depósitos de cálcio em órgãos internos e aumentar o risco de cálculo renal.[15]

É interessante que estudos recentes, divulgados no *New England Journal of Medicine*, mostraram que 93% das pessoas em Boston são deficientes em vitamina D — mesmo as que tomam multivitaminas.[16] Outros estudos vêm revelando que o valor diário de referência da vitamina D é muito baixo (200 IU), e os pacientes precisam tomar entre 500 e 800 IU, que é o nível otimizado. Essa dosagem ainda hoje é considerada como estando em uma faixa segura.[17]

Niacina (Vitamina B3)

Altas doses de suplementação de niacina podem gerar enrubescimento da pele, náusea e danos ao fígado. Estudos clínicos demonstraram que produtos de liberação lenta contendo niacina podem reduzir o risco de vermelhidão, mas também aumentam o risco de danos ao fígado.[18]

Muitas pessoas usam doses elevadas de niacina como meio natural de reduzir os níveis de colesterol. Usar níveis farmacêuticos de niacina suplementar deve sempre ser feito sob a orientação de um médico. Os níveis recomendados no Capítulo 17 encontram-se em uma faixa muito segura. A niacina vem sendo usada também com medicamentos à base de estatina, que são especialmente eficazes em reduzir o colesterol.

Vitamina B6 (Piridoxina)

A vitamina B6 é uma das poucas vitaminas solúveis em água com risco de causar toxicidade. Doses maiores do que 2.000 mg podem provocar sintomas de toxicidade nervosa. Mas pessoas que utilizaram doses diárias de 50 a 100 mg não tiveram nenhum caso registrado de toxicidade.[19] É fundamental tomar cuidado ao usar doses de vitamina B6 maiores do que essas.

Ácido Fólico

A suplementação de ácido fólico pode ocultar uma deficiência subjacente de vitamina B12. Portanto, deve-se sempre tomar suplementos de vitamina B12 junto com o ácido fólico. Todavia, ainda não se registrou nenhum problema sério decorrente da ingestão de ácido fólico em doses de até 5 gramas por dia. Essa é outra razão por que a nutrição celular é uma maneira segura de suplementar sua dieta.

Colina

A colina é geralmente bem tolerada; embora em doses muito elevadas (20 g por dia) possa gerar um odor similar ao dos peixes e causar alguma náusea, diarréia e até mesmo dor abdominal.[20]

Cálcio

As pessoas toleram doses suplementares de cálcio de até 2.000 mg. Pensava-se outrora que níveis elevados de suplementação de cálcio poderiam causar maior incidência de cálculo renal; todavia, um estudo recente mostrou que níveis mais altos de cálcio podem, na verdade, reduzir o risco de cálculo. Em outras palavras, os pacientes que tomam as maiores doses de cálcio têm o menor risco de desenvolver pedras nos rins.[21]

Iodina

Uma suplementação de iodina maior do que 750 µg pode suspender a secreção de hormônios pela tireóide. Também já foram registradas erupções epidérmicas similares à acne devido à ingestão de iodina em níveis superiores a esse.[22]

Ferro

A preocupação com o uso do ferro — especialmente inorgânico — em suplementação aumentou. Em geral, os norte-americanos ingerem ferro em abundância, e a suplementação pode gerar uma sobrecarga desse nutriente, algo que já se associou com o aumento do risco de doenças cardíacas nos homens. Também há receios de que a suplementação de ferro possa aumentar o estresse oxidativo.[23]

Manganês

O manganês em suplementação é muito seguro, embora haja registro de pessoas que desenvolveram toxicidade a partir do meio ambiente. Isso costuma ocorrer entre indivíduos que mineram manganês ou se expõem a grandes quantidades dele no meio ambiente. Tais indivíduos podem sofrer alucinações ou ficar bastante irritáveis.[24]

Molibdênio

O molibdênio é bastante seguro. Uma dose diária superior a 10 ou 15 µg, porém, pode causar sintomas similares aos da gota.[25]

Selênio

Diversos estudos clínicos usando doses diárias na faixa de 400 a 500 µg determinaram que o selênio é seguro.[26] Creio, contudo, que as doses suplementares de selênio devem ser inferiores a 300 µg diários. Os sintomas da toxicidade de selênio incluem depressão, irritabilidade, náusea, vômitos e perda de cabelos.[27]

Não há efeitos tóxicos associados à suplementação de vitamina K, vitamina B1 (tiamina), vitamina B2 (riboflavina), biotina, vitamina B5 (pantetina), inositol, vitamina B12, crômio, silício, CoQ10, boro e ácido alfa-lipóico.[28]

A Defesa de um Médico

Estou certo de que meu treinamento médico não foi muito diferente do da esmagadora maioria dos médicos que atualmente exercem a profissão. Não recebi essencialmente nenhum treinamento formal em nutrição. Não era uma aula obrigatória em minha faculdade. Nada disso é chocante, já que, como mencionei no Capítulo 1, as aulas de nutrição só são *requeridas* em umas poucas faculdades de medicina em todos os Estados Unidos.

Aulas opcionais de nutrição são oferecidas em aproximadamente metade das faculdades de medicina;[29] todavia, como comentei na introdução, pesquisas recentes demonstraram que apenas 6% dos graduandos em medicina recebem algum treinamento em nutrição. Eu ousaria afirmar que, mesmo os que tiveram aulas sobre o assunto, não estudaram muito a suplementação nutricional. Esse simplesmente não é o foco de nosso treinamento médico. Médicos aprendem a diagnosticar e tratar doenças. Não foi senão depois de passar os últimos 7 anos devorando a literatura médica sobre o tema que minha opinião mudou.

Durante os primeiros 23 anos de minha carreira, fui um médico bem típico no que toca a meus conhecimentos e minha opinião sobre suplementos nutricionais. Meu parecer acerca das vitaminas era enfático e exaltado, e meus pacientes realmente acreditavam em mim. Talvez fosse por eu ser médico, e porque presume-se que os médicos saibam tudo sobre a saúde. Não sabemos!

Os médicos baseiam seu uso dos medicamentos, e por conseguinte dos suplementos nutricionais, em estudos clínicos confiáveis divulgados na literatura médica. E nem todo estudo envolvendo suplementos nutricionais identificou benefícios significativos. Em alguns casos apresentaram, na verdade, danos potenciais. Tanto a mídia em geral como a literatura médica alardeiam esses estudos negativos.

Como observei na introdução deste capítulo, quando não era um grande fã da suplementação nutricional eu conhecia esses estudos negativos e os citava com freqüência para meus pacientes. Naquela época, um estudo negativo parecia desmentir centenas de estudos de boa qualidade que demonstravam os benefícios dos suplementos à saúde. Como qualquer pessoa que ler a literatura médica encontrará vários desses estudos, creio ser importante tratar de alguns dentre os mais divulgados.

Argumentos Contra os Suplementos Nutricionais

O Estudo Finlandês

Esse estudo, feito na Finlândia, é provavelmente um dos mais citados quando se trata de suplementação nutricional. Aproximadamente 30 mil fumantes inveterados participaram dele. Eles foram divididos em quatro grupos iguais.

O Grupo 1 não recebeu nada.

O Grupo 2 recebeu dl-alfa-tocoferol (vitamina E sintética).

O Grupo 3 recebeu betacaroteno sintético.

O Grupo 4 recebeu tanto dl-alfa-tocoferol como betacaroteno.

Os pesquisadores acompanharam esses indivíduos durante um período de 5 a 8 anos. A maioria deles não deixou de fumar durante esse tempo. O estudo não identificou reduções na incidência de câncer do pulmão em nenhum dos grupos que receberam os suplementos. Mais preocupante ainda foi o fato de que os indivíduos que tomavam betacaroteno apresentaram antes um aumento na incidência de câncer de pulmão. Isso foi um choque para os investigadores, pois vários estudos anteriores tinham registrado reduções de risco entre pacientes com altos níveis de vitamina E e betacaroteno em sua dieta ou na corrente sangüínea.[30]

O Estudo CARET[31]

Esse estudo envolveu 18 mil fumantes e trabalhadores que lidavam com asbesto, todos moradores do Estado de Washington. Esses pacientes receberam 15 mg de betacaroteno e 25.000 IU de pura vitamina A. Os pesquisadores os monitoraram durante um período de 4 anos e, também nesse caso, não houve redução no risco de câncer entre os pacientes que tomavam os suplementos. Houve, uma vez mais, aumento na incidência de câncer de pulmão no grupo que estava tomando betacaroteno e vitamina A.[32]

O Physicians' Health Study (Estudo de Saúde dos Médicos)

Esse estudo acompanhou mais de 22 mil médicos norte-americanos saudáveis do sexo masculino, os quais tomaram 50 mg de betacaroteno ou um placebo todos os dias durante

12 anos. A suplementação não apresentou nenhum benefício ou efeito negativo no que se refere a câncer do pulmão ou doenças do coração.[33]

Minha Resposta

As descobertas desses estudos são perturbadoras para você? À primeira vista parecem desapontadoras, mas vamos olhá-las mais de perto. Todos esses estudos mostram claramente que, se você for fumante ou tiver um alto risco de desenvolver câncer do pulmão, não deverá tomar betacaroteno isoladamente. Sempre procuro os princípios que se tornam aparentes na literatura médica. Esse é um exemplo ideal: não se deve tomar nenhum nutriente isolado em altas quantidades, especialmente se você for fumante. O betacaroteno e outros antioxidantes podem tornar-se pró-oxidantes nessa situação. Um pró-oxidante é um nutriente capaz de causar um aumento no número de radicais livres que você produz.

Em vez de desencorajar totalmente o uso de suplementos, esses estudos indicam que o uso de betacaroteno isoladamente ou apenas com vitamina E, no caso de fumantes, não é aconselhável.

Além disso, o fato de que o Estudo Finlandês utilizou dl-alfa-tocoferol, a vitamina E sintética, me preocupa. Outros estudos demonstraram que essa vitamina causa mais problemas do que os resolve.[34] A maioria dos estudos divulgados na literatura médica usa d-alfa-tocoferol, uma vitamina E natural.

Já expus minha preocupação com o fato de a maior parte dos estudos ser feita com apenas um ou dois antioxidantes, com pesquisadores em busca da "pílula mágica". Mas conhecer o estresse oxidativo e o modo como ele pode danificar o corpo nos obriga a admitir que o exame de um ou dois nutrientes equivale a tentar parar uma locomotiva com um rifle.

Também devemos considerar o conhecido fato de que o câncer do pulmão leva de 20 a 30 anos para se desenvolver, razão pela qual o Estudo Finlandês estava fadado ao fracasso desde o início. Esses pacientes eram fumantes inveterados, que submetiam seus corpos a um estresse oxidativo tremendo. Esses pacientes — e todos os demais dos estudos mencionados — precisavam de *nutrição celular* (a suplementação de antioxidantes e minerais equilibrados e completos, em níveis otimizados), e não de pílulas mágicas.

Um Estudo Mais Recente

Outro estudo, divulgado na edição de 29 de novembro de 2001 do *New England Journal of Medicine*, recebeu também grande atenção da mídia. O *Simvastatin* (Zocor) *and Niacin Study* (Estudo da Sinvastatina e Niacina) envolveu 160 pacientes com níveis elevados de colesterol e espessamento das artérias, os quais foram distribuídos nos quatro grupos relatados a seguir:

O Grupo 1 era o grupo de controle, e por isso não recebeu nada.

O Grupo 2 recebeu Zocor e niacina.

O Grupo 3 recebeu vitamina E, vitamina C, selênio e betacaroteno.

O Grupo 4 recebeu Zocor, niacina, vitamina E, vitamina C, selênio e betacaroteno.

O Grupo 2 foi o que se saiu melhor, e chegou mesmo a apresentar uma ligeira regressão no espessamento das artérias. O grupo dos antioxidantes (o Grupo 3) foi o segundo melhor. Mas o Grupo 4, que recebeu uma combinação de Zocor e antioxidantes, não apresentou grandes melhoras no nível do colesterol HDL (o benigno). Essa foi uma descoberta marginal, e estatisticamente pouco relevante. Todavia, a propaganda negativa decorrente destas descobertas marginais levou a suprema maioria dos médicos a afirmar de imediato que tomar vitamina E, junto com as drogas prescritas para a redução do colesterol, anula o efeito benéfico dessas drogas.

Os médicos tendem a ignorar as centenas de estudos que indicam benefícios significativos trazidos à saúde pelos suplementos nutricionais, não somente nos casos de doenças do coração, mas em todas as doenças degenerativas crônicas. Como você aprendeu ao longo deste livro, as doenças do coração não são males do colesterol, e sim doenças inflamatórias das artérias. Esse mesmo estudo também mostrou que o colesterol LDL, no grupo dos antioxidantes, aumentou em 35% sua resistência à oxidação, se comparado aos grupos que tomaram os remédios à base de estatina.

A mídia não se ocupou dessa descoberta, nem a anunciou para o mundo. Ela tampouco diz que pacientes que tomam remédios à base de estatina reduzem os níveis de CoQ10 no corpo. Muitos pesquisadores crêem que esses níveis reduzidos de CoQ10 nos músculos dos pacientes que estão tomando drogas à base de estatina sejam a principal razão para que as pessoas que ingerem essas drogas desenvolvam dores nos músculos e, até mesmo, destruição muscular. Os médicos costumam basear sua opinião sobre os benefícios que os suplementos nutricionais trazem à saúde em estudos como esse. Todavia, ignoram totalmente as centenas de estudos que indicam as vantagens da suplementação nutricional.

• • •

Espero e oro para que médicos de pensamento independente examinem os estudos que detalhei neste livro. Incentivo-os a ser céticos de mente aberta e avaliar os benefícios que podem oferecer a seus pacientes com a suplementação nutricional. Em vez de contar com os valores básicos de referência ou tentar atacar o estresse oxidativo com apenas uma vitamina por vez, devemos nos conscientizar de que a nutrição celular é a melhor estratégia para lidar com o problema subjacente do estresse oxidativo.

Mais importante ainda, devemos ter em mente o conceito de estresse oxidativo como um todo, e compreender os benefícios que os pacientes podem trazer a sua saúde fortalecendo o sistema *natural* de defesa antioxidante de seus corpos. O resultado é nada menos do que uma vida para sempre transformada — e para melhor.

DEZESSETE | **Nutrição Celular: Reunindo Tudo**

FALEI DE ALGUMAS DAS DOENÇAS MAIS FRUSTRANTES OU DOLOROSAS QUE OS MÉDICOS encontram em seus pacientes, mas devo agora falar da maior realização de um médico: ver homens, mulheres e crianças de todas as idades voltando a levar uma vida plena após uma enfermidade debilitante. Essas pessoas retomam o controle de sua saúde, em vez de permitir que a doença as domine.

Mas eis aqui a franca verdade: nunca vi pacientes atingindo esse tipo de recuperação somente com a medicina tradicional. Pode-se analisar um ou dois casos e acreditar que os resultados foram um milagre "sobrenatural" de Deus. Mas essa habilidade de cura natural sempre existiu. Fomos criados de um modo maravilhoso e admirável. As ciências médicas só estão mostrando que temos de otimizar os sistemas naturais de cura que já existem. Devemos tirar vantagem do mais poderoso mecanismo de cura da humanidade, "o hospedeiro", que é nosso próprio corpo.

Por vezes, os médicos enfrentam grandes dificuldades em efetuar pequenas curas. Nada os frustra mais do que lidar com um sistema imunológico avariado. Isso ocorre freqüentemente com pacientes de AIDS plena ou aqueles sob medicação quimioterapêutica.

As infecções que tais pacientes contraem são graves e, por vezes, bastante incomuns. Como o sistema imunológico deles funciona precariamente, restam ao médico poucas opções além de lançar mão dos antibióticos mais poderosos e rezar para que os pacientes reajam. Nessa situação, o médico percebe bem a importância de se ter um sistema imunológico funcionando em níveis otimizados. Nossos remédios podem ser fantásticos; contudo, sem a ajuda do poder de cura do próprio corpo, não servem para muita coisa.

Os médicos precisam tanto de medicamentos *como* de um sistema imunológico saudável. Mais uma vez, é por isso que chamo o uso de suplementos nutricionais de alta qualidade de *medicina complementar*.

Níveis Otimizados de Nutrição

Você deve se lembrar, especialmente se for um profissional da área médica, que a vitamina E, o selênio, o cálcio, o magnésio e a vitamina C não são mais do que nutrientes que obtemos a partir dos alimentos. Mas continuamos a estudá-los como se fossem drogas. As drogas têm de passar por ensaios clínicos rigorosos que atestem sua segurança e eficácia, porquanto são substâncias sintéticas que rompem sistemas enzimáticos naturais para gerar resultados terapêuticos. No último capítulo discuti os possíveis riscos que os suplementos nutricionais oferecem à segurança. Mas são poucos, especialmente se comparados aos das drogas. Isso ocorre porque a vitamina E, a vitamina C, o selênio e outros são substâncias *naturais* que fortalecem os sistemas naturais enzimático, antioxidante e imunológico.

Como hoje dispomos dos meios para produzir suplementos nutricionais, podemos prove-los em níveis otimizados. Os níveis otimizados são aqueles que a literatura médica demonstrou proporcionarem benefícios à saúde. Não se trata dos valores diários de referência (ver Capítulo 16). Quando tais nutrientes são combinados e tomados juntamente em suplementação nos níveis otimizados, os resultados são simplesmente impressionantes.

A *nutrição celular* consiste em fornecer às células todos os nutrientes em níveis otimizados. Isso permite que elas decidam do que realmente necessitam ou não. Não preciso me preocupar em descobrir suas deficiências nutricionais. Simplesmente forneço todos os nutrientes importantes em níveis otimizados e deixo que as células façam o seu trabalho. Essa estratégia corrige quaisquer deficiências nutricionais no prazo de poucos meses.

Os padeiros conhecem a verdadeira arte de fazer pão, mas, tendo à mão uma panificadora automática, qualquer pessoa pode tentar. Já não precisamos de muita coisa em termos de técnica. Se você fornecer todos os ingredientes corretos na quantia certa (coisa garantida, graças aos pacotes pré-misturados), depois de duas horas terá em mãos um delicioso pão caseiro quentinho. Mas, e se você não tiver um pacote de ingredientes e se esquecer do fermento? E se puser sal demais? É exatamente isso o que ocorre com a nutrição celular. Você precisa fornecer à célula todos os nutrientes necessários *de modo equilibrado e completo*. Então, e somente então, a célula terá tudo de que precisa para funcionar no máximo de sua capacidade extraordinária.

Protegendo Sua Saúde

A suplementação nutricional tem a ver com a saúde, e não com doenças. Atacar a causa primitiva das doenças degenerativas crônicas é a verdadeira medicina preventiva. Sei que a maioria de meus leitores tem boa saúde e quer continuar assim. Apesar de ter apresentado anteriormente muitas histórias de pacientes que desenvolveram enfermidades graves e conseguiram recuperar o controle de sua saúde, todos concordariam em que é muito mais fácil preservar a saúde do que recuperá-la.

Seguindo esses mesmos princípios, você, que tem boa saúde, pode reduzir o risco de desenvolver essas doenças degenerativas crônicas. E aqueles dentre vocês que tiverem problemas de saúde podem fortalecer o corpo para que este combata ou até reverta as doenças crônicas. Quando se combina uma dieta saudável com um programa modesto de exercícios e com a nutrição celular, a saúde só tem a ganhar. Não é essa sua meta?

O fato é que uma maçã por dia *não* o livrará do médico. Hoje você tem de suplementar sua maçã e o resto de sua dieta balanceada com suplementos nutricionais de alta qualidade. Quero aqui aconselhá-lo quanto aos nutrientes básicos de que você precisa para proporcionar a seu corpo uma nutrição celular otimizada.

Quando você fornece tais nutrientes em níveis otimizados a seu corpo, ele passa a desfrutar todos os benefícios à saúde que a suplementação nutricional oferece. O colesterol LDL fica mais resistente à oxidação. Os níveis de homocisteína se reduzem. Seus olhos ganham maior proteção antioxidante contra a luz do sol. Os pulmões ganham maior proteção. Você melhora seus sistemas imunológico e de defesa antioxidante. Reduz seu risco de desenvolver doenças do coração, AVCs, câncer, degeneração macular, catarata, artrite, mal de Alzheimer, mal de Parkinson, asma, diabetes, esclerose múltipla, lúpus e outros.

Lembre-se: esse mundo tóxico, associado a nosso estilo de vida estressante, torna imperativo que nossos sistemas imunológico e de defesa antioxidante estejam funcionando a plena carga.

Otimizadores

Por vezes um paciente precisa de mais nutrientes do que os listados na Tabela 1. Se estiver sofrendo de fadiga prolongada ou de alguma doença degenerativa crônica, ele estará sujeito a um estresse oxidativo acima do normal, por isso adiciono a seu programa de suplementação o que chamo de *otimizadores*. Trata-se de antioxidantes que já se demonstrou serem extremamente poderosos. As companhias nutricionais estão sempre em busca de antioxidantes cada vez mais potentes, mas atualmente o melhor é o extrato de sementes de uva, que tem alto teor de proantacianidinas. São antioxidantes muito potentes que integram o chamado grupo dos flavonóides, encontrados na parte colorida das frutas.

O extrato de sementes de uva proporciona antioxidantes cinqüenta vezes mais potentes do que a vitamina E e vinte vezes mais potente do que a vitamina C, quando usado com todos os demais antioxidantes e nutrientes de apoio. Se usado isoladamente, é apenas de seis a sete vezes mais potente do que a vitamina E de três e quatro vezes mais potente do que a vitamina C. Mais uma vez fica claro o poder da sinergia entre os nutrientes.

Não esqueça uma das características mais importantes do extrato de sementes de uva — o fato de que ele atravessa facilmente a barreira hemato-encefálica (ver Capítulo 13). Em outras palavras, ele penetra prontamente o fluido à volta do cérebro, a medula espinhal e os nervos. Para pacientes fatigados, costumo recomendar a adição de pelo menos 100 ou 200 mg de extrato de sementes de uva, dependendo da severidade de seu problema. Leva usualmente de quatro a seis semanas para que os pacientes consigam perceber uma melhoria significativa e voltem a se sentir normais. A essa altura, podem mesmo dispensar seus otimizadores enquanto estiverem se sentindo bem.

Tabela 17.1   Recomendações para a Suplementação Nutricional Básica

ANTIOXIDANTES	Quanto mais numerosos e variados forem os antioxidantes, melhor.
VITAMINA A	Não recomendo o uso direto de vitamina A, em função de sua toxicidade potencial. Em seu lugar, adote a suplementação de carotenóides mistos. Os carotenóides se convertem em vitamina A conforme a necessidade do corpo, sem nenhum problema de toxicidade.
CAROTENÓIDES	É importante adotar uma mistura de carotenóides, em vez de tomar apenas betacaroteno. • Betacaroteno: de 10.000 a 15.000 IU • Licopeno: de 1 a 3 mg • Luteína/Zeaxantina: de 1 a 6 mg • Alfa-caroteno: de 500 a 800 µg
VITAMINA C	Uma mistura de vitaminas C é importante, especialmente se incluírem ascorbatos de cálcio, potássio, zinco e magnésio, que são muito mais potentes no tratamento do estresse oxidativo. • de 1.000 a 2.000 mg
VITAMINA E	É importante ingerir uma mistura de vitaminas E naturais: d-alfa tocoferol, d-gama tocoferol e tocotrienol misto. • de 400 a 800 IU
COMPLEXO DE ANTIOXIDANTES FLAVONÓIDES	Os flavonóides proporcionam uma variedade necessária de antioxidantes poderosos, e são uma parte importante de seus suplementos. As quantidades podem variar, mas devem incluir a maioria dos flavonóides a seguir: • Rutina • Quercetina • Brócolis • Chá verde • Crucíferas • Mirtilo • Extrato de sementes de uva • Bromelina
ÁCIDO ALFALIPÓICO	• de 15 a 30 mg
CoQ10	• de 20 a 30 mg
GLUTATIONA	• de 10 a 20 mg • Precursor: N-acetil L-cisteína: de 50 a 75 mg
VITAMINAS B (COFATORES)	• Ácido fólico: de 800 a 1.000 µg • Vitamina B1 (tiamina): de 20 a 30 mg • Vitamina B2 (riboflavina): de 25 a 50 mg • Vitamina B3 (niacina): de 30 a 75 mg • Vitamina B5 (ácido pantotênico): de 80 a 200 mg • Vitamina B6 (piridoxina): de 25 a 50 mg • Vitamina B12 (cobalamina): de 100 a 250 µg • Biotina: de 300 a 1.000 µg

Tabela 17.1   Recomendações para a Suplementação Nutricional Básica (*continuação*)

OUTRAS VITAMINAS IMPORTANTES	• Vitamina D3 (colecalciferol): de 450 a 800 IU • Vitamina K: de 50 a 100 µg
COMPLEXOS MINERAIS	• Cálcio: de 800 a 1.500 µg, dependendo de sua ingestão diária de cálcio pela dieta • Magnésio: de 500 a 800 mg • Zinco: de 20 a 30 mg • Selênio: 200 µg é o ideal • Crômio: de 200 a 300 µg • Cobre: de 1 a 3 mg • Manganês: de 3 a 6 mg • Vanádio: de 30 a 100 µg • Iodina: de 100 a 200 µg • Molibdênio: de 50 a 100 µg • Misturas de minerais residuais
NUTRIENTES ADICIONAIS PARA A SAÚDE DOS OSSOS	• Silício: 3 mg • Boro: de 2 a 3 mg
OUTROS NUTRIENTES IMPORTANTES E ESSENCIAIS (Níveis aprimorados de homocisteína e melhor funcionamento do cérebro)	• Colina: de 100 a 200 mg • Trimetilglicina: de 200 a 500 mg • Inositol: de 150 mg a 250 mg

Suplementando Sua Dieta

GORDURAS ESSENCIAIS	• Óleo de sementes de linhaça prensado a frio • Cápsulas de óleo de peixe
SUPLEMENTOS DE FIBRA	• Misturas de fibras solúveis e insolúveis: de 10 a 30 mg, dependendo do conteúdo de fibras em sua dieta (o ideal é de 35 a 50 g de fibra a cada dia)

** *Várias empresas da área nutricional estão reunindo esses nutrientes essenciais em um ou dois tabletes diferentes, que devem ser tomados duas ou três vezes ao dia para que se alcance o nível de suplementação. Procure um produto de alta qualidade que chegue tão perto quanto possível dessas recomendações. Se o fabricante seguir as diretrizes farmacêuticas da GMP e da USP, siglas explicadas mais à frente, você estará proporcionando a si mesmo a melhor proteção contra o estresse oxidativo.*

As gorduras essenciais e as fibras proporcionam nutrientes adicionais que costumam faltar na dieta ocidental

Pacientes que já sofrem de alguma doença degenerativa crônica, como esclerose múltipla, doenças do coração, lúpus, mal de Crohn, câncer ou mal de Parkinson, já têm problemas muito sérios. Nessa situação, mesmo a produção normal e cotidiana de radicais livres causa um considerável estresse oxidativo nas gorduras, nas proteínas e no DNA da célula. Os sistemas de reparo encontram-se tão sobrecarregados que simplesmente não conseguem dar conta de consertar todos os danos. Tais pacientes precisam de uma quantidade significativamente maior de antioxidantes, para que tenham alguma esperança de "capturar" sua doença e redimir sua saúde. Uma vez mais, recomendo, nessa situação, a adição de otimizadores ao programa básico de nutrição celular apresentado na Tabela 17.1.

O primeiro otimizador que costumo escolher é o extrato de semente de uvas, mas, no caso de pessoas que enfrentam doenças crônicas, prescrevo doses muito mais altas do que as que recomendaria a pacientes apenas fatigados. Outros otimizadores seriam a CoQ10, o sulfato de glicosamina, a luteína, a zeaxantina, a niacina, o magnésio e o cálcio.

A seguir estão os princípios e nutrientes básicos que adoto como otimizadores no caso de diversas doenças degenerativas crônicas. Todos os meus pacientes estão tomando os nutrientes detalhados na Tabela 17.1. Em seguida, adiciono otimizadores ao programa básico de nutrição celular, de acordo com a gravidade de cada caso. Depois do extrato de sementes de uva, o otimizador que mais recomendo é a CoQ10. Ela não apenas é um excelente antioxidante, como é essencial para a geração intracelular de energia. Além disso, a CoQ10 é um nutriente muito importante para melhorar o sistema imunológico.

(Nota: a CoQ10 é difícil de ser absorvida. Nas recomendações a seguir estou listando os níveis para a variedade em pó. Se você usar a variedade de CoQ10 em forma de gel, precisará de doses menores.)

Otimizadores Específicos a Serem Acrescidos aos Nutrientes da Tabela 17.1 no Caso das Doenças Abaixo

Doenças do Coração

Adiciono aproximadamente 100 mg de extrato de sementes de uva e de CoQ10, além de doses adicionais de magnésio de 200 a 300 mg por dia. Creio ser essencial que esses pacientes tomem algum produto básico que contenha misturas de vitaminas E, como as que mencionei na Tabela 17.1.

Se o nível de homocisteína do paciente não cair para menos de 7 com as vitaminas B listadas na Tabela 1, adiciono de 1g a 5 g de TMG (trimetilglicina) a seu regime.

Miocardiopatia

Adiciono de 300 a 600 mg de CoQ10 ao regime do paciente, além de algum magnésio adicional e 100 mg de extrato de sementes de uva. Os pacientes costumam sentir os resultados dentro de quatro meses. A CoQ10 é muito segura, e os principais pesquisadores do país não receiam ministrar 600 mg se o paciente não estiver reagindo às doses menores. Todavia, alguns cardiologistas preferem fazer exames de sangue para determinar a quantidade de CoQ10 na corrente sangüínea antes de recorrer a dosagens maiores.[1]

Pacientes de Câncer

É difícil sugerir uma fórmula simples para todos os tipos de câncer. Mas, se não houver evidências de alastramento do câncer (ou se o cirurgião achar que o removeu totalmente), adiciono 200 mg de extrato de sementes de uva e CoQ10. Se o paciente tiver câncer metastático (o câncer que já se alastrou), recomendo 300 mg de extrato de sementes de uva e de 500 a 600 mg de CoQ10. Crianças entre 8 e 15 anos devem tomar apenas metade dos níveis recomendados na Tabela 17.1, e metade das doses de extrato de sementes de uva e CoQ10 recomendadas aqui.

Degeneração Macular

Para pacientes com essa condição, adiciono antes de tudo 300 mg de extrato de sementes de uva aos nutrientes listados na Tabela 1. Também acrescento aproximadamente de 6 a 12 mg de luteína adicional ao regime. Descobri que, se esses pacientes melhorarem, isso ocorrerá no intervalo de quatro meses.

Esclerose Múltipla

Meus pacientes de esclerose múltipla demonstraram que um mínimo de 400 mg de extrato de sementes de uva, de 200 a 300 mg de CoQ10 e talvez um adicional de 500 a 1.000 mg de vitamina C podem ser úteis no seu caso. Alerto-os de que pode levar mais de seis meses antes que percebam qualquer melhora.

Lúpus e Mal de Crohn

Esses pacientes precisam de aproximadamente 300 mg de extrato de sementes de uva e 200 mg de CoQ10 adicionados aos suplementos básicos. Volto a dizer que, se eles melhorarem, isso ocorrerá depois de transcorridos cerca de seis meses.

Osteoartrite

Acrescento de 1.500 a 2.000 mg de sulfato de glicosamina e entre 100 e 200 mg de extrato de sementes de uva. Se os pacientes acharem que adianta, não há problema em acrescentar também de 400 a 600 mg de sulfato de condroitina ou mesmo 100 mg de MSM. Não creio que haja evidências médicas suficientes no momento para recomendá-los como otimizadores.

Artrite Reumatóide

Também aqui, acrescento entre 1.500 e 2.000 mg de sulfato de glicosamina, 300 mg de CoQ10, 400 mg de extrato de sementes de uva e 200 mg de magnésio e cálcio adicional. E aumento os ácidos graxos ômega 3, acrescentando diariamente de 3 a 4 cápsulas de óleo de peixe ou duas colheres de sopa de óleo de linhaça prensado a frio.

Osteoporose

Para esses pacientes não recomendo o uso de otimizadores com os nutrientes listados na Tabela 17.1; todavia, incentivo-os a obter os níveis corretos de vitamina D, cálcio e magnésio, e a lembrar-se de ingeri-los com a alimentação. Eles também precisam iniciar um programa intensivo de exercícios de resistência a pesos para a parte superior do corpo.

Asma

Adiciono de 200 a 300 mg de extrato de sementes de uva (as crianças devem tomar cerca de 4 mg por quilo ao dia), além de 1.000 mg adicionais de vitamina C (para crianças, usar entre 200 e 500 mg), e 200 mg de magnésio (as crianças podem adicionar 100 mg).

Enfisema

Os nutrientes básicos da Tabela 1 costumam ser suficientes. Também pode-se adicionar 200 mg de extrato de sementes de uva juntamente com vitamina C e magnésio, como indicado acima para os casos de asma.

Mal de Alzheimer e Mal de Parkinson

Como observei anteriormente, esses pacientes já perderam um número significativo de células cerebrais antes mesmo de se chegar a um diagnóstico. Já testemunhei melhoras significativas no mal de Parkinson, mas foram casos em que o paciente iniciou um programa nutricional intensivo já no início da doença. Recomendo a adição de 400 mg de extrato de sementes de uva ao regime da Tabela 17.1. Há boas evidências médicas de que o avanço do mal de Alzheimer e do mal de Parkinson pode ser retardado com esse regime.[2]

Diabetes Melito

Adiciono entre 100 e 200 mg de extrato de sementes de uva a esse regime. A nutrição celular detalhada na Tabela 17.1 oferece tudo o mais de que o corpo necessita.

Fadiga Crônica/Fibromialgia

Adiciono ao programa suplementar básico entre 200 e 300 mg de extrato de sementes de uva, e entre 100 e 200 mg de CoQ10. Às vezes, para capturar essas doenças, preciso aumentar a dose de extrato de sementes de uva para 400 ou 500 mg. Uma vez que os pacientes estejam reagindo favoravelmente, a quantidade pode ser reduzida a um nível mínimo para fins de manutenção.

Precisa de Mais Ajuda?

Essas recomendações podem lhe parecer demasiado simples. Todavia, são os princípios que utilizei para alcançar os resultados expostos neste livro. Não está no escopo da obra apresentar minhas recomendações específicas para toda e qualquer doença. Recomendo-lhe visitar minha página Web em *www.nutritional-medicine.net* para obter orientação específica sobre a doença de seu interesse.

Em minha página, em inglês, faço recomendações muito mais detalhadas; são as que usei em minha prática médica para mais de cinqüenta doenças degenerativas crônicas. Também ofereço, a um custo acessível, conselhos individuais sobre nutrição para as pessoas que quiserem contatar-me diretamente. Se você se tornar membro de meu site, terá acesso ilimitado a seu conteúdo, receberá meu boletim bimensal e terá taxas reduzidas de consulta.

Escolhendo Seus Suplementos Nutricionais

Meu propósito ao escrever este livro não foi recomendar nenhuma marca ou tipo de suplemento nutricional. Mas há algumas diretrizes básicas que você deve seguir para assegurar que seus suplementos sejam de alta qualidade. Recomendo-lhe não vender sua saúde a quem pedir menos. Uma vez convencido de que os suplementos nutricionais podem proporcionar grandes benefícios à sua saúde, você desejará certificar-se de que está obtendo aquilo por que paga.

Você não alcançará os excelentes resultados que apresento neste livro se tomar suplementos de baixa qualidade. Como logo descobrirá, este é um mercado mal regulamentado. Levará algum tempo até que você verifique a qualidade do produto que está comprando. Mas é fundamental que você compre suplementos de alta qualidade, completos e balanceados, para ter alguma chance de proteger ou redimir sua saúde.

Como em qualquer mercado, a matéria-prima utilizada e o modo como esses produtos são preparados afetam sua qualidade. Recomendo a meus pacientes que comprem os melhores que puderem. Cabe a cada um avaliar a importância de sua própria saúde e o valor que atribui a ela. Sei que essa pode ser uma decisão econômica considerável para a maioria das pessoas. Considero os suplementos nutricionais meu seguro de saúde. Uma vez perdida sua saúde, será muito difícil recuperá-la, não importa quanto você esteja disposto a despender.

Basta olhar minhas recomendações básicas na Tabela 1 para perceber que você não conseguirá obter tais quantidades de suplementação com uma simples multivitamina diária. Você deve escolher um suplemento tão completo e balanceado quanto possível. Diversas empresas atualmente estão agrupando todos esses nutrientes em uma ou duas pílulas diferentes. Para atingir os níveis otimizados, contudo, você precisará tomar vários (de sete a oito) tabletes diários. Quanto mais numerosos e variados os antioxidantes que seus suplementos oferecerem, melhor. Cumpre certificar-se também de estar obtendo todos os minerais e co-fatores B.

Você deve passar algum tempo investigando a companhia nutricional que escolher. É possível obter muitas informações a partir do site da empresa, ou talvez seja necessário contatá-la diretamente por telefone. A coisa mais importante a descobrir é se a empresa que você escolheu segue os GMPs (Good Manufacturing Practices — Métodos Aprovados de Fabricação) para produtos farmacêuticos. Essas companhias produzem o que se chama de *suplementos com certificação farmacêutica*. Isso significa que a empresa, ao fabricar seus produtos, segue diretrizes similares aos observados pela indústria farmacêutica. O governo americano não exige que as empresas façam isso, mas algumas delas querem dar a seus clientes a garantia de que estão obtendo o que seu dinheiro vale, e produzem assim itens de alta qualidade com certificação farmacêutica.

Esses fabricantes de alto padrão de qualidade põem no rótulo as quantidades reais de nutrientes presentes em seus produtos, expondo abertamente todos os ingredientes. Você também pode achar a data de vencimento no frasco (o que é muito bom) e o endereço da empresa. Um indício encorajador é a presença do endereço real, e não de uma caixa postal.

Outro aspecto a considerar ao investigar uma empresa é onde ela comercializa seus produtos. Uma empresa que vende internacionalmente costuma ter de seguir padrões mais elevados do que as que só trabalham nos Estados Unidos. O Canadá, a Austrália e os países do oeste europeu têm os padrões mais exigentes para a produção de suplementos nutricionais. Alguns desses países enviam periodicamente auditores para realizar inspeções locais nas fábricas. Será um ótimo sinal se a empresa puder apresentar um certificado de terceiros documentando a qualidade de seus métodos de produção.

Isso parece melindroso demais? A edição de novembro de 1997 do boletim da Universidade de Tufts divulgou uma pesquisa feita pela Universidade de Maryland sobre nove vitaminas pré-natal vendidas sob prescrição. A pesquisa não investigou o que havia nelas, limitando-se a verificar se elas se dissolviam. (Se a pílula não chega a dissolver-se, nem importa o que ela contém.) Descobriram que apenas três das nove pílulas pré-natal chegavam a dissolver-se. Isso mesmo: apenas três dentre nove. As pílulas que se dissolveram eram produzidas dentro do que se chama de padrões da USP (United States Pharmacopeia — Farmacopéia dos Estados Unidos).

Esses padrões são diretrizes do governo que nos certificam de que os medicamentos e tabletes suplementares serão dissolvidos em nosso corpo. Os GMPs farmacêuticos são inúteis se a empresa não seguir também os padrões da USP para a dissolução dos tabletes. Escolher uma empresa que siga as diretrizes da USP é um passo seguro na direção correta.

Às vezes é difícil encontrar informações sobre o controle de qualidade que as diversas empresas usam em seu processo de produção. A quantidade de suplementos disponíveis atualmente no mercado poderia deixá-lo confuso. Todas as empresas vêm tentando encontrar seu nicho nesse concorrido mercado. Ignore a conversa de marketing delas e investigue a qualidade e integralidade de seus produtos nutricionais. Espero que essas dicas ajudem.

• • •

Se você distribuísse ao longo de um período de vinte e quatro horas todos os avanços médicos feitos desde o início da história registrada, as evidências apresentadas neste livro teriam ocorrido nos últimos cinco ou seis segundos. Trata-se de pesquisas médicas de ponta. A maioria dos médicos e praticantes de medicina ainda precisa atualizar-se e pôr em prática essas pesquisas para o bem das pessoas comuns.

Seja como for, o simples conceito de nutrição celular é a melhor maneira de se defender da ameaça subjacente do estresse oxidativo. Ao combinar uma dieta salutar com um programa modesto de exercícios e com a nutrição celular, você terá as maiores chances de proteger sua saúde ou redimi-la após tê-la perdido. Você terá aprendido o poder da medicina complementar.

A grande variedade de casos clínicos reais apresentada neste livro demonstra o notável poder de cura que nosso corpo possui. Os pacientes cujas histórias compartilhei com você ainda têm suas doenças originais, e muitos ainda estão tomando uma medicação considerável; todavia, estão vivendo a vida em sua plenitude. Quando os médicos utilizam esse poderosíssimo mecanismo que é o hospedeiro — nosso corpo — e o apóiam em vez de simplesmente negar sua importância no processo de cura, melhoras clínicas fenomenais se tornam possíveis.

Tricia Rhodes, em seu notável livro intitulado *Taking Up Your Cross* (Livrando-se de Sua Cruz), faz um comentário muito sábio, que vem a calhar aqui: "Lembre-se sempre da brevidade da vida, da certeza da morte e da duração da eternidade"[3]. Não viveremos para sempre nesses "ternos de terra". Eles se desgastarão e, um dia, nossa redenção total chegará. Mas, enquanto isso, os conceitos deste livro são a melhor maneira de cuidar de sua saúde e protegê-la. E que todos *vivamos* até *morrermos*.

Notas

Introdução

1. ZUGER, A. "Fever Pitch: Getting Doctors to Prescribe Is Big Business." *New York Times*, 11 de janeiro de 1999, A1, A3.
2. *Idem*.
3. Mateus 9:12.
4. GREENWOOD, M. R. "Doctors need more nutrition training." *American Journal of Clinical Nutrition*, 1998, 68.

Capítulo 1

1. COOPER, K. *The Antioxidant Revolution*. Nashville: Thomas Nelson, 1994, p. 54-63.
2. DAVIES, Calvin. "Oxidative stress: The paradox of aerobic life." *Biochem. Soc. Symp.*, 61, 1995, p. 1-31.
3. COOPER.

Capítulo 2

1. Influenza é um vírus causador de um tipo de gripe com sintomas bastante proeminentes. Entre 1918 e 1919, uma epidemia de influenza dizimou centenas de vidas, sendo que tal epidemia ficou conhecida como "gripe espanhola". (N. do R.T.)
2. U.S. Department of Commerce. *Historical Statistics of the United States: Colonial Times to 1970*. Bureau of the Census, p. 58.
3. AVC: Acidente Vascular Cerebral; é o que conhecemos popularmente por derrame. (N. do R.T.)
4. Department of Health and Human Services. *Health in the United States: 1996-1997.*, 1997.

5. Organization for Economic Cooperation and Development. *Health Care Statistics,* 1992.
6. KINSELLA, K. G. *American Journal of Clinical Nutrition,* 55, 1992.
7. *Health in the United States.*
8. *Idem.*
9. KOVACIK, P. "Mechanisms of carcinogenesis: Focus on oxidative stress." *Current Med. Chemistry,* 8, 2001, p. 773-796.
10. Relatório do Cirurgião-Geral sobre atividades físicas e saúde, divulgado pelo Center for Disease Control. Localizado em www.cdc.gov/nccdphp/sgr/chapcon.htm.
11. Trata-se de um tipo de atendimento personalizado em que o paciente é tratado em sua própria casa, recebendo medicamentos e aparelhos (como respiradores, bombas de infusão etc.) de que necessita, sendo assistido por um médico e enfermeira. Este tipo de tratamento visa ao maior conforto do paciente e a redução de gastos com a hospitalização. (N. do R.T.)

Capítulo 3

1. ATP é a abreviação (inglesa) de "trifosfato de adenosina".
2. DIPLOCK, Anthony. "Antioxidant nutrients and disease prevention: an overview." *American Journal of Clinical Nutrition* 53, 1, janeiro de 1991 [suplemento]: 189S-93S.
3. COOPER.
4. 20th U.S. Public Health Services Report, publicado em 1986 por C. Everet Koop, M. D.
5. *Idem.*
6. SEPPA, N. "Secondary Smoke Carries High Price." *Science News Online,* 17 de janeiro de 1998, *www.sciencenews.org/sn_arc98/1_17_98/fob 1.htm.*
7. MOLLER, Peter; WALLIN, H. & KNUDSEN, L. "Oxidative stress associated with exercise, psychological stress, and lifestyle factors." *Chemico-Biological Interactions,* 102, 1996, p. 17-36.
8. *Idem.*
9. BATES, D., M.D. "Incidence of adverse drug events and potential adverse drug events." *JAMA,* 274, 1995, p. 29-34.

Referências adicionais:

McCORD, Joe. "The evolution of free radical and oxidative stress." *American Journal of Medicine,* 108, 2000, p. 652-659.

SACHECK, J. M. "Role of vitamin E and oxidative stress in exercise." *Nutrition,* 17, 2001, p. 809-814.

SOHAL, R. S. "Current issues concerning the role of oxidative stress in aging: A perspective."

STOHS, S. J. "The role of free radicals in toxicity and disease." *Journal of Basic and Clinical Physiology and Pharmacology,* 6, 1995, p. 205-228.

Capítulo 4

1. DAVIES, K. "Oxidative stress, antioxidant defenses, and damage removal, repair, and replacement systems." *Life*, 50, 2000, p. 279-289.
2. *Idem.*
3. Salmos, 139:14.
4. DAVIES. "Oxidative stress, antioxidant defenses."
5. SCHLOSSER, Eric. *Fast Food Nation.* Houghton Mifflin, 2001.
6. Droga ainda não comercializada no Brasil. (N. do R.T.)

Referências adicionais:

ELSAYED, N. M. "Antioxidant mobilization in response to oxidative stress: A dynamic environmental-nutritional interaction." *Nutrition*, 17, 2000, p. 828.

YOUNG, I. S. "Antioxidants in health and disease." *Journal of Clinical Pathology*, 54, 2001, p. 176-186.

Capítulo 5

1. RIDKER, P. C. "Reactive protein and other markers of inflammation in the prediction of cardiovascular disease in women." *New England Journal of Medicine*, p. 342.
2. National Cholesterol Education Program. *Second Report of the Expert Panel on Detection, Evaluation, and Treatment of High Blood Cholesterol in Adults.* Bethesda, MD: National Heart, Lung, and Blood Institute, 1993.
3. STEINBERG, Daniel, M.D.; PARTHASARATHY, Sampath, Ph.D.; CAREW, Thomas, Ph.D. *et al.* "Beyond cholesterol: Modifications of low-density lipoprotein that increase its atherogenicity." *New England Journal of Medicine*, 320, 1989, p. 915-924.
4. *Health in the United States.*
5. ROSS, R. "Atherosclerosis: An inflammatory disease", *New England Journal of Medicine*, 340 (1999), 115-123.
6. STEINBERG, Daniel, M.D., Ph.D. "Antioxidants in the prevention of human atherosclerosis." Sumário dos procedimentos de um workshop do National Heart, Lung, and Blood Institute, 5-6 de setembro de 1991.
7. FREI, B. "On the role of vitamin C and other antioxidants in the atherogenesis and vascular dysfunction." *Proc. Soc. Exp. Med.*, 222, 1999, p. 196-204.
8. MAY, J. M. "How does ascorbic acid prevent endothelial dysfunction?" *Free Radic. Biol. Med.*, 28, 2000, p. 1421-1429.

    e

    GOKCE, N. "Long term ascorbic acid administration preserves endothelial vasomotor dysfunction in patients with coronary artery disease." 99, 1999, p. 3234-3240.
9. LENHART, S. "Vitamins for management of cardiovascular disease", *Pharmaco*, 19, 1999, p. 1400-1414.
10. FUHRMAN, B. "Flavanoids protect LDL from oxidation and attenuate atherosclerosis." *Current Opin. Lipidol.*, 12, 2001, p. 41-48.

11. STEIN, J. "Purple grape juice improves endothelial function and reduces susceptibility of LDL cholesterol to oxidation in patients with coronary artery disease." *Circulation*, 100, 1999, p. 1050-1055.

Referências adicionais:

CARR, A. "The role of natural antioxidants in preserving the biological activity of endothelium-derived nitric oxide." *Free Radic. Biol. Med.*, 28, 2000, p. 1806-1814.

DAVIES, K. "Oxidative stress, antioxidant defenses, and damage removal, repair, and replacement systems." *Life*, 50. 2000, p. 279-289.

DIAZ, M. N. *et al.* "Antioxidants and atherosclerostic heart disease." *New England Journal of Medicine*, 337, 1998, p. 408-416.

FORGIONE, M. A. "Roles of endothelial dysfunction in coronary artery disease." *Current Opinions in Cardiology*, 15, 2000, p. 409-415.

HARRIS, W. "The prevention of atherosclerosis with antioxidants." *Cardiology*, 640, 1992.

HENNEKENS, C. H. "Antioxidants and heart disease: Epidemiology and clinical evidence." *Clinical Cardiology*, 16, 1993, p. 10-15.

HODIS, M.D., HOWARD, N. *et al.* "Serial coronary angiographic evidence that antioxidant vitamin intake reduces progression of coronary artery atherosclerosis." *JAMA*, 273, 1995, p. 1849-1854.

KOENIG, W. "Inflammation and coronary heart disease: An overview." *Cardiology Review*, 9, 2001, p. 31-35.

MERCHANT, N. "Oxidative stress in cardiovascular disease." *Journal of Nucl. Cardiology*, 8, 2001, p. 379-389.

MORRIS, D.L., Ph.D., M.D. *et al.* "Serum carotenoids and coronary artery disease." *JAMA*, 272, 1994, p. 1439-1441.

ROSS, R., Ph.D. & GLOMSET, J.A., M.D. "The pathogenesis of atherosclerosis." *New England Journal of Medicine*, 295, 1996, p. 369-375.

STAMPFER, MEIR Jr., M.D.; HENNEKENS, Charles H. M. D. *et al.* "Vitamin E consumption and the risk of coronary disease in women." *New England Journal of Medicine*, 328, 1993, p. 1444-1449.

TARDIFF, J.C. "Insights into oxidative stress and atherosclerosis." *Can. J. Cardiol.*, 16, 2000, p. 2D-4D.

Capítulo 6

1. BOUSHEY, C. J.; BERESFORD, S. A.; OMEN, G. S. & MOTULSKY, A. G. "A quantitative assessment of plasma homocysteine as a risk factor for vascular disease." *JAMA*, 274, 1995, p. 1049-1057.

2. McCULLY, K. *The Homocysteine Revolution*. Keats Publishing, 1997.

3. Massachusetts Institute of Technology (Instituto de Tecnologia de Massachusetts). (N. do R.T.)

4. STACEY, M. "The Rise and Fall of Kilmer McCully." *New York Times*, agosto de 1997.

Notas

5. *Idem.*
6. *Ibidem.*
7. STAMPFER, M. J.; MANILOW, M. R.; WILLETT, W. C. *et al.* "A prospective study of plasma homocyst(e)ine and risk of myocardial infarction in US physicians." *JAMA*, 268, 1992, p. 877-881.
8. SELHUB, Jacob, Ph.D.; JACQUES, P. F. *et al.* "Association between plasma homocysteine concentrations and extracranial carotid artery stenosis." *New England Journal of Medicine*, 332, 1995, p. 286-291.
9. Estudo clínico que avaliou a incidência de aterosclerose vascular em homens e mulheres, comparando aqueles que apresentavam níveis normais com aqueles com níveis elevados de homocisteína, além da associação dessa substância com outros fatores de risco – como colesterol, hipertensão e tabagismo. (N. do R.T.)
10. GRAHAM, I. M.; DALY, L. E. *et al.* "Plasma homocysteine as a risk factor for vascular disease." *JAMA*, 277, 1997, p. 1775-1781.
11. STACEY.
12. Food and Drug Administration (Administração de Alimentos e Medicamentos). Órgão do governo norte-americano que tem por função avaliar todo e qualquer medicamento e alimento que queira entrar no mercado daquele país, exigindo pesquisas extensivas antes de aprovar sua comercialização. Sua implementação foi motivada pela tragédia da Talidomida, medicamento inicialmente utilizado para evitar náuseas e vômitos em gestantes e que provocou deformidades em milhares de recém-nascidos. (N. do R.T.)
13. *Idem.*
14. STACEY.
15. *Idem.*
16. *Ibidem.*
17. Stacey.
18. *Idem.*
19. No Brasil, esse exame também é conhecido como Proteína C Reativa ultra-sensível (PCRus), mas a terminologia oficial e mais utilizada por laboratórios de análises clínicas e pelas entidades médicas é Proteína C Reativa de alta sensibilidade (PCRas). (N. do R.T.)

    É importante salientar que a PCR é um marcador inflamatório inespecífico, o que significa que sua presença em níveis elevados indica a presença de uma inflamação, que não necessariamente pode estar presente nos vasos arteriais. Por isso, caro leitor, caso tenha exames com valores anormais dessa proteína, isso não significa que você vá ter um ataque cardíaco. Procure seu médico e peça explicações. Se ele não for convincente em seus argumentos, procure outro médico. (N. do R.T.)
20. O preço médio desse exame no Brasil está, na época da publicação desta primeira edição em português, em torno de 160 reais. A maioria dos convênios médicos não cobre esse tipo de exame. (N. do R.T.)
21. No Brasil, esse exame é chamado de Coronariotomografia ultra-rápida, cujo preço médio é de R$ 600,00.

Referências adicionais:

CALVACA, V. "Oxidative stress and homocysteine in coronary artery disease." *Clinical Chemistry*, 47, 2001, p. 887-892.

EICKELBOOM, J. "Homocysteine and cardiovascular disease." *Annals of Internal Medicine*, 131, 1999, p. 363-375.

MAXWELL, S. R. "Coronary artery disease-free radical damage, antioxidant protection and the role of homocysteine." *Basic Res. Cardiol.*, 95, 2000, p. 165-171.

McBRIDE, P. "Hyperhomocyst(e)inemia and atherosclerotic vascular disease". *Arch. Intern. Med.*, 158, 1998, p. 1301-1306.

MOGHADADSIAN, M. "Homocysteine and coronary artery disease." *Arch. Inter. Med.*, 157, 1997.

RIDKER, P. C. "Reactive protein and other markers of inflammation in the prediction of cardiovascular disease in women." *New England Journal of Medicine*, 342.

TICE, J. "Cost effectiveness of vitamin therapy to lower plasma homocysteine levels for the prevention of coronary heart disease." *JAMA*, 286, 2001.

YEUN, J. Y. "C reactive protein, oxidative stress, homocysteine, and troponin as inflammatory and metabolic predictors of atherosclerosis in ESRD." *Current Opinion Nephrol. Hypertension*, 9, 2000, p. 621-630.

Capítulo 7

1. LANGSJOEN, H.; LANGSJOEN, P. *et al.* "Usefulness of coenzyme Q10 in clinical cardiology: A long-term study." *Molecular Aspects of Medicine*, 15, 1994, p. 165-175.
2. LANGSJOEN, P. H. & LANGSJOEN, A. M. "Overview of the use of CoQ10 in cardiovascular disease." *Biofactors*, 9, 1999, p. 273-284.
3. *Idem.*
4. FOLKERS, K.; LANGSJOEN, P. & LANGSJOEN, P. H. "Therapy with coenzyme Q10 of patients in heart failure who are eligible or ineligible for a transplant." *Biochem. Biophys. Res. Commun.*, 182, 1992, p. 247-253.
5. BAGGIO, E. GANDINI, R. *et al.* "Italian multi-center study on the safety and efficacy of coenzyme Q10 as adjunctive therapy in heart failure." *Molecular Aspects of Medicine*, 15, 1994, p. 287-294.
6. FOLKERS.
7. *Idem.*
8. SINATRA, Stephen M.D. *The Coenzyme Q10 Phenomenon*, Keats Publishing. 1998, p. 37.
9. LANGSJOEN, P. H. & FOLKERS, K. "A six-year clinical study of therapy of cardiomyopathy with coenzime Q10." *International Journal of Tissue Reactions*, 12, 1990, p. 169-171.
10. LANGSJOEN. "Usefulness."
11. SINATRA.

12. Pode-se obter uma patente de uso especial; contudo, como o produto pode ser comprado em lojas de varejo, ela não terá valor nenhum.
13. LANGSJOEN. "A six-year study."

Referências adicionais:

FOLKERS, K. "Lovastatin decreases coenzyme Q levels in humans." *Proc. National Academy Sci. USA*, 87, 1990, p. 8931-8934.

LANGSJOEN, P. H.; FOLKERS, K. *et al.* "Effective and safe therapy with coenzyme Q10 for cardiomyopathy." *Klinische Wochenschrift*, 66, 1988, p. 583-590.

WITTE, K. K. "Chronic heart failure and micronutrients." *Journal of the American College of Cardiology*, 37, 2001, p. 1765-1774.

Capítulo 8

1. *Health in the United States.*
2. KOVACIC, P. "Mechanisms of carcinogenesis: Focus on oxidative stress." *Current Med. Chemistry*, 8, 2001, 773-796.
3. *Idem.*
4. *Ibidem.*
5. PAULSON, Tom. "Seattle Biochemist Challenging Cancer Theories." *Seattle Post-Intelligencer*, 26 de novembro de 1996.
6. KOVACIC.
7. PAULSON.
8. *Idem.*
9. KOVACIC.
10. *Idem.*
11. BLOCK, G. "Dietary guidelines and the results of food surveys." *American Journal of Clinical Nutrition*, 53, 1991, p. 356S-357S.
12. *Idem.*
13. VOELKER, R. "Ames agrees with Mom's advice: Eat your fruits and vegetables." *JAMA*, 273, 1995, p. 1077-1078.
14. *Idem.*
15. DUTHIE, S. J.; AIGUO, M. A.; ROSS, M. A. & COLLINS, A. R. "Antioxidant supplementation decreases oxidative DNA damage in human lymphocytes." *Cancer Research*, 15, 1996, p. 1291-1295.

    e

    HARTMANN, A. M.; NIESS *et al.*, "Vitamin E prevents exercise-induced DNA damage." *Mutation Research*, 348, 1995, p. 195-202.
16. GAREWAL, H. S. "Chemoprevention of cancer", *Hematol. Oncol. Clin. North Am*, 1, 1991, p. 69-77.

17. Placebo é o nome que se dá a uma substância quimicamente inativa para uma determinada característica ou doença estudada (como comprimido de farinha para o tratamento da dor). Tem por objetivo avaliar se a resposta que o paciente apresenta a um determinado tratamento realmente decorre da ação do medicamento testado ou apenas da indução psicológica que "um tratamento com remédio" pode provocar. (N. do R.T.)
18. SHKLAR, G.; SCHWARTZ, J. et al. "The effectiveness of a mixture of beta-carotene, alphatochopherol, glutathione, and ascorbic acid for cancer prevention." *Nutrition and Cancer*, 20, 1993, p. 145-151.
19. SINGH, V. "Pre-malignant lesions' role of antioxidant vitamins and B carotene is risk reduction and prevention of malignant transformation." *American Journal of Clinical Nutrition*, 53, 1991, p. 386-390.

    e

    ROMNEY, S. L. et al. "Nutrient antioxidants in the pathogenesis and prevention of cervical dysplasia and cancer." *J. Scell Biochem. Suppl.*, 23, 1995, p. 96-103.
20. ROMNEY.
21. PRASAD, K. "High doses of multiple antioxidant vitamins." *Journal of the American College of Nutrition*, 18, 1999, p. 13-25.
22. Idem.
23. LOCKWOOD, K.; MOESGAARD, S. & FOLKERS, K. "Partial and complete regression of breast cancer in patients in relation to dosage of coenzyme Q10." *Biochemical and Biophysical Research Communications*, 199, 1994, p. 1504-1508.

Referências adicionais:
CONKLIN, D. "Dietary antioxidants during cancer chemotherapy." *Nutrition and Cancer*, 37, 2000, p.1-18.

DAVIES, K. "Oxidative stress, antioxidant defenses, and damage removal, repair, and replacement systems." *Life*, 50, 2000, p. 279-289.

HAHN, S. "New directions for free radical cancer research and medical applications." *Free Radicals in Diagnostic Medicine*, 1994.

Capítulo 9

1. ARMD Study Group, "Multicenter ophthalmic and nutritional ARMD study, part one: Design, subjects, and procedures." *Journal of the American Optometry Association*, 67, 1996, p. 12-29.
2. TAYLOR, A. "Effect of photooxidation on the eye lens and role of nutrients in delaying cataract." *EXS*, 62, 1992, p. 266-279.
3. VARMA, S. D. "Prevention of cataracts by nutritional and metabolic antioxidants." *Crit. Rev. Food Sci. Nutr.*, 35, 1995, p. 111-129.
4. TAYLOR, H. "2001 assessment of nutritional influences on risk for cataract." *Nutrition*, 10, 2001, p. 845-857.
5. KNEKT, P. et al. "Serum antioxidant vitamins and risk of cataract." *British Medical Journal*, 305, 1992, p. 1392-1394.

6. JACQUES, P. F. "The potential preventive effects of vitamins for cataract and age-related macular degeneration." *Int. J. Vitam. Nutr. Res.*, 69, 1999, p. 198-205.
7. HESEKER, H. "Antioxidant vitamins and cataracts in the elderly." *Zeitschrift für Ernährungswissenschaft*, 34, 1995, p.167-176.
8. GIBLIN, F. "Glutathione: A vital lens antioxidant." *J. Ocular Pharm.*, 16, 2000.
9. JAMPOL, L. M. & FERRIS, F. L. "Antioxidants and zinc to prevent progression of age-related macular degeneration." *JAMA*, 286, 2001, p. 2466-2468.
10. Van Der Hagen, "Free radicals and antioxidant supplementation: A review of their roles in age-related macular degeneration." *J. Am. Optom. Assoc.*, 64, 1993, p. 871-878.
11. Estudo que avaliou a correlação das queixas oculares com o exame médico oftalmológico, envolvendo cerca de 2.115 pessoas com idades entre 43 e 86 anos, residentes na cidade de Beaver Dam, Wisconsin, Estados Unidos." – Oxford University Press. American Journal of Epidemiology, vol. 134-12, 1991, 1438-1446. (N. do R.T.)
12. *Idem.*
13. Eye Disease Case-Control Study Group, "Antioxidant status and neovascular age-related macular degeneration.", *Arch. Ophtalmol.*, 111, 1993, p. 1499.
14. LANDRUM, J. T. *et al.* "A one year study of the macular pigment: The effect of 140 days of a lutein supplement." *Exp. Eye Res.*, 65, 1997, p. 57-62.
15. BERNSTEIN, P. S. "Identification and quantification of carotenoids and their metabolites in the tissue of the human eye." *Exp. Eye Res.*, 722, 2001, p. 15-23.
16. WINKLER, B. S.; BOULTON M. E. *et al.* "Oxidative damage and age-related macular degeneration." *Molecular Vision*, 5, 1999, p. 32.
17. *Idem.*
18. BLASI, M. A.; BOVINA, C. *et al.* "Does coenzyme Q10 play a role in opposing oxidative stress inpatients with age-related macular degeneration?" *Ophthalmologica*, 215, 2001, p. 51-54.
19. WINKLER.
20. *Idem.*
21. JAMPOL.
22. Van Der Hagen.

Referências adicionais:

DELCOURT, C. "Age-related macular degeneration and antioxidant status in the POLA study." *Arch. Ophthalmol.*, 117, 1999, p. 1384-1390.

MARAK, G. E. *et al.* "Free radicals and antioxidants in the pathogenesis of eye diseases." *Advances in Experimental Medicine and Biology*, 264, 1990, p. 513-527.

ROBERTSON, J. M. *et al.* "Vitamin E intake and risk of cataracts in humans." *Annals of the New York Academy of Science*, 570, 1989, p. 372-382.

VARMA, S. "Scientific basis for medical therapy of cataracts by antioxidants." *American Journal of Clinical Nutrition*, 53, 1991, p. 335-345.

Capítulo 10

1. Pac Man é um personagem de videogame que devora tudo o que encontra pela frente. (N. do R.T.)
2. Também conhecidas como Linfócitos T-NK (em que NK significa Natural Killer – "matadores naturais"). (N. do R.T.)
3. SCHMIDT, K. "Interaction of antioxidative micronutrients with host defense mechanisms: A critical review." *Internat. J. Vit. Nutri. Res.*, 67, 1997, p. 307-311.
4. TENGERDY, R. P. *et al.* "Vitamin E immunity and disease resistance." *Diet and Resistance to Disease*. New York: Plenum Press, 1981.

    e

    SCHMIDT.
5. CHANDRA, K. R. "Effect of vitamin and trace element supplementation on immune responses and infection in elderly subjects." *Lancet*, 340, 1992, p. 1124-1127.
6. SCHMIDT.
7. *Idem.*
8. BLIZNAKOV, E. "Coenzyme Q, the immune system, and aging." *New England Institute*.

    e

    BLIZNAKOV, E. "Coenzyme Q in experimental infections and neoplasia." *New England Institute*, 1997.
9. ABEBY, G. A. *et al.* "Reduction in duration of common colds by zinc gluconate lozenges in a double-blind study", *Antimicorbial Agents and Chemotherapy*, 25, 1984, p. 20-24.
10. CHANDRA.
11. *Idem.*
12. Trata-se de um medicamento analgésico muito popular nos Estados Unidos. A expressão "procurar o frasco de Advil" é similar ao nosso "tomar Doril". (N. do R.T.)
13. MOHAN, I. K. "Oxidant stress, antioxidants, and essential fatty acids in systemic lupus erythemetosis." *No. journal*, 56, 1997, p. 193-198.
14. DAVIDSON, A. "Autoimmune diseases." *New England Journal of Medicine*, 345, 2001.
15. VESTN, R. "Active forms of oxygen and pathogenesis of rheumatoid arthritis and systemic lupus erythemetosis." *Vestn Ross Akad Nauk*, 12, 1996, p. 15-20.

    e

    SIMONINI, G. "Emerging potentials for an antioxidant therapy as a new approach to the treatment of systemic sclerosis." *Toxicology*, 155, 2000, p. 1-15.

    e

    COMSTOCK, G. W. *et al.* "Serum concentrations of alpha-tocopherol, beta-carotene, and retinal preceding the diagnosis of rheumatoid arthritis and systemic lupus erythemetosis." *Annals of Rheumatic Diseases*, 56, 1997, p. 323-325.
16. *Idem.*

Referências adicionais:

BABIOR, B. "Phagocytes and oxidative stress." *Excerpta Medica*, (2000).

BEHARKA, A. "Vitamin status and immune function." *Methods Enzymol*, 282, 1997, p. 247-263.

BIESALSKI, H. K. "Antioxidants in nutrition and their importance in the anti-/oxidative balance in the immune system." *Immun Infekt*, 23, 1995, p. 166-173.

GRIMBLE, R. F. "Effect of antioxidative vitamins on immune function with clinical applications." *International Journal of Vitamin and Nutrition Res.*, 67, 1997, p. 312-320.

HOROWITZ, J. "The Battle Within." *Time*, janeiro de 2002, p. 69-75.

KOCH, T. "Total antioxidant capacity of colon in patients with chronic ulcerative colitis." *Digestive Diseases and Science*, 45, 2000.

KUBENA, K. S. "Nutrition and the immune system." *Journal of the American Dietary Association*, 96, 1996, p. 1156-1164.

KUBES, P. "Nitric oxide and intestinal inflammation." *American Journal of Medicine*, 109, 2000, p. 150-158.

WENDLAND, B. E. "Lipid peroxidation and plasma antioxidant micronutrients in Crohn's disease." *American Journal of Clinical Nutrition*, 74, 2001, p. 259-264.

Capítulo 11

1. *Harrison's Principles of Medicine, 14th edition*. McGraw and Hill, 1935.
2. MIESEL, R. *et al*. "Enhanced mitochondrial radical production in patients with rheumatoid arthritis correlates with elevated levels of tumor necrosis factor alpha in plasma." *Free Radical Research*, 25, 1996, p. 161-169.
3. HELIOVAARA, M.; KNEKT, P. *et al*. "Serum antioxidants and risk of rheumatoid arthritis." *Ann. Rheum. Dis.*, 53, 1994, p. 51-53.
4. Potente antiinflamatório esteróide (hormonal), mais comumente conhecido como corticóide. Tem o inconveniente de produzir importantes efeitos colaterais. (N. do R.T.)
5. *Idem*.
6. DROVANTI, A. "Therapeutic activity of oral glucosamine sulfate in osteoarthritis." *Clin. Ther.*, 3, 1980, p. 260-272.
7. REGINSTER, J. Y. "Glucosamine sulfate significantly reduces progression of knee osteoarthritis over three years." The American College of Rheumatology, 63º encontro anual.
8. McALINDON, T. E. & La Valley, M. P. "Glucosamine and chondroitin for treatment of osteoarthritis." *JAMA*, 283, 2000, p. 1469-1475.
9. McALINDON.
10. GABY, A. "Nutrients and osteoporosis." *Journal of Nutritional Medicine*, 1, 1990, p. 63-72.

    e

    DAWSON, B. "Rates of bone loss in postmenpausal women randomly assigned to one of two dosages of vitamin D." *American Journal of Clinical Nutrition*, 61, 1995, p. 1140-1145.

11. ZHANG, Y. et al. "Bone mass and the risk of breast cancer among menopausal women." *New England Journal of Medicine*, 336, 1997, p. 611-617.

12. A PCR (proteína C reativa) é um melhor preditor de eventos cardiovasculares em casos selecionados, sendo que, para avaliações populacionais, a dosagem do colesterol e suas frações é o melhor exame. (N. do R.T.)

13. DAWSON-HUGHES, B. M.D. et al. "Effect of calcium and vitamin D supplementation on bone density in men and women sixty-five years of age or older." *New England Journal of Medicine*, 337, 1997, p. 670-676.

14. ABRAM, S. "Calcium metabolism in girls: Current dietary intakes lead to low rates of calcium absorption and retention during puberty." *American Journal of Clinical Nutrition*, 60, 1994, p. 729-743.

15. ABRAHAM, G. E. "The importance of magnesium in the management of primary post-menopausal osteoporosis." *Journal of Nutritional Medicine*, 2, 1991, p. 165-178.

e

SEELIG, M. S. "Magnesium deficiency with phosphate and vitamin D excess: Roland pediatric cardiovascular nutrition." *Cardiovascular Medicine*, 3, 1978, p. 637-677.

16. THOMAS, M. K. et al., "Hypovitaminosis D in medical patients." *New England Journal of Medicine*, 1998.

17. TOMITA, A. "Post-menopausal osteoporosis calcium study with vitamin K." *Clinical Endocrinology*, 19, 1971, p. 731-736.

18. LEACH, R. N. & MUENSTER, A. M. "Studies on the role of manganese on bone formation." *Journal of Nutrition*, 78, 1962, p. 51-56.

19. GREICO, A. J. "Homocystinuria: Pathogenetic mechanisms." *American Journal of Medical Science*, 273, 1977, p. 120-132.

20. MEACHAM, S. "Effect of boron supplementation on blood and urinary calcium, magnesium, and phosphorus, and urinary boron in athletic and sedentary women."

21. ATIK, O. S. "Zinc and senile osteoporosis." *Journal of the American Geriatric Society*, 31, 1983, p. 790-791.

Referências adicionais:

COMSTOCK, G. W. et al. "Serum concentrations of alpha-tocopherol, beta-carotene, and retinal preceding the diagnosis of rheumatoid arthritis and systemic lupus erythematosus." *Annals of Rheumatic Diseases*, 56, 1997, p. 323-325.

DIJKMANS, B. A. "Folate supplementation and methotrexate." *Br. Journal of Rheumatology*, 34, 1995, p. 1172-1174.

GREENWALD, R. A. "Oxygen radicals, inflammation and arthritis: Pathophysiological considerations and implications for treatment." *Semin. Arthritis Rheum.*, 20, 1991, p. 219-240.

HENROTIN, Y. et al. "Active oxygen species, articular inflammation and cartilage damage." *Free Radicals and Aging*, 62, 1992, p. 308-322.

JOHNSTON Jr., C. C., M.D., et al. "Calcium supplementation and increases in bone mineral density in children." *New England Journal of Medicine*, 327, 1992, p. 82-87.

PACKARD, P. T. "Medical nutrition therapy for patients with osteoporosis." *Journal of the American Dietary Association*, 97, 1997, p. 414-417.

RODRIGUEZ, C. "Estrogen replacement therapy and ovarian cancer mortality in a large prospective study of U.S. women." *JAMA*, 285, 2001, p. 1460-1465.

Capítulo 12

1. Trata-se de um potente antiinflamatório esteróide (hormonal), mais comumente conhecido como corticóide. Tem o inconveniente de produzir importantes efeitos colaterais.
2. BARNES, P. "Reactive oxygen species and airway inflammation." *Free Rad. Biol. and Med.*, 9, 1990, p. 235-243.
3. Van der Vliet, A. "Oxidants, nitrosants, and the lung." *The American Journal of Medicine*, 109, 2000, p. 398-421.
4. *Idem*.
5. MAcNEE, W. "Oxidants/antioxidants and chronic obstructive pulmonary disease: Pathogenesis to therapy." *Novartis Found. Symp.*, 234, 2001, p. 169-188.
6. PORTAL, B. "Altered antioxidant status and increased lipid peroxidation in children with cystic fibrosis." *American Journal of Clinical Nutrition*, 61, 1995, p. 843-847.
7. WOOD, L. G.; FITZGERALD, D. A. *et al.*, "Oxidative stress in cystic fibrosis: Dietary and metabolic factors." *Journal of the American College of Nutrition*, 20, 2001, p. 157-165.
8. HUDSON, V. "Rethinking cystic fibrosis pathology: The critical role of abnormal reduced glutathione transport caused by CFTR mutation." *Free Radical Biology and Medicine*, 30, p. 1440-1461.

Referências adicionais:

BARNES, P. J. "Potential novel therapies for chronic obstructive pulmonary disease." *Novartis Foundation Symposium*, 234, 2001, p. 255-267.

MAcNEE, W. "Oxidants/antioxidants and chronic obstructive pulmonary disease: Pathogenesis to therapy." *Novartis Foundation Symposium*, 234, 2001, p. 169-188.

MORCILLO, E. J. "Oxidative stress and pulmonary inflammation." *Pharmacological Research*, 40, 1999, p. 393-404.

Capítulo 13

1. "Parkinson Report." *National Parkinson Foundation, Inc.*, 18, 1997.
2. KNIGHT, J. "Reactive oxygen species and the neurodegenerative diseases." *Ann. Clin. and Lab. Sci.*, 27, 1997.
3. Amyotrophic Lateral Sclerosis – conhecida como esclerose amiotrófica lateral, é uma doença degenerativa que acomete o sistema nervoso central, caracterizada por uma progressiva paralisia da musculatura voluntária. Tem evolução fatal, causando incapacidade para deglutição e insuficiência respiratória. (N. do R.T.)
4. *Idem*.

5. Aqui mantido o termo em latim, mas podendo ser encontrado na literatura técnica de língua portuguesa como *substância negra*. (N.do. R.T.)
6. HONIG, L. "Apoptosis and neurologic disease." *The American Journal of Medicine*, 108, 2000, p. 317-330.
7. CARR, D. B. "Current concepts in the pathogenesis of Alzheimer's Disease." *The American Journal of Medicine*, 103, 1997, p. 3-9.
8. SMITH, M. A. "Radical aging in Alzheimer's Disease", *Trends in Neuroscience*, 18, 1995, p. 341-342.
9. SANO, M. A. "Controlled trial of selegiline, alpha tocopheral, or both as treatment for Alzheimer's Disease." *New England Journal of Medicine*, 336, 1997, p. 1216-1221.
10. YOSSI, G. "Oxidative stress induced neurodegenerative diseases: The need for antioxidants that penetrate the blood barrier." *Neuropharm*, 40, 2001, p. 959-975.
11. *Idem.*
12. LEVINE, S. M. "The role of reactive oxygen species in the pathogenesis of multiple sclerosis." *Med. Hypotheses*, 39, 1992, p. 271-274.
13. *Idem.*
14. CALABRESE, V. "Changes in cerebrospinal fluid levels of maliondialdehyde and glutathione reductase activity in multiple sclerosis." *Int. J. Clin. Pharmacol. Res.*, 14, 1994, p. 119-123.
15. YOSSI.
16. *Idem.*
17. CALABRESE.
18. YOSSI.
19. *Idem.*
20. *Ibidem.*
21. *Ibidem.*
22. Coríntios II, 5:8.

Referências adicionais:

BEAL, F. "Mitochondria, free radicals, and neurodegeneration." *Biology Ltd*, 1996.

BO, L. "Induction of nitric oxide synthase in demyelinating regions of multiple sclerosis." *Annals of Neurology*, 36, 1994, p. 778-786.

CEBALLOS, P. "Peripheral antioxidant enzyme activities and selenium in elderly subjects and in dementia of Alzheimer type." *Free Radic. Biol. Med.*, 20, 1996, p. 579-587.

EBADI, M. "Oxidative stress and antioxidative therapy in Parkinson's disease." *Prog. Neurobiol.*, 48, 1996, p. 1-19.

FAHN, S. "An open trail of high-dosage antioxidants in early Parkinson's disease." *American Journal of Clinical Nutrition*, 53, 1991, p. 380-382.

NEWCOMBE, J. "Low density lipoprotein uptake by macrophages in MS plaques: Implications for pathogenesis." *Neuropathol. Appl. Neurobiol.*, 20, 1994, p. 152-162.

PRASAD, K. N. "Multiple antioxidants in the prevention and treatment of neurodegenerative diseases." *Current Opinions in Neurology*, 12, 1999, p. 760-761.

TOSHNIWAL, P. K. "Evidence for increased lipid peroxidation in MS." *Neurochem. Research*, 17, 1992, p. 205-207.

Capítulo 14

1. MOKDAD, A. H.; BOWMAN, B. A. *et al.* "The continuing epidemics of obesity and diabetes in the United States." *JAMA*, 286, 2001, p. 1195-1200.
2. KLEIN,R. *et al.* "Visual impairment and diabetes." *Ophthalmology*, 91, 1984, p. 1-9.

   e

   National Institute of Diabetes and Digestive and Kidney Diseases, "U.S. Renal Data System: 1994 Annual Data Report." Bethesda, 1994.
3. A Síndrome X, assim chamada pela primeira vez pelo dr. Reaven, recebeu posteriormente várias outras denominações. Atualmente é conhecida no mundo todo como "Síndrome Metabólica". Essa denominação expressa melhor o que acontece com o paciente que a possui. O que se observa são alterações metabólicas importantes, decorrentes da concentração de gordura abdominal, acarretando distúrbios como o diabetes, alterações no colesterol e nos triglicérides, e hipertensão. (N. do T.)
4. National Institute.
5. REAVENS, G. *Syndrome X*. Simon and Schuster, 2000.
6. *Idem*.
7. A glicose presente no sangue tem a capacidade de marcar as moléculas de hemoglobina. É como se, ela grudasse na hemoglobina. Quanto maior a quantidade de glicose no sangue, mais hemoglobinas serão marcadas. Com isso, a hemoglobina glicada (A1C) nos dá uma idéia segura de como andaram os níveis de glicose ao longo dos dois últimos meses, pelo menos. (N. do R.T.)
8. MARGOLIS, J. R. *et al.* "Clinical features of unrecognized myocardial infarction: Silent and symptomatic. Eighteen-year follow up: The Framingham study." *American Journal of Cardiology*, 32, 1973, p. 1-7.
9. O'KEEFE, J. "Improving adverse cardiovascular prognosis of type 2 diabetes." *Mayo Clin. Proc.*, 74, 1999, p. 171-180.
10. BRAND-MILLER, J.; WOLEVER, T. M. *et al. The Glucose Revolution*. Nova York: Marlowe and Company, 1999, p. 26-27.
11. *Idem*.
12. WILLET, Walter. *Coma, Beba e Seja Saudável*. Editora Campus, 2002.
13. *United States Department of Agriculture* (Departamento de Agricultura dos Estados Unidos). (N. do T.)
14. LOW, P. A. "The roles of oxidative stress and antioxidant treatment in experimental diabetic neuropathy." *Diabetes*, 46, 1997, p. 38-42.
15. LOW.

e

DISILVESTRO, R. A. "Zinc in relation to diabetes and oxidative stress." *Journal of Nutritional Medicine*, 130, 2000, p. 1509-1511.

16. LIU, V. K. "Chromium and insulin in young subjects with normal glucose tolerance." *American Journal of Clinical Nutrition*, 35, 1982, p. 661-667.
17. PAOLISSO, G. "Daily magnesium supplements improve glucose handling in elderly subjects." *American Journal of Clinical Nutrition*, 55, 1992, p. 1161-1167.
18. Em 1961, por iniciativa do presidente John F. Kennedy, criou-se uma agência federal que recrutava voluntários dispostos a trabalhar em uma força internacional pela paz. Os voluntários são enviados a países pobres para dar suporte nas diversas áreas como saúde, educação, agricultura, entre outras. (N. do R.T.)

Referências adicionais:

DEFRONZO, R. "Insulin resistance, hyperinsulinemia and coronary artery disease: A complex metabolic web." *Journal of Cardio. Pharm.*, 20, 1992, p. 1-16.

GURLER, B. "The role of oxidative stress in diabetic retinopathy." *Eye*, 14, 2000, p. 730-735.

JAKUS, V. "The role of free radicals, oxidative stress and antioxidant systems in diabetic vascular disease." *Bratisl Lek Listy*, 101, 2000, p. 541-551.

McNAIR, P., M.D. *et al.* "Hypomagnesemia, a risk factor in diabetic retinopathy." *Diabetes*, 27, 1978, p. 1075-1077.

SHARMA, A. "Effects of nonpharmacological intervention on insulin insensitivity." *Journal of Cardio. Pharm.*, 20, 1992, p. 27-34.

WAGNER, E. "Effect of improved glycemic control on health care costs and utilization." *JAMA*, 285, 2001, p. 182-189.

Capítulo 15

1. ATM ou, mais especificamente, Articulação Têmporo Mandibular é a articulação que possibilita o movimento de abertura e fechamento da boca, localizando-se na região imediatamente anterior às orelhas. (N. do R.T.)

Referências:

BENNETT, R. "Myofascial pain and the chronic fatigue syndrome."

EISINGER, J. "Protein peroxidation magnesium deficiency and fibromyalgia." *Magnus Res.*, 9, 1996, p. 313-316.

KEENOY, M. "Antioxidant status and liprotein peroxidation in chronic fatigue syndrome." *Life Sci.*, 68, 2001, p. 2037-2049.

LOGAN, A. C. "Chronic fatigue syndrome: Oxidative stress and dietary modifications." *Alternative Medical Review*, 6, 2001, p. 450-459.

Notas

Capítulo 16

1. OLSON, R., ed. *Nutrition Reviews: Present Knowledge of Nutrition*, 6th ed. Washington, DC: Nutrition Foundation, 1989, p. 96-107.

   e

   MUNOZ, K. A. *et al.* "Food intake of United States children and adolescents compared with recommendations." *Pediatrics*, 100, 1997, p. 323-329.
2. Acrônimo em inglês da Segunda Pesquisa Nacional de Saúde e Nutrição. Trata-se de pesquisas feitas periodicamente com pessoas acima de dois meses de idade em todo o território dos Estados Unidos. Essas pesquisas têm por objetivo avaliar as condições nutricionais e de saúde da população norte-americana, orientando, assim, ações governamentais que possam sanar os problemas levantados. (N. do T.)
3. BLOCK, G. "Dietary guidelines and the results of food surveys." *American Journal of Clinical Nutrition*, 53, 1991, p. 3565-3575.
4. BEACH, F. E. *et al.* "Variation in mineral composition of vegetables." *Soil Science Society Proceedings*, 13, 1948, p. 380.
5. *Idem.*
6. LAZAROU, J.; POMERANZ, B. H. & COREY, P. N. "Incidence of adverse drug reactions in hospitalized patients." *JAMA*, 279, 1998.
7. COLGAN, M. *The New Nutrition*. Apple Publishing, 1995, p. 10-15.
8. Será informado, no próximo capítulo, pelo autor, que essas dosagens, para crianças entre 8 e 15 anos, devem ser reduzidas pela metade. (N. E.)
9. LAZAROU.
10. *Idem.*
11. ROTHMAN, K. J. *et al.* "Teratogenecity of high vitamin A intake." *New England Journal of Medicine*, 333, 1995, p. 1369-1373.
12. STEINER, M. "Vitamin E: More than an antioxidant." *Clinical Cardiology*, 16, 1993, p. 16-18.
13. MURRAH.
14. SEELIG, M. S. "Magnesium deficiency with phosphate and vitamin D excess: Roland pediatric cardiovascular nutrition." *Cardiovascular Medicine*, 3, 1978, p. 637-650.
15. THOMAS, M. K. "Hipovitaminosis D in medical patients." *New England Journal of Medicine*, 1998.
16. *Idem.*
17. McKENNEY, J. M. *et al.* "A comparison of the efficacy and toxic effects of sustained- versus immediate-release niacin in hypercholesterolemic patients." *JAMA*, 271, 1994, p. 672-677.
18. PARRY, G. J. & BREDESEN, D. E. "Sensory neutopathy with low-dose –pyridoxine." *Neurology*, 35, 1985, p. 1466-1468.
19. MURRAH.
20. Artigo do *New England Journal of Medicine* sobre a ingestão de cálcio e o cálculo renal.

21. MURRAH.
22. *Idem.*
23. *Ibidem.*
24. *Ibidem.*
25. FAN, A. N. & KIZER, K. W. "Selenium: nutritional, toxicological and clinical aspects." *Western Journal of Medicine*, 153, 1990, p. 160-167.
26. *Idem.*
27. MURRAH.
28. *Idem.*
29. ALBANES, D.; HEINONEN, O. P. *et al.* "Alphatocopherol and beta-carotene supplements and lung cancer." *Journal of the National Cancer Institute*, 88, 1996.
30. OMEN, O. S.; GOODMAN, G. E. *et al.* "Effects of a combination of beta-carotene and vitamin A on lung cancer and cardiovascular disease." *New England Journal of Medicine*, 334, 1996, p. 1150-1155.
31. Carotene and Retinol Efficacy Trial (Estudo da Eficácia do Caroteno e do Retinol). (N. do T.)
32. HENNEKENS, C. H.; BURING, J. E. *et al.* "Lack of effect of long-term supplementation with beta-carotene on the incidence of malignant neoplasms and cardiovascular disease." *New England Journal of Medicine*, 334, 1996, p. 1145-1149.
33. ALBANES.
34. BROWN, G. B. *et al.* "Simvastatin and niacin, antioxidant vitamins, or the combination for the prevention of coronary disease." *New England Journal of Medicine*, 345, 2001, p. 1583-1592.

Capítulo 17

1. SINATRA, S. T. *The Coenzyme Q10 Phenomenon.* Keats Publishing, 1998, p. 33-47.
2. SANO, M. A. "Controlled trial of selegiline, alphatocopheral, or both as treatment for Alzheimer's Disease." *New England Journal of Medicine*, 336, 1997, p. 1216-1221.
   e
   HONIG, L. "Apoptosis and neurologic disease." *The American Journal of Medicine*, 108, 2000, p. 317-330.
3. McCARY-RHODES, Tricia. *Taking Up Your Cross.* (Bethany Press International, 1998).

Referências adicionais:

BAGCHI, D. "Free radicals and grape seed proanthocyanidin extract: Importance in human health and disease prevention." *Toxicology,* 148, 2000, p. 187-197.

GAYTAN, R. "Oral nutritional supplements and heart disease: A review." *Maer Journal of Therapy,* 8, 2001, p. 225-274.

KONTUSH, A. "Lipophilic antioxidants in blood plasma as markers of atherosclerosis: The role of alpha-carotene and gamma-tocopherol." *Atherosclerosis,* 144, 1999, p. 117-122.

OBYRNE, D. "Studies of LDL oxidation following alpha, gamma, or delta tocotrienyl acetate supplementation of hypercholesterolemic humans." *Free Radical Biology and Medicine,* 2000.

Índice Remissivo

40-30-30 Fat Burning Nutrition, 141
A Week in the Zone, 158
ácido alfa-linoleico. *Ver* ácidos graxos
ácido alfalipóico, 21, 80, 128
ácido fólico: como cofator B, 22
    e a homocisteína, 49-51
        na redução de doenças cardiovasculares, 47
        sustentando nutrientes, 20
ácido linoleico. *Ver* ácidos graxos
ácidos graxos essenciais, 89, 94, 101. *Ver também* ácidos graxos
ácidos graxos, 94
Adriamicina, 74
Advil, 194
água, 25
AINEs, 100-101, 103
Albuterol, 111, 114
alumínio, 25, 128
Alzheimer, mal de: e envelhecimento do cérebro, 124
    desenvolvimento da, 19
    e homocisteína, 53
    e reposição de estrógeno, 104
    pesquisas sobre, 36
    tratamento da, 11, 126
American College of Rheumatology, 102-103
American Diabetic Association, 139
Ames, Dr. Bruce, 70
amitriptilina, 4
analgésicos narcóticos, 89
aneurisma, 43
angina instável, 45
angioplastia, 45
antibióticos, 89
anticorpo antinuclear. *Ver* FAN
antioxidantes: e artrite, 101;
    e doenças auto-imunes, 96
    e quimioprevenção, 68-69, 77
    e radicais livres, 20
    papéis específicos dos, 21
apendicite, 88
artérias, 39, 43-44
artrite
    e inflamações, 93
    e pacientes do autor, 101
    estatísticas da, 98
    prevenção e controle da, 7-8
    tratamento da, 103-104
artrite reumatóide, 95, 100, 177. *Ver também* artrite
asma
    Albuterol contra, 111
    e fumaça de cigarros, 24
    e inflamações, 93
    e pacientes do autor, 114
    e pneumonia, 114

sintomas da, 112-114
tratamento da, 176-177
asma brônquica, *Ver* asma
aterosclerose, 43
AVCs (derrames)
    desenvolvimento de, 19
    e a homocisteína, 48, 50-51
    e a reposição de estrógeno, 104
    e exercícios excessivos, 22
    e inflamação crônica, 43
    e o colesterol elevado, 39
    iniciado pelo diabetes, 132

betacaroteno, 70, 74, 80, 164
betaína, 53
Betaseron, 36
bioflavanóides, 21
Block, Dra. Gladys, 70
boro, 107
British Lancet, 93
bronquiolite, 116
bronquite crônica, 23-24, 116-117
    doença pulmonar obstrutiva, 116-117
    doenças degenerativas, 9
    doenças inflamatórias, 46
    fadiga, 145-152, 176
    inflamações, 43-44

C. difficile, 88
CA 125, teste sangüíneo, 73
cádmio, 25, 128
cálcio, 101, 104, 106, 166
câncer
    causas do, 65-66
    células cancerígenas, 74
    deficiência de CoQ10 no, 60
    e deficiência de metilação, 53
    e exercícios excessivos, 22
    e poluição do ar, 23
    e quimioprevenção, 65-72
    estatísticas sobre o, 10-11, 65
    pesquisas sobre o, 11
    tratamento do, 11, 67-68, 176
câncer de mama, 67, 76, 104
câncer de pele, 25-26
câncer do ovário, 73
carcinógenos, 66, 69
cardiologista, 45
carotenóides, 82-83, 92
cartilagem, 99
Case Western Reserve University, 125
Castle, Dr.Benjamin, 49
catarata, 79-80, 85-87
cateterismo cardíaco, 57
cegueira, 36, 142-143
célula, 20, 31-34
células B, 90
células citotóxicas naturais, 90
células epiteliais, 112
células T auxiliares, 90-92
células T supressoras, 90-92
Centro Médico Rabino em Tel Aviv, 127
cérebro, 68, 123-124
chumbo, 25, 128
cirurgião cardiovascular, 45
cisteína, 49
citocinas, 90, 99
co-enzima Q10
    descrição da, 59-60
    e a cardiomiopatia, 57-58
    e a esclerose múltipla, 36
    e a retina, 83
    e o coração, 74
    e o mal de Crohn, 89
    e o sistema imunológico, 92
    na alimentação, 21
    na prevenção de doenças, 129
    segurança da, 61-62

cofatores, 60
cofatores B, 20, 22
colesterol, 33, 39-44, 51

Índice Remissivo

colesterol HDL. *Ver* colesterol
colesterol LDL. *Ver* colesterol
colina, 166
colite ulcerativa, 95
Coma, Beba e Seja Saudável, 140
companhias farmacêuticas, 51
Cooper, Dr. Kenneth, 6-8, 12-13, 22
CoQ10. *ver* co-enzima Q10
coração
   arritmia, 37
   ataques do, 19, 22, 39-47, 50-51, 59, 103-104
   doenças do, 54-55, 95, 132, 176
   função do, 62
   insuficiência cardíaca, 61
   músculo cardíaco, 69
   proteção do, 74-75
coreia de Huntington, 123
corpo, 32, 71-72, 84, 94
cortisol, 91
COX-2, enzimas e inibidores, 100
Crane, Dr. Frederick, 60
crômio, 142
Current Medical Chemistry, 66

Daoust, Gene e Joyce, 141
deficiência de metilação, 53
degeneração macular
   desenvolvimento da, 19
   e pacientes do autor, 78-79
   estudos sobre, 90-91
   modalidade úmida (exudativa) da, 85
   tratamento da, 11, 177
densidade óssea, 106, 108
depressão, 147-149
diabetes, 41, 60, 132-144
Diaz, Dr. Marco, 41
dieta
   benefícios à saúde, 13
   com baixa gordura, 69
   e resistência à insulina, 150-151

instrução básica sobre, 140-142
   ocidental, 94
dismutase de superóxido, 79
disopiramida, 37
displasia cervical, 70, 72
DMRI. *Ver* degeneração macular
DNA, 20, 31-34, 66-67, 68
doadores de metil, 53
doença arterial coronariana, 39, 51, 54
doença periodontal, 60
doença vascular periférica, 43, 50-51, 132
doenças auto-imunes, 95
doenças cardiovasculares
   e a fumaça de cigarros, 24
   e a homocisteína, 48
   e a vitamina C, 46
   e inflamações crônicas, 43
   e o ácido fólico, 47
   estatísticas sobre, 10
   iniciadas pelo diabetes, 132
   nos diabéticos, 139
doenças do rim, 132
doenças neurodegenerativas, 123-131
doenças vasculares, 51
DPOC, 116-117
drogas
   para ajudar a resposta imunológica, 131
   para tratamento de osteoporose, 108-109
   reações e mortes, 26
   versus antioxidantes, 7-8

ecocardiograma, 56-57
endotélio, 41-44
enfisema, 24
escleroderma, 59, 95
esclerose múltipla
   e ácidos graxos, 94
   e danos ao cérebro, 123
   e nutrição celular, 126
   e pacientes do autor, 35-38, 130-131

estatísticas sobre, 125-126
tratamento da, 177
espaço subendotelial, 41-42
espessamento das artérias, 33, 42, 45
estenose da artéria carótida, 50
estresse, 23
estresse oxidativo
    como causa de doenças, 7-8
    definição, 18-19
    e doenças auto-imunes, 95-96
    e o câncer, 65-68
    e o cérebro, 123-126
    e o processo de envelhecimento, 7
estria gordurosa, 43
estrógeno, 104
Estudo Beaver Dam Eye, 81
Estudo CARET, 168
Estudo Finlandês, 168
Estudo Inicial da Saúde da Mulher, 104
Estudo Multicêntrico Italiano, da Baggio e Associados, 60
estudos clínicos, 60, 91. *Ver também* pesquisas
estudos de Framingham, 40
European Concerted Action Project, 50
exercícios, 12-13, 22-23, 141
expectativa de vida, 10
exposição ao sol, 25-26, 86
extrato de semente de uva: e artrite, 101
    e esclerose múltipla, 36-37
    e o lúpus, 96
    e o mal de Crohn, 89
    na convalescença, 16
    na prevenção de doenças, 46
    no tratamento da asma, 114
    para o cérebro, 129

fagócitos, 99
FAN, teste sangüíneo, 96-97
FDA, 62
ferro, 166
fibras de asbesto, 24

fibrilação atrial, 57
fibromialgia, 3-6, 145-153
fibrose cística, 117-120
fibrose intersticial, 24
Folkers, Dr. Karl, 59-62
Food and Drug Administration. *Ver* FDA
fumaça de cigarros: e câncer, 69
    conseqüências da, 24, 117
    e a inflamação dos vasos sangüíneos, 41
    e doenças vasculares, 51
fumo. *Ver* tabagismo passivo
funcionamento celular, 60
fungicidas, 25

Garewal, Dr. Harinder, 71
genes, 67
glucagon, 141
glutationa
    e infecções por HIV, 92
    e melhorias do sistema imunológico, 92
    e o cristalino, 84
    e o mal de Parkinson, 126
    nas células, 21-22
    no cérebro, 128
    produção de, 46
glutationa peroxidase, 21, 79-80

Harvard Medical School, 49-50
hemorragia digestiva alta, 100
Hennekens, Dr. Charles, 51
herbicidas, 25
hipertensão, 41, 51, 59
Hodgkin, linfoma de, 72
homocisteína, 41, 47-55
homocistinúria, 48
hormônio timo-estimulante, 92
hormônios, 94
Hospital Geral de Massachusetts, 48

Imuran, 89-90, 100
Índice Remissivo

Índice Remissivo

infecções por HIV, 92
infecções virais, 59
insuficiência cardíaca congestiva, 59
insulina, 132-135
intolerância à glicose, 134
iodina, 166

James, Dr. Thomas, 50
Journal of the American Medical Association, 70, 163

Kovacic, Dr. Peter, 66
Kumar, Dr. Arun, 74

L'enfant, Claude, 51
Langsjoen, Dr. Peter, 57, 61-62
lesões, 37
lesões articulares, 99-100
lesões pré-cancerígenas, 70-71
leucemia, 72
leucoencefalopatia, 15-17
leucoplaquia, 70-71
LeVine, Dr. S. M., 126
linfócitos, 90
lipídeos, 31-33
lipofuscina, 81
Loma Linda, Centro Médico da Universidade de, 88
lúpus, 59, 95, 177
luteína, 83
luz azul, 83
luz UVA e UVB, 25-26, 69

MacNee, W., 117
macrófagos, 90-91
mácula, 81, 83
magnésio, 101, 106, 142
mal de Crohn, 88-90
mal de Lou Gehrig, 123
mal de Parkinson, 19, 122-123
Malins, Dr. Donald, 67

manganês, 22, 107, 167
mascadores de tabaco, 71
McCully, Dr. Kilmer, 48-52, 53-54
medicação, 14-15, 26, 150
medicina alternativa, 8
medicina nutricional, 34
medicina preventina, 12
médicos e efeitos adversos dos suplementos de antioxidantes, 73-74
   e a CoQ10, 61-63
   e doenças auto-imunes, 89
   e estudos médicos, 7-8
   e nutrientes como drogas, 46-47
   e o sulfato de glicosamina, 102
   tipos de, 143-144
   treinamento em nutrição, 5, 167-168
mercúrio, 128
metais pesados, 128
metástase, 66-67
metionina, 48, 52
metotrexato, 100
miocardiopatia, 56-59, 60-64, 176
miocardite viral, 57
mitocôndrias, 18, 60
Mohner, Carl, 121-123
molibdênio, 167
monócito, 42, 43
Morris, Dr. M. C., 128

N-acetil L-cisteína, 46, 84, 125
National Heart, Lung and Blood Institute, 51
National Institute of Health, 62
neuroblastoma, 75
New England Journal of Medicine
   e o Simvastatin and Niacin Study, 169-170
   e os níveis de VD. ref. da vitamina D, 165
   sobre a estenose da artéria carótida, 50
   sobre a vitamina D e o cálcio, 106-107
   sobre doenças auto-imunes, 95-96
   sobre o colesterol, 40-41
   sobre o mal de Alzheimer, 124

New York Heart Association, 61
NHANES-II, 152
niacina, 46, 84, 165
nicotina, 24
Northrup, Dra. Christine, 105
nutrição celular, 8, 169, 172
nutricional, 76
nutritional-medicine.net, 130

O Óleo de Lorenzo, filme, 16
O'Keefe, Dr. James, 139
obesidade. *Ver* obesidade central
obesidade central, 134, 137-138
óleo de linhaça, 89
óleo de peixe, 89
olhos, 33, 78-87
ômega -3 e -6, *Ver* ácidos graxos
osteoartrite, 98-100, 177
osteopenia, 108
osteoporose, 103-106, 107-109, 177-178
otimizadores, 130, 172-178
óxido nitroso, 44
oxigênio, 7, 18-20

pâncreas, 133-134
paredes dos vasos, 31-34
Pauling, Dr. Linus, 91-92
pele, 19
pesquisas
   de cientistas, 46-47
   sobre câncer, 11
   sobre células lesadas, 33
   sobre homocisteína, 51
   sobre sulfato de condroitina, 103
pesticidas, 25
Physician's Health Study, 168-169
pintas, 26
placa, 44-45
placebo, 93
polifenóis, 46
poluição do ar, 23-24, 111-112

Pomeranz, Dr. Bruce, 163
Prasad, Dr. Kedar, 74
pré e pós-menopausa, mulheres, 107
prednisona, 89-90, 100, 111
processo de envelhecimento, 7, 93, 124
proliferação, 44
protaglandinas, 94
proteases, 99
Proteína C Reativa, 54
proteínas, 31-33
proteoglicanos, 103
pulmões, 24, 110-111

quimioprevenção, 65, 68-70
quimioterapia, 68

radicais livres, 19-23, 81-83
radioterapia, 26
resposta auto-imune, 91
resposta inflamatória, 42-45, 90-94
retina, 83
reumatismo psicossomático. *Ver* fibromialgia
Rhodes, Tricia, 181

sangue, 39, 104, 126-127
Schmidt, Dr. Karlheinz, 91
Sears, Barry, 141
seldane, 4
selênio, 22, 47, 84-85, 167
Selhub, Dr. Jacob, 50-51
silício, 108
Simvastatin and Niacin Study, 169-170
síndrome de má absorção, 91
síndrome X, 133-138
sistema imunológico, 32, 90-93
Stampfer, Dr. Meir, 50-52
Steinberg, Dr.Daniel, 40
sulfato de condroitina, 103
sulfato de glicosamina, 101-103
suplementos com certificação farmacêutica, 180

Índice Remissivo

suplementos nutricionais
    benefícios dos, 14
    e pacientes do autor, 4-6
    estudos sobre, 71
    níveis otimizados dos, 172-175
    recomendações para os suplementos básicos, 174-175
    risco *versus* segurança dos, 163-168

tabagismo passivo, 24, 69
Taking Up Your Cross, 181
Tamoxifeno, 76
teofilina, 110
terapia de choque, 57
Terapia de Reposição Hormonal, 104-105
The Antioxidant Revolution, 6-7, 22
The Wisdom of Menopause, 105
TMG, 53
TRH. *Ver* Terapia de Reposição Hormonal
trimetilglicina. *Ver* TMG

ubiquinona. *Ver* co-enzima Q10
úlcera, 100

vanádio, 142
VD ref., 160-163
vesícula biliar, 104
vitamina A, 21, 164-165
vitamina B1, 22
vitamina B12, 22, 47, 49, 50
vitamina B2, 22, 46
vitamina B3, 102
vitamina B6
    como co-fator B, 22
    e a toxicidade, 166
    e doenças cardiovasculares, 47
    e homocisteína, 49-50
    e o sistema de defesa natural do corpo, 84

vitamina C
    e a artrite, 102
    e doenças cardiovasculares, 46
    e o DNA, 70
    e o mal de Parkinson, 126
    e o resfriado comum, 92
    na alimentação, 21
    na proteção das células cerebrais, 128
    no fluido dos olhos, 80
    no sangue e no plasma, 21
    no tratamento de catarata, 80
    preocupação dos médicos com a, 164
vitamina D, 102, 106-107, 165
vitamina E
    benefícios da, 164-165
    e a mácula, 83
    e a resistência à insulina, 142
    e a retina, 84
    e artrite, 102
    e o DNA, 70
    e o espessameto das artérias, 45
    efeitos da deficiência em, 91
    na alimentação, 21
    na membrana celular, 21
    na proteção contra agentes quimioterápicos, 74
    na proteção das células cerebrais, 127-128
    no fluido dos olhos, 79-80
    no tratamento do mal de Parkinson, 126
vitamina K, 107

Wentz, Dr. Myron, 9
Willett, Dr. Walter C., 140

zeaxantina, 83
zinco, 22, 84-85, 92-93, 108